PERCA O CONTROLE

KATHERINE MORGAN SCHAFLER

PERCA O CONTROLE

Um guia para perfeccionistas

Tradução
LÍGIA AZEVEDO

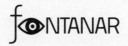

Copyright © 2023 by Katherine Morgan Schafler

O selo Fontanar foi licenciado para a Editora Schwarcz S.A.

Grafia atualizada segundo o Acordo Ortográfico da Língua Portuguesa de 1990, que entrou em vigor no Brasil em 2009.

TÍTULO ORIGINAL The Perfectionist's Guide to Losing Control
CAPA Estúdio Bogotá
ILUSTRAÇÃO DE CAPA Karen Suehiro/ Estúdio Bogotá
PREPARAÇÃO Silvia Massimini Felix
ÍNDICE REMISSIVO Luciano Marchiori
REVISÃO Carmen T. S. Costa e Luciane H. Gomide

Dados Internacionais de Catalogação na Publicação (CIP)
(Câmara Brasileira do Livro, SP, Brasil)

Schafler, Katherine Morgan
  Perca o controle : Um guia para perfeccionistas / Katherine Morgan Schafler ; tradução Lígia Azevedo. — 1ª ed. — São Paulo : Fontanar, 2023.

  Título original : The Perfectionist's Guide to Losing Control.
  ISBN 978-65-84954-29-8

  1. Perfeccionismo (Traço de personalidade) I. Título.

23-169195   CDD-155.232

Índice para catálogo sistemático:
1. Perfeccionismo : Traço da personalidade : Psicologia   155.232

Cibele Maria Dias – Bibliotecária – CRB-8/9427

Todos os direitos desta edição reservados à
EDITORA SCHWARCZ S.A.
Rua Bandeira Paulista, 702, cj. 32
04532-002 — São Paulo — SP
Telefone: (11) 3707-3500
facebook.com/Fontanar.br
instagram.com/editorafontanar

Para Michael

As histórias com as clientes deste livro são ficcionais. Todos os nomes, contextos e detalhes das histórias foram substancialmente alterados; são amálgamas de amálgamas. As representações de sessões nas páginas seguintes foram criadas em cima de sentimentos, pensamentos e conexões específicos com que me deparei no ambiente, no trabalho ou na pessoa. Meu interesse é expressar essa precisão emocional, mais do que recontar qualquer coisa. Sou indescritivelmente grata a cada pessoa com quem tive o privilégio de trabalhar. Às minhas clientes antigas e atuais: suas histórias pertencem a vocês, e nunca as compartilharei.

Ela é o que é; e está completa.

Dra. Clarissa Pinkola Estés

Sumário

Introdução — O perfeccionismo é um poder 13
Teste — Que tipo de perfeccionista você é? 21

1. Vale nota 27
   Os cinco tipos de perfeccionistas

2. Celebre seu perfeccionismo 57
   Reivindicando os dons e as vantagens por trás do seu desejo insaciável de se destacar

3. Perfeccionismo como doença, equilíbrio como cura, mulheres como pacientes 83
   Um modelo para patologizar as expressões de poder e ambição das mulheres

4. O perfeccionismo de perto 109
   Uma compreensão aprofundada do perfeccionismo e da fluidez da saúde mental

5. Você estava tentando resolver o problema errado 174
   A questão não é ser perfeccionista, mas responder a deslizes se punindo

6. Você vai gostar da solução tanto quanto gosta de tirar a nota máxima 208
   Desapegue, falhe e tenha compaixão por si mesma, não importa o que aconteça

7. Novos pensamentos para ajudar a não pensar demais... 247
   Dez perspectivas-chave para encontrar o sucesso que você está buscando na sua vida cotidiana
8. Coisas novas a fazer para ajudar a parar de fazer demais.. 300
   Oito estratégias comportamentais para que cada tipo de perfeccionista crie hábitos restauradores que permitam o crescimento no longo prazo
9. Agora que você é livre 341
   Dando a si mesma permissão para desfrutar da sua vida hoje

Epílogo... 387

Nota da autora 389
Agradecimentos 393
Notas 401
Índice remissivo 413

Introdução
O perfeccionismo é um poder

Na noite antes do nosso casamento, meu marido e eu decidimos dormir separados, para que cada um de nós passasse a noite da maneira mais relaxante possível antes do grande dia. Voltei para casa depois de jantar com nossos familiares e amigos às dez e meia da noite, respondi a alguns e-mails enquanto passeava com os cachorros e malhei um pouco.

Depois tomei um banho incrível, refiz os embrulhos dos presentes que daria às madrinhas no dia seguinte (os da loja tinham fita adesiva demais e eram meio cafonas), atualizei alguns prontuários, passei cerca de vinte minutos editando meus votos na cama, verifiquei meus e-mails de novo e peguei no sono um pouco depois das duas. Foi, em todos os sentidos, a noite perfeita.

Perfeccionistas não são pessoas equilibradas, e tudo bem. Conformar-se a noções preestabelecidas de equilíbrio e bem-estar genérico que não se aplicam a quem você é não tem nada a ver com ser saudável, e sim com ser obediente. Escrevi este livro para as mulheres* que estão cansadas de ser "boas".

* Aqui e ao longo do livro, com "mulheres" estou me referindo a todas as pessoas que se identificam em parte do tempo ou o tempo todo como mulheres e todas as pessoas percebidas pelos outros como mulheres.

Escrevi este livro para as mulheres que estão prontas para se libertar.

Se você estivesse sentada diante de mim no meu consultório, poderíamos revirar os olhos uma para a outra diante da ideia infinitamente repetida de que perfeccionistas se libertam quando abandonam o perfeccionismo. Posso te dizer agora mesmo que isso nunca vai funcionar.

Escrever "Não vou ser mais perfeccionista" mil vezes numa lousa mental é um completo desperdício de tempo. Então como é que você se liberta, como é que começa a entender o que é liberdade para você? Sendo honesta consigo mesma em relação a quem é.

Você admite que nunca ficará satisfeita com uma vida na média — você quer ser excelente, e sabe disso. Você reconhece que funciona melhor sob pressão — precisa de um desafio, ou o tédio pode degringolar num episódio depressivo. E para de se conter e de negar seus dons — você nasceu para brilhar, e sente isso.

Até agora, você resistiu às suas tendências perfeccionistas como resposta ao retrato coletivo do perfeccionismo, que é profundamente distorcido e altamente seletivo. Ele se concentra no negativo (que é verdade, mas não de maneira holística) para demonstrar que o perfeccionismo é algo ruim, chegando à conclusão de que perfeccionistas não são pessoas saudáveis e devem ser endireitadas.

O que é curioso (na verdade, previsível) é que o esforço para conter o perfeccionismo e ser "perfeitamente imperfeito" é dirigido às mulheres. Você já ouviu algum homem se definindo como "um perfeccionista em recuperação"? Quando Steve Jobs, Gordon Ramsay ou James Cameron exigem perfeição, são exaltados como gênios nas suas respectivas áreas. Onde estão as mulheres celebradas pelo seu perfeccionismo?

Seria possível argumentar que Martha Stewart construiu um império com seu perfeccionismo e talvez seja a mulher perfeccionista mais celebrada do nosso tempo, mas repare no que a empresa dela, a Martha Stewart Living Omnimedia, se concentra: receitas práticas para o brunch, tudo relacionado às festas de fim de ano, paletas de cor que se destacam, casamentos. Todos esses são interesses arquetípicos da dona de casa. O perfeccionismo de Martha Stewart recebe aclamação estrondosa em vez de conselhos de "maior equilíbrio" (ou seja, de controlar seu empenho) porque seus interesses se atêm a áreas nas quais se aceita que mulheres sejam publicamente ambiciosas. Não é uma coincidência.

Parte do anseio de erradicar o perfeccionismo nas mulheres se deve ao fato de que o perfeccionismo é uma energia poderosa. E, como todo tipo de poder (o poder da riqueza, das palavras, da beleza, do amor etc.), é capaz de corromper a vida de quem não souber dominá-lo. O perfeccionismo é um excelente funcionário, mas um terrível patrão; vamos ser honestas quanto a isso.

Agora vamos abrir o jogo.

Ambas sabemos que, no passado, seu perfeccionismo torturou você em todos os campos da vida: o profissional, o romântico, o artístico, o físico, o espiritual. Isso porque você não o compreendia como um poder e um talento, não o respeitava, tentava negá-lo, o reduzia a uma propensão pela ordem e pela pontualidade, embora o perfeccionismo de verdade não tenha quase nada a ver com essas coisas. Quanto mais você tentava afastar seu perfeccionismo, mais ele reagia. Você não conseguiria se livrar dele mesmo se tentasse (e tentou), porque ele é um componente fundamental de quem você é.

Para sua sorte, as partes mais profundas e poderosas de quem você é nunca a abandonam. O que quer que você tenha feito para entorpecer, minimizar ou silenciar a energia interna poderosa com a qual não sabia como lidar, *eu fiz também*. E tudo bem, porque nada funcionou. Seu perfeccionismo continua intacto, e agora você tem uma solução real para o seu problema.

O seu problema não é ser perfeccionista. Algumas das pessoas mais alegres, extraordinárias e realizadas do mundo são perfeccionistas. O seu problema é não estar sendo você mesma por completo.

As mulheres recebem todos os dias diretivas infindáveis sobre como ser menos. Pesar menos, querer menos, ser menos emotivas, dizer menos sim e certamente ser menos perfeccionistas. Este é um livro sobre mais. Sobre como conseguir mais do que você quer sendo mais quem você é.

Faz anos que trabalho com perfeccionistas no meu consultório em Nova York. Este livro se baseia nesse trabalho e na minha experiência clínica numa ampla variedade de cenários, inclusive como terapeuta no Google, trabalhando no tratamento residencial e atuando em centros de reabilitação de dependentes químicos.

Nutrindo há muito uma obsessão por explorar as maneiras como enfrentamos dificuldades, crescemos e prosperamos, obtive um diploma de graduação em psicologia pela Universidade da Califórnia em Berkeley, depois fiz pós-graduação e realizei meu treinamento clínico na Universidade Columbia. Em seguida, concluí um mestrado na Associação de Espiritualidade e Psicoterapia da Cidade de Nova York. Minha experiência em pesquisa no Instituto de Desenvolvimento Humano e no Laboratório Hammen da UCLA despertou questões que eu vinha revirando mentalmente fazia vinte anos. Embora a extensão da minha curiosidade em relação à maneira como os seres humanos se conectavam uns com os outros garanta que sempre terei mais perguntas que respostas, trabalhei para imbuir este livro das respostas que reuni até agora.

Eis uma pergunta que me fiz por um longo tempo: o que as pessoas querem dizer com "Sou perfeccionista"?

A definição informal se reduz ao seguinte: perfeccionista é alguém que deseja que tudo seja perfeito o tempo todo e fica chateado quando não é.

No entanto, não é simples assim.

Quando as pessoas falam "Sou perfeccionista", não estão dizendo que esperam ser sempre perfeitas, que os outros sejam sempre perfeitos, que o tempo esteja sempre perfeito, que os desdobramentos dos eventos na sua vida sejam perfeitos.

Perfeccionistas são pessoas inteligentes que sabem que é impossível que tudo seja perfeito o tempo todo. O que elas às vezes têm dificuldade de entender é por que ficam tão decepcionadas com a imperfeição apesar disso. O que elas se perguntam é por que se sentem tão impelidas ao esforço incessante. Podem ficar confusas quanto ao que exatamente estão buscando. Às vezes se perguntam por que não podem relaxar e curtir "como uma pessoa normal". E o que elas querem saber é quem são além daquilo que realizam.

Todo ser humano se depara com versões dessa curiosidade existencial em determinado momento. Só que perfeccionistas pensam nisso o tempo todo.

Delineei cinco tipos de perfeccionistas; identificando em qual deles se encaixa, você vai descobrir seus dons. Também vai obter uma compreensão maior do seu desejo intenso de se destacar, vai parar de desperdiçar força de vontade tentando se obrigar a não ser perfeccionista e vai poder explorar toda a energia recém-liberada a serviço de um eu mais autêntico.

A primeira metade deste livro desmantela o perfeccionismo para compreender melhor suas partes. O capítulo 1 introduz os cinco tipos de perfeccionistas. O capítulo 2 convida você a se conectar com o perfeccionismo adaptativo, uma dimensão vantajosa do perfeccionismo e velha conhecida da comunidade pesquisadora, mas muito pouco discutida pela indústria do bem-estar. O capítulo 3 explora o perfeccionismo de uma perspectiva feminista. Além de mostrar a diferença entre controle e poder, o capítulo 4 revela as camadas do perfeccionismo, possibilitando uma compreensão profunda do que ele de fato é, e de quando é algo saudável e quando deixa de ser.

A segunda metade mostra como reestruturar o perfeccionismo de uma forma que funcione *para* você, e não *contra* você. No capítulo 5, você vai aprender o erro mais cometido pelas perfeccionistas, e no capítulo 6 vai aprender o que fazer. O capítulo 7 apresenta dez mudanças-chave de perspectiva para garantir uma mentalidade o mais saudável possível. O capítulo 8 descreve oito estratégias comportamentais que cada tipo de perfeccionista pode implantar para progredir e crescer no longo prazo. O último capítulo responde a uma pergunta que toda perfeccionista deve encarar: "Sei que sou teoricamente livre para fazer o que quero, então por que ainda me sinto encurralada?".

Em última análise, este livro vai ensiná-la a fazer a troca mais importante da sua vida: do controle superficial pelo poder real.

Se está procurando um livro para consertar o que há de errado com você, precisará continuar sua jornada em outro lugar. Este livro explora a possibilidade de que *não haja nada de errado com você* (apesar dos hábitos autodestrutivos que abordaremos no capítulo 5).

Isso é algo que percebi que as pessoas não gostam de ouvir na terapia. Com exceção dos narcisistas, ninguém faz terapia para ouvir que está bem, ótimo, extraordinário até.

A maior parte das pessoas alimenta uma desconfiança secreta de que está pior do que imagina. De que a coisa está feia. E fazer terapia significa que estão prontas para ouvir quão feia a coisa está. De maneira geral, as pessoas querem saber quão problemáticas são a partir de uma consulta profissional e em termos clínicos. Também gostariam de obter ajuda para se situar no mundo, apesar de defeituosas.

Não.

Investir numa versão patologizada de quem você é consiste num gasto totalmente desnecessário da sua energia. Também é uma desculpa para evitar a cura. Não é para nenhuma dessas coisas que estou aqui. Estou aqui para mudar o foco da conversa da fraqueza para a força. Da adequação para a conexão. Da patologia para a fenomenologia. Do medo para a curiosidade. Da reatividade para a proatividade. Da erradicação para a integração. Do tratamento para a cura.

O perfeccionismo não precisa ser um problema. Você não precisa deixar de ser perfeccionista para ser saudável.

Se, a qualquer momento, você quiser voltar à noção de que precisa ser corrigida em vez de ser vista, pare de ler. Todas vacilamos no processo de assumir nosso poder — você também pode vacilar. Tudo bem precisar de mais tempo ou simplesmente se recusar a crescer. E tudo bem não querer crescer, mas esse certamente não é seu caso. Porque você é uma perfeccionista. Não consegue segurar seu desejo de melhorar. Não consegue evitar testar seus limites. Não consegue não cutucar a onça com vara curta.

Eis outra questão que passei anos explorando: "E se seu perfeccionismo existe para te ajudar?".

Alguns dons parecem um fardo até compreendermos como podem nos servir. Deixe-me mostrar como o seu perfeccionismo é um presente para você, e como você é um presente para o mundo.

Teste
Que tipo de perfeccionista você é?

A cada pergunta, circule a resposta que melhor a descreve (A, B, C, D, E). Em seguida, confira em que perfil de perfeccionista você se encaixa.

1. Você já teve um surto de raiva no trabalho, chegando a gritar, socar a mesa ou bater a porta?

A) Sim. Quando fico frustrada comigo ou com os outros, não consigo esconder.
B) Nunca. Sou controlada e profissional ao extremo o tempo todo.
C) Não. Quero que as pessoas sintam que é fácil se relacionar comigo, por isso me esforço ao máximo para evitar comportamentos que possam incomodá-las.
D) Não. Tenho muita coisa a expressar, mas estou esperando pelo momento certo e procurando a maneira correta de fazer isso.
E) Não. Não tenho dificuldade em controlar minha raiva, minha luta é para não ser impulsiva. Por exemplo, às vezes compartilho uma série de ideias numa reunião sem tê-las ponderado o suficiente antes.

2. Qual das alternativas abaixo mais incomodaria você?

A) Ver que as pessoas à sua volta não estão atendendo aos mais elevados padrões de excelência.
B) Sair de férias sem um roteiro.
C) Saber que alguém não gosta de você.
D) Receber uma amostra com cinquenta opções de tinta e precisar escolher uma em dez minutos para pintar a parede da sala.
E) Ouvir de alguém que você vai ter de se concentrar num único objetivo nos próximos seis meses.

3. Qual das afirmações abaixo descreve você melhor?

A) Imponho padrões bastante elevados a todos à minha volta. Posso ser punitiva em relação às pessoas que não os atendem.
B) Sou confiável, muito organizada e adoro planejar. Às vezes, tenho a impressão de que as pessoas me consideram tensa.
C) Fico frustrada com o tanto que me importo com as opiniões e os sentimentos alheios em relação a mim. Às vezes me acho carente, por sempre procurar estabelecer conexões profundas.
D) Fico frustrada com minha dificuldade em fazer escolhas. Gostaria de ser um pouco mais impulsiva e tomar ações mais claras para atingir meus objetivos.
E) Adoro a sensação de começar um projeto — no começo, sinto que ninguém pode me parar! No entanto, tenho dificuldade de me manter concentrada e outros interesses me distraem.

4. Se alguém fosse elogiá-la, provavelmente diria que você é ótima em...

A) Ser direta e manter o foco no objetivo em questão.
B) Fazer exatamente o que diz que vai fazer, exatamente quando diz que vai fazer, exatamente da maneira esperada.
C) Estabelecer relações significativas com os outros.
D) Preparar, fazer perguntas inteligentes e considerar cenários alternativos.
E) Imaginar possibilidades, inspirar-se e bolar ideias.

5. Que afirmação melhor descreve você?

A) Fico frustrada com a ineficiência e a falta de foco dos outros. Não me importo se as pessoas gostam de mim ou não, só quero que o trabalho seja feito.
B) Considero ofensivo quando as pessoas alteram a estrutura e a programação do que quer que seja (uma reunião, um jantar, uma viagem de férias etc.). Deveríamos conseguir nos ater ao planejado.
C) Gasto mais energia do que gostaria me perguntando o que os outros pensam de mim.
D) Sei que tenho muito mais a oferecer (nos meus relacionamentos, no trabalho, na comunidade etc.), mas não conseguirei atingir meu pleno potencial enquanto não resolver certas coisas.
E) Sempre resisto ao impulso de fazer coisas como comprar domínios de negócios que gostaria de começar. Tenho mais ideias do que posso pôr em prática.

6. Já me disseram que eu...

A) Sou cruel, "intensa" ou intimidadora.
B) Não sou espontânea o bastante ou estou sendo rígida demais.
C) Só me preocupo em agradar às pessoas.
D) Não me arrisco e sou indecisa demais.
E) Sou desorganizada, caótica e incapaz de cumprir aquilo a que me comprometi.

7. Para mim, o mais importante é...

A) As pessoas fazerem o que dizem que vão fazer quando dizem que vão fazer e com o nível de qualidade que eu espero.
B) Ser capaz de oferecer a mim mesma estabilidade através de rotina, estrutura e previsibilidade.
C) Outra pessoa se esforçar para me compreender como pessoa e por que o que importa para mim é mesmo importante.
D) Encarar novas oportunidades (relacionamentos, trabalhos, decisões diárias) tão preparada e segura das minhas decisões quanto possível. Não gosto de me comprometer a menos que esteja totalmente confiante de que fiz a escolha certa.
E) Levar uma vida apaixonada na qual aproveito o máximo de oportunidades possível de criar projetos, desenvolver novas habilidades, viajar, crescer e explorar.

RESULTADOS

Confira a letra que predominou nas suas respostas e veja que tipo de perfeccionista você é.

A) **Perfeccionistas intensas** são diretas e mantêm o foco em atingir um objetivo. Seus padrões podem ir de altos a impossíveis, e quando não são atingidos podem resultar em punitivismo em relação a si mesma e aos outros.

B) **Perfeccionistas clássicas** são altamente confiáveis, consistentes e apegadas a detalhes, e contribuem com estabilidade em qualquer ambiente que estejam. Podem ter dificuldade de se adaptar à espontaneidade ou a mudanças na rotina e de se conectar de maneira significativa com os outros.

C) **Perfeccionistas parisienses** possuem uma compreensão aguda do poder da conexão interpessoal e são fortemente inclinadas à empatia. Seu desejo de se conectar com os outros pode degringolar numa necessidade tóxica de agradar todo mundo.

D) **Perfeccionistas procrastinadoras** sobressaem no planejamento, têm uma perspectiva de 360 graus das oportunidades e são boas em controlar impulsos. Toda a sua preparação, no entanto, pode levar a indecisão e inação.

E) **Perfeccionistas caóticas** não ficam ansiosas diante de novos começos, são ótimas em ter ideias, adaptam-se bem à espontaneidade e são naturalmente entusiasmadas. Podem ter dificuldade em manter o foco nos objetivos e acabar não tendo energia para de fato realizar tudo aquilo com que se comprometeram.

Importante: Você também pode ordenar seus resultados para obter um perfil mais amplo. Por exemplo, se respondeu predominantemente C, mas teve um número de E significativo, é porque você é uma perfeccionista parisiense com uma tendência significativa a ser uma perfeccionista caótica. Se ao final duas ou mais letras terminarem empatadas, você é esses diferentes tipos de perfeccionista na mesma medida.

Junto com as descrições mais detalhadas ao longo deste livro — assim como sua própria intuição em relação ao tipo de perfeccionismo com que você mais se identifica —, suas respostas irão guiá-la rumo a uma compreensão mais clara de como valorizar e gerenciar seu perfil único de perfeccionismo.

1. Vale nota
Os cinco tipos de perfeccionistas

> *Quando uma situação interior não se torna consciente, acontece externamente como destino.*
>
> C. G. Jung

Uma perfeccionista procrastinadora teria imensa dificuldade em escrever essa frase, pois ela aparece no começo de um livro sobre perfeccionismo e, por isso, precisaria ser *perfeita* (e não existe frase inicial melhor que aquela que a perfeccionista procrastinadora imagina mentalmente mas nunca chega a escrever).

Uma perfeccionista clássica escreve a frase inicial, odeia e se esforça ao máximo para esquecer que ela existiu, mas vive assombrada por ela no mínimo oito anos.

Uma perfeccionista intensa a escreve e odeia, então canaliza sua frustração sendo agressiva com algo que não tem nada a ver.

Uma perfeccionista parisiense finge não notar que escreveu a frase inicial, como quem diz: "Ah, sim, acho que fiz isso. Rá". Em segredo, no entanto, torce desesperadamente para que todo mundo ame e, como resultado, ame-a também. *Quem escreveu essa frase inicial? Preciso ficar amiga dela agora mesmo!*

Uma perfeccionista caótica escreve a frase inicial e ama, então escreve outras dezessete, muito diferentes da original, ama todas e não consegue escolher apenas uma delas porque seria como uma mãe escolher de que filho gosta mais.

Todas elas têm uma coisa em comum: talvez não saibam que são perfeccionistas, talvez não vejam como o perfeccionismo pode prendê-las ou permitir que voem, dependendo de como for gerenciado.

No sentido mais básico, gerenciar o próprio perfeccionismo é tomar consciência do impulso essencial que todas as perfeccionistas vivem: notar que há espaço para aperfeiçoamento — *Hum, isso poderia melhorar* — e responder de maneira consciente ao reflexo em vez de reagir de modo automático. Perfeccionistas são pessoas que notam consistentemente a diferença entre um ideal e a realidade e se esforçam para manter um alto grau de responsabilidade pessoal. Com isso, muitas vezes a perfeccionista se vê numa compulsão para diminuir o abismo entre a realidade e o ideal.

Quando não contestada, a mentalidade perfeccionista se apega à ideia de aperfeiçoamento (em oposição à melhora comparativa ou à aceitação) daquilo que pode ser melhorado. Esse impulso evolui para uma crença que logo domina a mente da perfeccionista: "Preciso que algo neste momento seja diferente para poder ficar satisfeita".

O perfeccionismo é a língua invisível na qual sua mente pensa; o tipo de perfeccionismo que se mostra na sua vida cotidiana é só o sotaque.

Desenvolvi minha prática clínica sobre o tema do perfeccionismo porque admiro a energia da perfeccionista. Ela está sempre superando limites, cutucando a onça com vara curta, sem medo de viajar às profundezas da raiva ou do desejo, sempre procurando uma conexão com algo maior, com mais.

Reconhecer que queremos mais é um ato de ousadia, e toda perfeccionista (quando está sendo sincera, e em geral as pessoas são sinceras na terapia) exibe uma coragem que me atrai magneticamente.

Atendo sobretudo mulheres que se apresentam bem, que parecem perfeitamente compostas quando querem, cujos problemas não ficam claros de imediato para os outros. É um trabalho cheio de nuances, porque, como desconfio que você saiba bem demais, ninguém consegue esconder seu sofrimento melhor do que uma pessoa altamente funcional. Prospero com o desafio constante, porque, como percebi num dos momentos mais desafiadores da minha vida, eu mesma sou uma perfeccionista.

O clichê ainda me incomoda — só percebi como era apegada ao controle quando comecei a perdê-lo. No exato momento em que minha vida pessoal e profissional começou a decolar, recebi um diagnóstico de câncer. Uma gravidez não foi para a frente quando eu já não tinha oportunidade de congelar meus óvulos antes da quimioterapia. Perdi um tempo considerável com a doença. Perdi meu lindo cabelo castanho. Perdi a confiança no meu casamento novo em folha. Perdi oportunidades profissionais pelas quais havia passado anos trabalhando. Perdi o controle da vida que havia meticulosamente construído.

Num momento eu atravessava as correntezas, e no outro era como se me puxassem até o lugar quieto, silencioso e invisível que fica atrás da cachoeira. Eu olhava para o que sempre tinha olhado (o perfeccionismo), mas de um ponto de vista diferente. E por que eu estava naquele lugar? Porque, num esforço equivocado para ser mais equilibrada e saudável, estava resistindo ao meu próprio perfeccionismo.

Eu estava doente, então claro que devia relaxar, fazer o mínimo. Tudo fazia sentido na teoria. Eu tentei, de verdade. E foi péssimo, de verdade. Eu usava sais de banho cor-de-rosa e ficava mergulhada na banheira vendo aquilo borbulhar, passando mal de tédio, quando preferiria estar trabalhando, insistindo, executando. Não insistindo de maneira compensatória ou em negação, e sim porque gostava de estar envolvida ao máximo com meu trabalho e minha vida.

A energia que minhas clientes perfeccionistas traziam ao consultório contrastava fortemente com o que eu começara a sentir na minha vida particular. A energia delas era intensa, magnética, com potencialidades infinitas, destrutiva e construtiva ao mesmo tempo. Ao notar as diferenças entre mim e minhas clientes, também reconheci as semelhanças que sempre haviam estado lá.

Vi o perfeccionismo como o poder que era, uma força que eu queria recuperar; a energia dinâmica que eu vinha ajudando minhas clientes a canalizar e explorar havia anos, sem contar com a linguagem que tenho agora para o que estava fazendo. Foi só quando tentei reprimir o impulso do meu próprio perfeccionismo que compreendi o que havia ali.

Também me dei conta de que se eu, a mulher que nunca encontrava o celular e ficava exaltando o trabalho da extraordinária cientista social dra. Brené Brown para as pessoas na fila do mercado, podia ser uma perfeccionista, qualquer pessoa poderia ser também, mesmo sem saber disso. O que exatamente estava acontecendo ali?

Comecei a fazer a engenharia reversa do perfeccionismo, a virá-lo do avesso. Ao examinar meu próprio perfeccionismo e mergulhar nos anos que havia passado trabalhando com perfeccionistas, padrões claros emergiram: cinco apresentações distintas de um conceito central, os cinco tipos de perfeccionistas.

Como o perfeccionismo opera num contínuo, perfeccionistas podem personificar aspectos de todos os tipos.

Embora um tipo costume predominar, também é possível vivenciar manifestações específicas de perfeccionismo de acordo com o contexto. Por exemplo, é possível ser uma perfeccionista caótica no campo do namoro, mas uma perfeccionista clássica durante as festas de fim de ano. Como não sou uma perfeccionista procrastinadora e posso escolher um ponto de partida sem dificuldade, vamos começar pelo começo: as perfeccionistas clássicas.

OS CINCO TIPOS DE PERFECCIONISTAS

PERFECCIONISTAS CLÁSSICAS

Terça-feira, 10h58.
Abri a porta para a sessão das onze. Claire estava de pé na sala de espera, rodopiando entre as quatro cadeiras vazias enquanto terminava de mandar um e-mail pelo celular. "Pronto", ela disse, enquanto juntava de maneira eficiente seus poucos pertences para entrar na minha sala: uma jaqueta, dois celulares, a maleta do laptop, uma bolsa comum para carregar os sapatos de salto alto, uma bolsa Prada, portanto nem um pouco comum, e dois copos de 400 ml de chá gelado sem açúcar do Starbucks.
"Já conversamos sobre isso", falei, ao ver o chá a mais. "Posso ajudar com suas coisas?"
"Não precisa", ela disse, já fazendo um truque de malabarismo com os objetos.
Claire entrou na sala tranquilamente, passando pela porta como se fosse uma cortina de veludo vermelho na noite de abertura de um espetáculo: seguindo gloriosamen-

te sua deixa. Como costuma ser o caso de perfeccionistas clássicas, havia algo de cerimonioso nela, que mudou legalmente seu nome aos 22 anos porque a grafia original não incluía o E final, um detalhe que considerava intolerável. Como ela me explicou: "Desde o segundo ano, toda vez que eu escrevia meu nome morria um pouco por dentro. Tenho certeza de que isso me custou uns dois anos de vida, mas agora está resolvido".

Ela tirou um tipo de toalhinha da bolsa e enxugou as gotículas de água na lateral e na parte de baixo do copo de plástico transparente antes de pousá-lo sobre o porta-copo. "Amo esses porta-copos. Não quero que molhem", Claire explicou (para ser justa, eles eram mesmo lindos).

Repetiu o gesto com o copo que havia trazido para mim e o deixou na minha mesa, dizendo: "Sei que já conversamos sobre isso". Então mudou de tom para um sussurro animado e acrescentou, com uma espécie de piscadela: "Mas também sei que você toma depois que vou embora". Depois, sentou-se exatamente no mesmo ponto do sofá em que se sentava toda semana, mas isso não é algo típico das perfeccionistas clássicas, e sim uma coisa que todo mundo faz.

Já *posicionar* o celular numa superfície em vez de simplesmente deixá-lo nela é algo típico das perfeccionistas clássicas. Perfeccionistas clássicas tendem a ser extremamente deliberadas quanto a como lidam com objetos. Por exemplo, elas podem *posicionar* o celular, ou seja, pegá-lo com ambas as mãos e apoiá-lo numa superfície, depois dedicar meio segundo a inclina-lo um pouquinho, designando oficialmente sua posição no sofá, que de outra maneira seria aleatória. Esse microrritual que tantas perfeccionistas clássicas realizam sempre me pareceu com pôr o celular numa caminha invisível, sem cobrir. Notar idiossincrasias sempre me renderam uma alegria particular e especial.

Claire posicionou os dois celulares ao seu lado no sofá só para virá-los no meio de uma frase trinta segundos mais tarde, quando acenderam. Fechei a porta depois que Claire ("com E", como ela adorava dizer) saiu. Meu chá gelado estava um pouco aguado após 45 minutos, mas continuava refrescante como sempre.

Perfeccionistas clássicas se apresentam de maneira clássica, o que não chega a ser surpresa, e Claire, com E, não era uma exceção. Tudo nela parecia novo em folha e impecável, como se tivesse comprado cada item aquela manhã e começado uma vida instantaneamente. Claire parecia deixar meu sofá mais limpo só de se sentar nele.

Eu tinha visto no Pinterest que, passando um rolinho adesivo no fundo da bolsa, era possível tirar todas as migalhas e sujeirinhas que se juntavam ali. Imaginava que Claire não devia ter nenhuma migalha ou sujeirinha, nem mesmo no fundo da bolsa. Mas ela era sincera nas nossas conversas; se abria quanto às migalhas e sujeirinhas invisíveis na sua vida, o tipo de problema que os truques do Pinterest infelizmente eram incapazes de resolver.

Foi só porque Claire escolheu me dar abertura que eu tinha qualquer desconfiança de desordem abaixo da superfície. Muito autodisciplinadas, perfeccionistas clássicas costumam se apresentar de maneira uniforme, o que dificulta avaliar sua temperatura emocional. Elas estão animadas? Furiosas? Tendo o melhor orgasmo de toda a vida? Ninguém sabe. Parecem sempre estoicas ou sorriem como se estivessem sendo fotografadas. Embora seja fácil interpretar esse estilo de envolvimento como artificial ou fechado, é tudo menos isso.

Perfeccionistas clássicas podem ser vistas pelos outros como inacessíveis ou arrogantes, mas o que esse tipo busca construir em torno da sua figura é respeito, e não um muro.

Perfeccionistas clássicas não estão tentando impressionar ou se manter distantes, só estão tentando oferecer aos outros o que mais valorizam: estrutura, consistência, previsibilidade e uma compreensão de todas as opções para que seja possível fazer escolhas conscientes e ter padrões elevados, objetividade e clareza através da organização.

O exato contrário de artificiais, perfeccionistas clássicas operam com incrível transparência quanto ao seu conjunto particular de preferências. Também propagandeiam constantemente suas tendências perfeccionistas (aqui está minha planilha impecável de restaurantes para as férias; repare no meu penteado que de alguma forma faz com que sempre pareça que acabei de cortar o cabelo).

Confiáveis e previsíveis, perfeccionistas clássicas deixam claro que não gostam de desordem. Por exemplo, uma perfeccionista clássica poderia dizer: "Não gosto de beber porque não gosto da sensação de não estar no controle". Perfeccionistas clássicas se orgulham do seu perfeccionismo. É um aspecto *egossintônico* do eu (algo de que gostam), em oposição a um traço de identidade *egodistônico* (algo de que não gostam).

Ostentando uma ética de trabalho sólida e muita paciência, perfeccionistas clássicas não conseguem evitar ser um pouco convencidas em relação ao seu estilo de controle, algo de que não podemos culpá-las. (Se eu não tivesse nenhuma migalha ou sujeirinha no fundo da minha bolsa, seria mais do que convencida.)

Na coluna dos contras, perfeccionistas clássicas têm dificuldade de se adaptar a mudanças de programação, sejam grandes ou pequenas, e tendem a considerar a espontaneidade estressante. Uma existência construída com base em roteiros não propicia descobrir coisas novas e prazeres inesperados, e criar sistemas fixos para lidar com família, trabalho, amigos e mais — deixando pouco espaço para a expansão orgânica ou para o erro — pode lhes roubar a oportunidade de crescer de uma forma diferente da planejada ou sem um objetivo específico.

Socialmente, pode ser difícil se conectar com perfeccionistas clássicas porque elas costumam ser vistas como invulneráveis. Tendemos a confundir confiabilidade exterior com força interior, o que é um erro. Perfeccionistas clássicas são tão confiáveis nos seus piores momentos quanto nos melhores; não é porque sempre cumprem o prometido que são invencíveis ou se sentem fortes por dentro.

Além disso, a maneira sistemática como as perfeccionistas clássicas operam não encoraja espírito colaborativo, flexibilidade ou abertura a influência externa — qualidades que ajudam a construir conexões. O risco desse estilo é que acabe gerando relacionamentos superficiais e transacionais, mesmo sem intenção. Por isso, perfeccionistas clássicas podem se sentir excluídas, mal compreendidas e subvalorizadas, apesar de tudo que fazem.

PERFECCIONISTAS PARISIENSES

Lauren me mandou uma mensagem dez minutos antes da nossa sessão: "vou chegar 10 min atrasada. desculpa, dia péssimo". Alta e linda (apesar da chuva), ela entrou ensopada, parecendo uma Barbie deixada no quintal durante uma tempestade. Peguei seu casaco e o pendurei. Quando me virei de volta, ela já estava chorando e pedindo desculpas pelo choro.

Conversamos sobre uma reunião que ela tivera aquela manhã e que lhe parecera desastrosa. Quando pressionada, Lauren reconheceu que a ideia que apresentou tinha sobressaído e que a equipe escolhera destacar seu trabalho numa conferência que estava por vir.

Esperei que ela terminasse antes de dizer: "Me ajude a entender o problema".

Exasperada, Lauren desabafou: "Eu sei que ela não gosta de mim, e odeio isso!".

Eu sabia que "ela" era sua gerente direta, que parecia valorizar o trabalho de Lauren, nunca era descortês com ela e até mesmo lhe dera um aumento recentemente — mas que aparentava não gostar de Lauren em particular.

Num nível intelectual, Lauren compreendia que nem todo mundo gosta de todo mundo, e que não é nada pessoal. Ainda assim, ficava incomodada que a gerente não tivesse nenhum interesse em se conectar com ela fora de assuntos relacionados a trabalho, e não conseguia deixar isso para lá.

Perfeccionistas parisienses querem ser amadas, uma "conquista" que outros tipos de perfeccionistas não valorizam. Mesmo quando todo o resto está indo exatamente como gostaria, se tem dificuldade em se conectar com alguém com quem deseja estabelecer um laço, uma perfeccionista parisiense pode achar que nada mais importa.

A percepção ou a realidade de que os outros não gostam dela a incomoda, obscurecendo sua perspectiva e criando uma experiência repulsiva de autoinfantilização na qual a perfeccionista se sente uma criança carente em busca de atenção e aprovação.

Como discutiremos mais adiante, num nível superficial esse tipo de perfeccionismo está relacionado a querer ser amada pelos outros. Num nível mais profundo, o perfeccionismo parisiense está relacionado a desejar conexões ideais. O impulso perfeccionista central de sempre conquistar e sobressair se manifesta interpessoalmente nas perfeccionistas parisienses; elas desejam ter relacionamentos ideais com os companheiros, consigo próprias, com os colegas e com todo mundo.

Diferente das perfeccionistas clássicas, as perfeccionistas parisienses escondem seu perfeccionismo; elas querem que tudo pareça sem esforço. Importam-se muito com seu desempenho e com o que os outros pensam a seu respeito, mas sentem um constrangimento peculiar em relação a isso, pois têm dentro de si a última versão do sempre popular chip de insegurança "Quem você pensa que é?".

Revelar o esforço pessoal é um ato de vulnerabilidade para esse tipo de perfeccionista, que não consegue evitar ser emocionalmente influenciada pela percepção que os outros têm dela e, quer admita ou não, tem um forte desejo de agradar. Por exemplo, quando querem abrir um negócio, as perfeccionistas parisienses dão diversos passos na direção desse objetivo sem comunicar a ninguém o que estão fazendo. E se der errado? Por que arriscar compartilhar seus sonhos sem ter certeza de que vão se tornar realidade?

Pelas mesmas razões de vulnerabilidade, as perfeccionistas parisienses não suportam que pareça que estão se empenhando demais. Por fora, elas demonstram viver alinhadas com seus valores e objetivos, sem qualquer apego ao que os outros pensam, mas, em segredo, esperam aprovação de todos os cantos — querem risadas em festas, curtidas nas redes sociais e elogios no trabalho.

As perfeccionistas parisienses deixam suas imperfeições claras, mas de uma maneira que lhes parece confortável (e que não seja realmente vulnerável). Elas — que chamo de parisienses porque as mulheres francesas exalam uma beleza que parece desprovida de esforço, quando nos bastidores se empenham muito mais do que admitem ou do que gostariam que os outros soubessem — buscam transmitir uma mensagem deliberada: "Não estou me esforçando muito porque não preciso da sua aprovação e não me importo se gostam de mim ou não". O subtexto da mensagem é: "Você não pode me atingir". E nenhuma parte da mensagem é verdadeira.

A perfeccionista parisiense investe muita energia emocional em tudo que faz, deseja um retorno emocional proporcional ao seu investimento (ou seja, validação e conexão) e fica magoada e furiosa se não consegue.

Na verdade, em geral o tiro sai pela culatra. As perfeccionistas parisienses acabam se magoando *mais*, porque, nos seus esforços para fazer com que os outros gostem delas pelo seu jeito tranquilo e fácil de lidar, as que ainda não descobriram como gerenciar seu perfeccionismo falham em expressar as coisas de que precisam e o que querem.

O interessante é que sua defesa da irreverência muitas vezes é inconsciente, tanto que as perfeccionistas parisienses podem não ver o quanto se irritam quando os outros não as veem da maneira perfeita como elas desejam. A sensação pode ser algo parecido com: "Por que estou pensando nisso? Eu nem ligo!".

Mesmo quando (e talvez especialmente quando) mais desejam o oposto, as perfeccionistas parisienses são movidas pelo desejo de uma conexão significativa com as outras pessoas.

Como a conexão interpessoal é o mais importante para elas, as perfeccionistas parisienses são genuinamente calorosas e querem que todo mundo com quem interagem se sinta incluído e conectado. Por exemplo, elas movem mundos e fundos numa festa para integrar quem está sozinho. Diferente das perfeccionistas clássicas, que podem parecer distantes sem perceber, as parisienses operam de um jeito que celebra e convida uma miríade de tipos de relacionamentos significativos para sua vida.

As perfeccionistas parisienses costumam aceitar em vez de julgar, e ninguém as segura quando aprendem a articular o quanto se importam, a estabelecer limites e a abraçar as pessoas, os lugares e as coisas que retribuem sua rica capacidade de conexão.

PERFECCIONISTAS PROCRASTINADORAS

Layla era inteligente, bondosa, capaz, motivada e confiante. Me procurou porque não conseguia largar um emprego que simplesmente odiava.

Ela planejava ao máximo sua saída do trabalho. Economizava dinheiro. Lia todos os livros sobre transição de carreira que conseguia encontrar. Identificava outros caminhos profissionais que podia se ver seguindo. Por motivos que não estavam claros para ela, Layla também comparecia com regularidade a eventos de networking que não a ajudavam em nada.

Eu não tinha nenhuma dificuldade em imaginá-la num bar horroroso, cercada de aparelhos de TV demais, sorrindo e esperando. Com "Layla" escrito a caneta azul numa etiqueta colada na blusa. E uma bandeja de isopor cheia de cubinhos de cheddar quente ao lado de meio pacote de bolachinhas ainda na embalagem. Um desperdício da energia de alguém tão brilhante.

A pior parte era que Layla sabia que estava perdendo tempo. Tinha plena consciência de que já havia feito tudo que precisava fazer, exceto escolher a data em que sairia. E ela não escolhia a data porque o momento perfeito para sua mudança de carreira ainda não havia chegado (e o momento perfeito seria quando não houvesse mais pontas soltas nos seus projetos atuais e ela já tivesse recebido e aceitado uma oferta de trabalho incrível que lhe possibilitasse ter de quatro a seis semanas para fazer a transição, sem pressa). Dois anos haviam se passado assim quando ela me mandou um e-mail para marcar a primeira consulta.

As perfeccionistas procrastinadoras esperam pelas condições perfeitas antes de começar. Sempre hesitantes, convivem com o vazio que se forma dentro de quem não faz o que mais deseja fazer.

Mesmo quando as perfeccionistas procrastinadoras conseguem pôr alguma coisa em andamento, têm dificuldade em continuar, pois isso envolve uma série de recomeços. Embora esse tipo de perfeccionista possa facilmente iniciar e concluir projetos em menor escala e conquistar objetivos de curto prazo, costumam abandonar oportunidades que exigem fôlego maior, porque se comprometer com processos no longo prazo envolve parar e recomeçar inúmeras vezes.

Namorar ou se casar, entrar para um grupo de corrida, mudar de carreira, fazer trabalho voluntário, viajar para Portland como pretendido — o prazer da tarefa evitada é insignificante, o que sempre me interessa muito.

O bloqueio comportamental é o mesmo, independente de qualquer outra coisa, porque a dificuldade não está em atingir o objetivo, mas em dar início e retomar a empreitada aceitando que ela não tem como ser superficialmente perfeita. Para a perfeccionista procrastinadora, marcar uma data para receber amigos em casa pode ser tão paralisante quanto mandar uma carta de demissão que vai levar a uma importante mudança de carreira.

O problema para essas pessoas é que iniciar um projeto o macula — agora que ele é real, não tem mais como ser perfeito. Para elas, a perfeição só existe na lembrança ou no ideal futuro.

Layla estava tão presa à indecisão que escolhia não fazer nada (o que significava indiretamente escolher continuar num trabalho que sugava sua alma e que odiava). Ela levava a vida com passividade, em vez de ativamente, e o que mais a incomodava era que se sentia como a arquiteta da própria infelicidade. Quanto mais consciência uma perfeccionista procrastinadora tem, mais frustrada fica consigo mesma.

Até que você aprenda a canalizar melhor seu perfeccionismo, é frustrante ser uma perfeccionista procrastinadora. Diferente das perfeccionistas parisienses, que ouvem a provocação interna "Quem você pensa que é?" e de início ficam constrangidas a responder com orgulho, as perfeccionistas procrastinadoras não têm nenhum problema em responder com um desfile de atributos deslumbrantes (e precisos): "Sou inteligente, divertida, talentosa, trabalhadora e muito criativa!".

As perfeccionistas procrastinadoras não economizam na autoestima: estão dolorosamente conscientes dos seus dons. Isso porque vivem entre saber que têm algo que querem compartilhar (amor romântico, um talento, uma ideia etc.) e sentir que não estão prontas para fazer isso. Elas veem pessoas que consideram não ter tanta capacidade superá-las no trabalho ou nos marcos da vida pessoal, e sempre dói.

Testemunhar outra pessoa realizando algo que você não acredita que possa fazer é uma coisa; é uma experiência que envolve admiração. Mas testemunhar pessoas fazendo o que você sabe que pode fazer, e fazendo bem... fazendo o que você mais quer fazer... Nesse caso, a admiração é obscurecida por uma mistura desagradável de derrotismo e ressentimento.

Desconcertadas pela própria paralisia, as perfeccionistas procrastinadoras supõem que, se tivessem mais energia ou disciplina, seriam bem-sucedidas. Isso não é verdade. Perfeccionistas procrastinadoras são disciplinadas e nem um pouco preguiçosas. O que lhes falta é aceitação. Aceitação de que agora é o único momento para começar o que quer que seja, e que esse começar implica pegar algo que parece perfeito na sua mente e trazê-lo para o mundo real, onde certamente vai mudar.

As procrastinadoras têm uma sensação de perda em relação a começar que outros tipos de perfeccionistas não têm. Evitar a perda talvez seja o reflexo emocional mais natural que existe, e é por isso que o hábito de hesitar é tão poderoso nesse grupo.

Quando a perda iminente é sentida no nível inconsciente, as perfeccionistas procrastinadoras também atribuem erroneamente a fuga do começo a uma falta de desejo: "Não devo querer isso o suficiente, ou já teria feito a essa altura".

Quanto mais as perfeccionistas procrastinadoras dizem a si mesmas que não têm disciplina, que lhes falta paixão, que são preguiçosas etc., mais acreditam nisso. Assim se inicia um ciclo negativo de falsa identidade que elas parecem nunca conseguir interromper.

As perfeccionistas procrastinadoras que não gerenciam seu perfeccionismo se tornam autodepreciativas e críticas demais. E não apenas críticas demais em relação a si mesmas: elas diminuem todos aqueles que não são refreados pelas mesmas tendências. Declaram no âmbito público ou no privado todas as maneiras como poderiam ter feito algo muito melhor — dado uma festa, escrito um livro, construído uma casa, organizado uma conferência, preparado uma refeição. E talvez estejam certas. Provavelmente teriam se saído melhor se tivessem tentado, mas não se permitiram correr esse risco. E isso as persegue.

Ao contrário das perfeccionistas clássicas, que gostam do seu perfeccionismo, e das perfeccionistas parisienses, que estão dispostas a arriscar fracassar mas vivem altos e baixos na sua autoestima, as perfeccionistas procrastinadoras não têm nada a mostrar porque não chegam sequer a começar. Sal na ferida? As coisas que mais irritam as perfeccionistas procrastinadoras são menções às coisas em que se sairiam bem caso arriscassem.

Quando uma perfeccionista procrastinadora se dá conta da perda por antecipação que alimenta sua hesitação, se alinha com apoio e para de desperdiçar energia criticando aqueles que tentam, elas se tornam potentes. Conforme aprendem a passar do estado passivo ao ativo, acessam um poder interno que até então permanecia esquivo. E o que acontece a seguir é maravilhoso.

O que eu mais gosto, quando trabalho com esse tipo de perfeccionista, é testemunhar não apenas um, mas dois bilhetes premiados de loteria que podem ser encontrados por todas as perfeccionistas procrastinadoras do mundo:

1. Não é apenas o talento que leva ao topo, mas também a persistência.
2. Embora a mudança sempre envolva perda, não mudar envolve uma perda muito maior.

Quando essas lições tomam o coração e a mente de uma perfeccionista procrastinadora, a restrição que a definia se extingue. O primeiro item da lista é motivador, e o segundo é libertador. É uma alegria ter uma pessoa talentosa livre e motivada na sua órbita. Também é uma alegria ser essa pessoa.

PERFECCIONISTAS CAÓTICAS

Raramente passo dever de casa na terapia, porque não é meu estilo, mas com Pei-Han foi diferente. Eu a desafiei a não assistir a documentários por noventa dias.

"Como assim? Que tipo de documentários?", ela perguntou.

"Todos os tipos, quaisquer tipos, nada de documentários", implorei.

Pei-Han era uma perfeccionista caótica dos pés à cabeça, de modo que sempre que assistia a um documentário sobre qualquer coisa (indústria hoteleira, sushi, trabalhadores migrantes) se voltava com força total para um novo objetivo inspirado por ele, sem abandonar os outros vários objetivos atrás dos quais já corria — fazer um curso de ioga on-line para obter certificado de professora, se inscrever numa residência artística no Brooklyn Arts Council, decorar seu apartamento e se tornar uma superhost do Airbnb, entre outros.

Pei-Han não podia evitar que seu cérebro soltasse fogos de artifício quando ficava sabendo de um assunto novo que considerava interessante e ao qual se apegava emocionalmente. Era algo parecido com mania o modo como sua mente se enchia de ideias de como melhorar, resolver, criar. O volume de possibilidades gerado era impressionante, e ainda mais porque, para ela, aquilo não envolvia nenhum esforço.

Perfeccionistas caóticas amam começar. Diferente do que acontece com suas contrapartes, as perfeccionistas procrastinadoras, nada lhes dá mais alegria do que o início. As perfeccionistas caóticas são otimistas e começam bem, depois têm dificuldade de manter o ímpeto, a menos que o restante do processo pareça tão animador e energizante (ou seja, tão perfeito) quanto o início. Como isso nunca acontece, perfeccionistas caóticas que ainda não aprenderam a usar o perfeccionismo a seu favor entram num milhão de novos projetos só para abandoná-los.

Tenho um trabalho duplo com perfeccionistas caóticas. No que o dr. Irvin D. Yalow, terapeuta magistral, descreve como ser o "carrasco do amor", preciso transmitir apoio emocional incondicional e, ao mesmo tempo, ser clara quanto à realidade de que apenas entusiasmo não é o bastante para sustentar uma empreitada. Quando minhas clientes caóticas não querem aceitar essa realidade, só posso fazer meu melhor para amortecer o impacto.

O impacto é inevitável, porque perfeccionistas caóticas que lutam com o perfeccionismo não gerenciado desconsideram as limitações naturais e inevitáveis de recursos (tempo, energia física etc.) na busca apaixonada e ativa dos seus sonhos.

Em contraste com as perfeccionistas parisienses, que escondem o que estão tentando fazer até que tenham atingido o ponto certo para se sentir seguras em divulgar seus objetivos, perfeccionistas caóticas não têm vergonha de dizer o que querem em voz alta, muitas vezes quando sua ideia ainda está num estágio bastante incipiente. E, ao contrário das perfeccionistas clássicas, perfeccionistas caóticas não são exatamente disciplinadas, o que não as incomoda nem um pouco. É como se fossem alunas de uma escola Montessori para adultos — e que bom para elas, pois se divertem muito!

A biografia no perfil do Instagram desse tipo de perfeccionista menciona meia dúzia de trabalhos não relacionados e vagos: decoradora de interiores, chef, fotógrafa, autora, empreendedora, guia de tours históricos pelo centro de Boston.

Oi?

Perfeccionistas caóticas ignoram limitações e não aceitam a ideia de que uma pessoa pode fazer o que quiser, mas não pode fazer tudo. É preciso foco para concluir o que quer que seja. É preciso dizer não a oportunidades secundárias para poder se concentrar no mais importante. E o mais importante não pode incluir tudo.

Perfeccionistas caóticas rejeitam hierarquias. São românticas incuráveis e se convencem de que tudo vai dar certo de repente, desde que se tenha motivação. Há uma ingenuidade cativante nelas. É como se vivessem numa bolha que você quase não quer que estoure.

Precisamos de perfeccionistas caóticas no mundo; elas são as paladinas da possibilidade. Sem esforço, superam a ansiedade do começo. Inspiram com seu entusiasmo e otimismo, e o mundo seria um lugar bem chato sem elas. As perfeccionistas caóticas possuem muitos dons, mas nenhum deles irá se concretizar sem foco.

É importante notar que nem todas as perfeccionistas caóticas *querem* terminar o que começam. Algumas pessoas adoram começar abruptamente e abandonar abruptamente ciclos, e há certos trabalhos e estilos de vida que combinam com isso.

E "caóticas" pode ser a denominação errada. Perfeccionistas caóticas não necessariamente são caóticas na sua apresentação ou criam caos literal à sua volta; é só que elas tentam fazer um milhão de coisas ao mesmo tempo de um jeito que (pelo menos no sentido figurado) acaba levando ao caos.

Perfeccionistas caóticas se organizam, mas à sua maneira específica, que ninguém mais compreende. Por exemplo, seu "sistema" num projeto pode incluir uma série de versões de um documento do Word que faz total sentido para elas, mas é impossível de entender para qualquer outra pessoa.

    Plano de Negócios Passeadora de Cães
    Plano de Negócios Passeadora de Cães 2
    Plano de Negócios Passeadora de Cães Versão Pós-Ação de Graças
    Plano de Negócios Passeadora de Cães Novo
    Plano de Negócios Passeadora de Cães Definitivo
    Plano de Negócios Passeadora de Cães Final
    Plano de Negócios Passeadora de Cães Vale Esse

    Multiplique isso por tudo e o problema vai ficar claro.
    Li em algum lugar que pessoas que se casam mais de três vezes sempre têm uma sensação tranquilizadora, do tipo "Agora é pra valer!". Eu me lembro de ter pensado como deve ser difícil ter seu coração inundado por puro otimismo e depois afundando como uma pedra. E não só uma vez, mas várias. É o que acontece com perfeccionistas caóticas que não gerenciam seu perfeccionismo. Elas se deixam levar pela adrenalina da página em branco, depois se desiludem com o tédio e a seriedade necessários para concluir o trabalho.
    As perfeccionistas caóticas acreditam que podem fazer tudo sem precisar desistir de nada, que vão descobrir como existir sem limites. Quando se torna claro que não é o caso, elas ficam arrasadas. Como as perfeccionistas procrastinadoras, as perfeccionistas caóticas vivenciam um tipo de perda associado ao seu perfeccionismo, só que num estágio diferente do processo. O que torna tudo pior é que sua energia se dispersa em tantas direções diferentes que elas não conseguem concluir *uma coisa* que seja.
    Esse percurso emocional que vai de um início grandio-

so a um fechamento grandioso é bastante cansativo, e as perfeccionistas caóticas o conhecem bem. As perfeccionistas caóticas que ainda não aprenderam a explorar seu perfeccionismo podem fazer o que muitas perfeccionistas procrastinadoras fazem: construir uma identidade falsa em torno do seu fracasso em executar.

O abalo que as perfeccionistas caóticas sofrem quando começam algo é rápido e formidável. Todas temos pontos cegos e sucumbimos a eles, mas quando acontece com esse tipo de perfeccionista ela transforma a situação numa história sobre como é ruim em alguma coisa. Sobre como não é persistente o bastante, suas ideias não são boas o bastante, ninguém a leva a sério etc.

Em alguns casos, o abalo acarreta um episódio inesperado de depressão clínica, num contraste notável com sua animação e energia usuais — o que pode ser muito assustador para ela e para aqueles que lhe são mais próximos.

As perfeccionistas caóticas controlam o mundo quando aprendem a canalizar seu entusiasmo em missões únicas e com intenção que possam executar de maneira dinâmica. A extraordinária empreendedora Marie Forleo é um grande exemplo de perfeccionista caótica que acerta no ponto.

Forleo é toda coração e sempre vai com tudo. Uma romântica incorrigível, ela acredita que pode mudar o mundo e tem mais ideias incríveis de como fazer isso do que poderia executar. O segredo do seu sucesso, que não chega a ser segredo, é que Forleo ensinou a si mesma a se concentrar numa coisa de cada vez e adota uma abordagem profissional, prosseguindo com cada trabalho mesmo quando não tem vontade, sem abrir mão dos seus padrões elevados em nenhum momento do processo. Essas são habilidades que podem ser aprendidas.

PERFECCIONISTAS INTENSAS

Na esquina da Broadway com a Liberty Street, no distrito financeiro de Manhattan, fica um prédio clássico dos anos 1960 onde já tive um consultório. Como em vários prédios do centro, por questão de segurança há uma recepção no saguão onde você deve mostrar um documento para receber um crachá e atravessar pelas catracas que levam aos elevadores.

Dawn passou os primeiros cinco minutos da sua sessão me explicando por que aquele sistema de segurança era "ineficiente e idiota". Quanto mais falava, mais sua irritação se transformava em antagonismo. Como minha vizinha costuma dizer, ela estava "espumando". O antagonismo não era dirigido a mim, ou a ela mesma, ou aos seguranças no saguão. Era um antagonismo em relação ao vazio. Ela estava brigando com o céu.

A energia antagonista por trás do perfeccionismo intenso nem sempre é existencial; as perfeccionistas intensas também podem ser provocadoras. Interrompi Dawn quando ela passou da marca dos cinco minutos: "Você está falando sobre o sistema de entrada desde que se sentou. Entendo que a irrite, porque é irritante mesmo. Mas há alguma outra coisa que você esteja sentindo além de frustração com o protocolo de segurança do prédio?".

Dawn pegou todo aquele antagonismo difuso e mirou bem na minha testa: "Bom, pago você para ouvir, e é sobre isso que quero falar".

Ela não sabia que eu tinha começado minha carreira trabalhando com meninas de quinze anos obrigadas a fazer terapia; não havia nenhum nível de resistência ou combatividade que ela pudesse demonstrar que rivalizasse com o que eu já tinha enfrentado. "Você me paga para te ajudar. E remoer sem refletir não ajuda."

As perfeccionistas intensas querem um resultado perfeito. Embora algumas tenham uma visão grandiosa disso, a de outras pode ser bem prosaica. Por exemplo, uma perfeccionista intensa se concentra no objetivo de embarcar num avião de maneira perfeita. O resultado desejado é ocupar seu assento o mais rápido possível e ter todo o necessário para um voo confortável à mão (fones de ouvido, água, cobertor, tranquilidade etc.). Uma perfeccionista clássica poderia ter o mesmo objetivo, mas a diferença seria que ela entende que não é razoável impor suas expectativas às pessoas e ao ambiente à sua volta.

Da mesma maneira, as perfeccionistas clássicas não ficam chocadas ou quase furiosas quando as coisas não saem como querem como as intensas ficam. Ao sentir o primeiro deslize na eficiência, as perfeccionistas intensas perdem o controle. Às vezes, dirigem sua raiva para fora, embora com mais frequência a voltem para dentro — a mulher da poltrona 11A, cuja pressão sobe junto com o avião, mas permanece sentada ali, rígida, num inferno contido, vendo tudo que não ocorre da maneira esperada.

Perfeccionistas intensas não se importam em ser amadas, algo que muitas vezes funciona a seu favor em termos profissionais, mas contra elas pessoalmente. Enquanto todas as outras pessoas em reuniões parecem participar de um concurso de gentileza bastante improdutivo — "Nossa, Remi, adorei a ideia! Só estava me perguntando se talvez não seria melhor trocar X por Y. Não que Y seja melhor que sua abordagem inicial, mas..." —, as perfeccionistas intensas vão direto ao ponto: "Isso não vai funcionar. Próxima ideia?". É uma força maravilhosa; perfeccionistas intensas são naturalmente diretas e transparentes.

Ao contrário das perfeccionistas clássicas, que se apresentam de maneira consistentemente uniforme, nunca se sabe como as perfeccionistas intensas vão ser; algumas demonstram autocontrole ao extremo, enquanto outras são imprudentes (dão chilique no trabalho, tomam decisões impulsivas por raiva etc.). Sua ética de trabalho fora do normal é mais como um mandato e pode ter um forte impacto em termos de bem-estar físico e emocional, assim como na qualidade dos seus relacionamentos.

As pessoas que convivem com perfeccionistas intensas que ainda não aprenderam a gerenciar seu perfeccionismo estão suscetíveis a se tornar vítimas emocionais colaterais. Assim como uma pessoa alegre contagia o humor de todos, a energia densa e potente das perfeccionistas intensas pode contaminar todos à sua volta. Como elas projetam seus padrões nos outros, não é fácil resistir à atração gravitacional de perfeccionistas realmente intensas que não gerenciam seu perfeccionismo. A maior parte das pessoas saudáveis que depara com exemplos extremos (no âmbito profissional ou pessoal) acaba chegando ao limite e indo embora.

Para deixar claro: raiva não é algo disfuncional. É uma força motivadora poderosa, saudável e necessária. A disfunção vem quando a utilizamos para magoar a nós mesmas ou aos outros, o que as perfeccionistas intensas tendem a fazer (de maneira consciente ou não).

Mais do que qualquer outro tipo descrito aqui, as perfeccionistas intensas confiam que o resultado de um processo definirá seu sucesso. Se uma perfeccionista intensa estabelece um objetivo e não o atinge, ou não o atinge da maneira perfeita como visualizou, considera todo o esforço um fracasso. Perfeccionistas intensas não veem nada que se salve no processo, nem o que aprenderam ao longo do caminho. A menos que alcancem seu objetivo, foi tudo inútil. Outros podem tentar ajudá-las a ver as coisas de outra perspectiva. "Sinto muito que tenha perdido a concorrência, mas pelo menos você fez novos contatos que podem render frutos lá na frente, não é?" Perfeccionistas intensas não querem saber disso. Têm uma resposta simples para todas as perguntas retóricas e bem-intencionadas: um inequívoco "Não", frustrado e às vezes furioso.

Digamos, por exemplo, que uma perfeccionista intensa tenha recebido 14 900 dólares de comissão em vendas, pouco menos do que sua meta autoimposta de 15 mil (que provavelmente era arbitrária), mas ainda assim quebrando um recorde da empresa. Ela sabe que deveria ficar satisfeita com o resultado e é objetivamente capaz de registrar o saldo positivo, mas não consegue ficar feliz ou sentir orgulho da sua conquista, pois o objetivo não foi atingido e o resultado é tudo que importa.

Antes que perfeccionistas intensas aprendam a lidar com seu perfeccionismo, sua inabilidade de extrair valor do processo faz com que se sintam isoladas. Outras pessoas parecem ser capazes de ficar felizes e reconhecer que cumpriram seu propósito independente do resultado de uma forma que perfeccionistas intensas não conseguem compreender. Elas internalizam seu isolamento, pensando: "Sei que eu deveria estar um pouco feliz, mas não estou. Tem algo de errado comigo".

Para as perfeccionistas intensas, a necessidade de realização se sobrepõe a todas as outras prioridades, como sua própria saúde e seus relacionamentos. As perfeccionistas intensas sempre abordam a própria vida a partir de um estado futuro: "Vou passar mais tempo com meus filhos depois que eu conseguir isso", "Vou começar a namorar depois que eu conseguir isso", "Vou me concentrar na saúde depois que eu conseguir isso". O dr. Alfred Adler, psicólogo renomado, descreveu esse relacionamento pouco saudável com o perfeccionismo assim: "A pessoa acha que toda a vida presente é apenas uma preparação".[1]

Essa maneira restrita de pensar cria uma situação na qual perfeccionistas intensas não podem vencer. Se não chegam ao resultado desejado, o derrotismo satura sua perspectiva. E quando perfeccionistas intensas que ainda não sabem gerenciar seu perfeccionismo conquistam de fato seu objetivo, é um balde de água fria. Como não houve nenhuma introspecção ao longo do processo, nenhum significado foi construído. E significado é o que torna plenas nossas experiências. Sem significado, as vitórias não têm peso, não são sentidas e se tornam ocas; a volta da vitória dura dez segundos e em seguida partimos para o próximo objetivo.

Esse relacionamento robótico com o sucesso externo impede que as perfeccionistas intensas parem para considerar o preço de tratar o processo como um meio para um fim (que elas mesmas, a equipe, a empresa, os amigos etc. pagam). É ótimo que o desempenho da sua equipe tenha sido melhor do que o das outras, mas vai ser ótimo quando metade dela pedir demissão no próximo trimestre? É maravilhoso que seu filho tenha entrado na "melhor faculdade possível", mas vai ser maravilhoso se ele passar os dois primeiros anos do curso lidando com ideação suicida? Dependendo do nível de autoconsciência, as perfeccionistas intensas podem minimizar seu papel nos impactos negativos que resultam da pressão que impõem aos outros. "Essa empresa claramente não era o lugar certo", "Ele vai ficar feliz por ter estudado lá quando for mais velho".

Como sociedade, muitas vezes romantizamos pessoas que são perfeccionistas intensas. As visionárias e trabalhadoras, que viram a noite tomando café sem parar, forçando todo mundo à sua volta tanto quanto a si mesmas para atingir um objetivo impossível ou chegar a um avanço considerável. É verdade que algumas perfeccionistas intensas conseguem a grandes avanços. Também é verdade que tipos diferentes conseguem grandes avanços; perfeccionistas intensas não detêm o monopólio da liderança visionária.

O que acontece quando perfeccionistas intensas aprendem a processar e gerenciar a intensidade do seu mundo interno?

Não é nada menos do que miraculoso testemunhar uma perfeccionista intensa se esforçar para substituir tendências insalubres por tendências saudáveis. Sua intensidade permanece, mas se imbui de abertura e vulnerabilidade. Elas se transformam em condutoras de energia e colaboradoras de confiança. As mesmas qualidades que antes afastavam as pessoas, quando gerenciadas com consciência, passam a atraí-las. Perfeccionistas intensas que gerenciam seu perfeccionismo de forma construtiva se tornam líderes importantes que contagiam e inspiram todos à sua volta.

Quando as perfeccionistas intensas aprendem a se identificar e se conectar mais com o processo do que com o resultado, sentem mais alegria, conexão e realização interpessoal — tudo isso sem abrir mão dos seus padrões elevados.*
Há um nível de determinação em toda perfeccionista intensa que não parece deste mundo. Quando sua determinação está voltada ao sucesso por meio de indicadores genéricos e

---

* Para um exemplo perfeito de alguém com perfeccionismo intenso que aprende a gerenciá-lo de maneira adaptativa, assista ao filme *Pegando fogo*.

externos (melhor, maior, mais rápido, simplesmente mais), as perfeccionistas intensas se perdem. Quando sua determinação é voltada para o sucesso como definido por elas mesmas, com seus objetivos alinhados a seus valores e os processos servindo a uma intenção consciente, é que as perfeccionistas intensas se descobrem.

Encarar a si mesma ou outras pessoas sob uma nova perspectiva nos convida a valorizar nossos dons, ter curiosidade em relação a como melhor colaborar e sentir mais empatia quanto às dificuldades de cada um. Quando você se abre a isso, a rede invisível que une os perfis perfeccionistas pode melhorar cada aspecto da sua vida. Se você é uma perfeccionista caótica com uma ideia brilhante de empreendedorismo, o mais inteligente a fazer seria trazer uma perfeccionista intensa e uma perfeccionista clássica para sua equipe o mais rápido possível para não correr o risco de nunca ir além de escolher um nome para a sua empresa (que com certeza é a parte mais divertida). Se você é uma perfeccionista procrastinadora tentando vender sua casa, convide uma perfeccionista caótica para jantar e então terá um dia de visitação agendado, uma imobiliária e uma lista de possíveis compradores antes mesmo que a sobremesa seja servida. Só não espere que ela faça qualquer tipo de acompanhamento depois.

Cada perfil inclui um conjunto de dons valiosos que vem naturalmente com seu tipo de perfeccionismo. Quando esses dons são transformados em habilidades, as perfeccionistas disparam seus dínamos internos e se tornam livres para levar uma vida potente e autêntica. E o mais importante: aprendem a desfrutar dela.

A alegria tem um poder tremendo. É impossível viver com alegria sem que sua alegria beneficie o mundo. Sua alegria é persuadida a sair do esconderijo e se tornar o centro das atenções quando você celebra. Não basta simplesmente aprender a valorizar o perfeccionismo; ele deve ser celebrado.

2. Celebre seu perfeccionismo
Reivindicando os dons e as vantagens por trás do seu desejo insaciável de se destacar

> *Ensinam-nos a olhar para nossos pacientes, analisá-los e notar suas fraquezas, limitações e tendências patológicas; com menos frequência, procuramos pelas suas características saudáveis ou questionamos nossas conclusões.*
>
> Dr. Derald Wing Sue

Estes são todos títulos de livros e artigos sobre perfeccionismo:

Matando o perfeccionista interno
O perfeccionismo é uma doença
Cinco maneiras de curar seu perfeccionismo
Recuperando-se do perfeccionismo
Como superar o perfeccionismo
Como não ser mais perfeccionista

É impressionante ver a linguagem culpabilizante, emocionalmente carregada e altamente patologizada com que a indústria do bem-estar enquadra o perfeccionismo. A linguagem médica por si só (curar, tratar, mal etc.) consolida na nossa psique a associação entre perfeccionismo e doença.

Quando o perfeccionismo é simplificado como um construto unidimensional e negativo, fica fácil aceitar a noção de que se trata de algo ruim. Chamar de perfeccionismo tudo aquilo de que não gostamos se torna natural.

Dificuldade de amar o próprio corpo? É perfeccionismo. Aquele mal-estar que surgiu do nada? Perfeccionismo. Ansiedade para chegar no horário? Dificuldade para escolher a cor da parede da sala? Insônia batendo forte? Perfeccionismo. Perfeccionismo. Perfeccionismo.

O perfeccionismo surge como referência tanto nas nossas frustrações cotidianas quanto numa ampla variedade de condições de saúde mental (anorexia nervosa, transtorno obsessivo-compulsivo etc.); no entanto, o campo da saúde mental não oferece uma definição padronizada do que ele é. Na ausência de clareza fisiológica, pesquisadores, acadêmicos e clínicos estabelecem suas próprias definições do que significa ser perfeccionista. Algumas dessas definições se sobrepõem, enquanto outras simplesmente se contradizem.

Nenhuma dessas definições captura a força variada, complexa e caleidoscópica do perfeccionismo. Nenhuma delas se propõe a isso. É amplamente reconhecido no campo da saúde mental que a pesquisa e a compreensão do tema ainda são incipientes. Quanto mais tentamos definir o que é perfeccionismo, mais nos permitimos ver que se trata de um construto multidimensional e elaborado que se desenrola de formas únicas e individualizadas.

Nas últimas décadas, os pesquisadores têm explorado os fatores que levam algumas perfeccionistas a prosperar e outras a sofrer. Com alguma controvérsia, o perfeccionismo foi dividido em dois ramos: o adaptativo (quando usamos o perfeccionismo a nosso favor e de maneira saudável) e o desadaptativo (sua manifestação insalubre).

As pesquisas demonstram que, em contraste com o perfeccionismo desadaptativo, o perfeccionismo adaptativo está associado a uma série de benefícios, incluindo maior autoestima,[1] níveis mais altos de envolvimento com o trabalho e bem-estar psicológico[2] e um nível mais baixo de percepção de fracasso pessoal.[3] Em vez de assumir estilos de enfrentamento negativos, como remoer ou evitar conflitos, as perfeccionistas adaptativas têm uma abordagem dirigida ao problema e orientada para soluções diante do estresse.[4] Em comparação com suas contrapartes desadaptativas, as perfeccionistas adaptativas demonstram um nível mais alto de motivação para atingir objetivos; também se preocupam menos e são mais otimistas quando pensam no seu desempenho futuro.[5] Talvez isso aconteça porque o perfeccionismo adaptativo é um prognosticador significativo de estados de "fluxo", momentos de envolvimento intenso e sem esforço com uma tarefa ou objetivo.[6]

O dr. Joachim Stoeber, professor de psicologia e pesquisador, é especialista no tema do perfeccionismo e autor do livro *The Psychology of Perfectionism: Theory, Research, and Applications* [A psicologia do perfeccionismo: teoria, pesquisa e aplicações]. Numa revisão inovadora da pesquisa sobre o tema, Stoeber se juntou à dra. Kathleen Otto, renomada estudiosa e pesquisadora, para explorar as maneiras como as perfeccionistas adaptativas prosperam. A revisão foi notável, porque Stoeber e Otto não apenas compararam perfeccionistas adaptativos e perfeccionistas desadaptativos entre si: também os compararam a não perfeccionistas. Entre os três grupos, os perfeccionistas adaptativos demonstraram os níveis mais altos de autoestima e cooperação, além dos níveis *mais baixos* de "procrastinação, defensividade, estilos de enfrentamento desadaptativos, problemas interpessoais e queixas somáticas".[7]

Outra pesquisa tripartida (em que os grupos perfeccionistas adaptativos, perfeccionistas desadaptativos e não perfeccionistas são comparados entre si) indica que, entre os três grupos, os perfeccionistas adaptativos relatam níveis mais altos de propósito, felicidade subjetiva e satisfação com a vida.[8] De acordo com estudos anteriores, os perfeccionistas adaptativos são os menos autocríticos[9] e os mais interessados em trabalhar com os outros.[10] Como os perfeccionistas adaptativos demonstram os níveis mais baixos tanto de ansiedade quanto de depressão entre os três grupos,[11] outra pesquisa foi conduzida para explorar se o perfeccionismo adaptativo pode ou não servir como fator de proteção contra ansiedade e depressão. O perfeccionismo adaptativo pode aumentar a segurança emocional e promover o bem-estar? Descobriu-se que sim.[12]

O discurso dominante sobre o perfeccionismo não inclui o perfeccionismo adaptativo. Depreciamos o perfeccionismo e reduzimos todo um espectro a sua face negativa. Isso significa que o diálogo predominante sobre o perfeccionismo na verdade nem é sobre ele: é sobre o perfeccionismo desadaptativo.

Não é incomum que a indústria do bem-estar simplifique esquemas diferenciados num conceito generalizado. Lembra a loucura do baixo teor de gordura dos anos 1990, quando toda gordura era considerada ruim e pouco saudável? Não se diferenciava as gorduras insaturadas encontradas no abacate e as gorduras trans dos donuts. Gordura era simplesmente ruim. Baixo teor de gordura era simplesmente bom. E 0% de gordura era ainda melhor. Da mesma forma, à medida que nossa compreensão do perfeccionismo se desenvolve, abandonamos as visões polarizadas desse construto.

No momento, o lugar de perfeccionismo como algo ruim permanece. Pensamos que, se conseguirmos nos livrar do nosso perfeccionismo, como todos os livros de autoajuda mandam fazer, cada camada da nossa vida vai melhorar. O que equivale a dizer que, se não fôssemos perfeccionistas, se pudéssemos nos corrigir de uma vez por todas e aprender a ser uma versão diferente de nós mesmas (mais especificamente uma versão mais "equilibrada"), poderíamos enfim relaxar, ser felizes e *curtir a vida*. Se pudéssemos.

Além de a patologização do perfeccionismo ser uma representação muito equivocada do construto mais amplo, a abordagem da erradicação (*é assim que você se livra do seu perfeccionismo*) simplesmente não funciona.

Gerenciar o perfeccionismo mandando as perfeccionistas pararem de ser perfeccionistas é como gerenciar a raiva mandando as pessoas se acalmarem. Essa abordagem *nunca* funcionou; no entanto, continuamos insistindo nessa tentativa estúpida de fazer com que as perfeccionistas se contentem com o mediano.

Isso não vai acontecer.

Pensar em si mesma como perfeccionista é uma marca de identidade forte. Não falamos de perfeccionismo de maneira episódica, pois não é assim que o vivemos. Por exemplo, é possível dizer "Passei por um período de depressão depois da faculdade", mas ninguém "passa por um período" de perfeccionismo. O perfeccionismo acontece de maneira visceral, como uma parte profunda e integral da individualidade, em oposição a algo externo com que nos deparamos.

As perfeccionistas nunca param de notar o abismo entre a realidade e o ideal, e nunca param de querer ativamente encurtar essa distância. Esse ato de notar e desejar dura a vida toda, e daí vem a constância física do perfeccionismo.

As pessoas que relatam ser perfeccionistas continuam se identificando sempre assim. Isso se mostrou uma verdade não só no meu trabalho: a noção de "perfeccionista" como uma identidade sólida é consenso no mundo da pesquisa e entre outros clínicos.[13]

Tentar se livrar do seu perfeccionismo é como tentar se livrar do vento dando vassouradas nele. O perfeccionismo é poderoso demais para ser erradicado. Quando você tenta se livrar do perfeccionismo, tudo que está fazendo é desperdiçar energia que poderia ser dedicada ao seu bem-estar.

O perfeccionismo deve ser gerenciado, e não destruído. (Também deve ser desfrutado, aliás, mas chegaremos lá depois.) Para gerenciar qualquer coisa com sucesso, você precisa conseguir reconhecê-la na sua origem, assim como nos seus espectros mais avançados, e tudo que há entre eles. Primeiro, precisamos ter uma melhor compreensão do que é perfeccionismo.

DESCREVENDO O PERFECCIONISMO

Como "amor" ou "sofrimento", algumas palavras são mais descritas do que definidas, pois não se encaixam em nenhuma definição. É fácil definir o que é uma lâmpada; não é fácil definir o que é humor. Conceitualizações psicológicas de qualquer tipo têm o intuito de conter algo inerentemente elusivo, que é a experiência extraordinária do ser humano. Na melhor das hipóteses, podemos esperar construir linguagem o suficiente em torno de um conceito para que possamos nos situar em volta dele, espiá-lo pelas janelas, observá-lo de tantos ângulos quanto possível.

Com a capacidade de ser expressado tanto de maneira

construtiva quanto destrutiva, o perfeccionismo é um impulso natural humano que alimentamos nos pensamentos, nos comportamentos, nos sentimentos e nas relações interpessoais. Persistindo através do tempo e das culturas, o desejo universal de tornar realidade os ideais que imaginamos é tão saudável quanto o impulso de amar, resolver problemas, fazer arte, beijar, contar histórias e outros.

As pessoas não vivem impulsos naturais da mesma maneira ou na mesma medida. O impulso de contar histórias é natural como a brisa ("Você *nunca* vai adivinhar o que aconteceu comigo quando estava saindo do trabalho ontem"), mas os escritores sentem esse impulso de maneira tão potente que, desprovidos das ferramentas e do tempo necessário para escrever, são autores de antologias completas na sua mente. Quando um verdadeiro artista é proibido de fazer arte, com certeza ele fará isso em segredo. Algumas pessoas podem passar meses ou até mesmo anos sem fazer sexo e ser perfeitamente felizes assim. Outras, nem tanto. O ponto é: nem todo mundo é afetado pelo impulso natural do perfeccionismo.

A ambição não é um traço universal. Algumas pessoas não têm interesse em se forçar a atingir seu potencial máximo ou perseguir um ideal. Talvez nunca nem pensem nisso. Eckhart Tolle, escritor e professor espiritual, chama essas pessoas de "doadores de frequência".[14] São aqueles que contribuem com a sociedade mantendo um nível de envolvimento consistente com o status quo. De acordo com Tolle, o papel dos doadores de frequência é tão vital quanto o daqueles que criam, avançam e trabalham pela revolução. "Apenas sendo", os doadores de frequência oferecem uma estabilidade coletiva[15] e instalam um terreno sólido do qual partir. Se todo mundo tentasse ultrapassar os limites ao mesmo tempo, o resultado seria caótico.

As perfeccionistas têm dificuldade de se relacionar com pessoas que não são fortemente motivadas pelo perfeccionismo, e vice-versa. Quanto mais intenso seu impulso em relação a alguma coisa, mais natural ela lhe parece e mais você se pergunta, secreta ou abertamente: "É igual com todo mundo, certo?".

Não, não é.

Ao contrário das perfeccionistas, algumas pessoas desfrutam do poder de sonhar acordadas sem sentir nenhuma pressão para realizar esses sonhos. Elas não estão acostumadas a sentir seu potencial pressioná-las de dentro para fora, todo dia. Não sofrem de uma inquietação crônica que as obriga a alcançar, superar, avançar. Não vivem assombradas como você viveria se não se desse a oportunidade de se tornar sua melhor versão.

Algumas pessoas gostam de trabalhar o mínimo possível, ver um pouco de TV, ter hobbies, relaxar sozinhas ou acompanhadas e fazer a mesma coisa no dia seguinte. As perfeccionistas se perguntam se essas pessoas sofrem de algum tipo de depressão: "Se você se esforçasse mais, poderia transformar seu hobby num negócio. Não quer desligar a TV? Se acordasse uma hora mais cedo, poderia ficar em dia com sua caixa de e-mails, aprender francês em um ano e terminar de arrumar a garagem até a primavera. Está tudo bem? Quer conversar?".

De maneira similar, as não perfeccionistas olham para as perfeccionistas com perplexidade, preocupação e julgamento: "Por que você está sempre se desafiando? Não pode sossegar? Não consegue relaxar? Está tudo bem? Quer conversar?".

Nenhuma das opções é melhor ou pior; são apenas diferentes.

Todo mundo tem tendências perfeccionistas em relação a alguma coisa. Quando essas tendências (o desejo de encurtar o abismo entre o ideal e a realidade) se apresentam com frequência e são acompanhadas pelo impulso de agir de modo ativo, você pode se considerar perfeccionista.

Como toda estrutura identitária, ser perfeccionista opera num contínuo. Dizer que há lacunas na nossa compreensão conceitual do contínuo do perfeccionismo é pouco. Valorizar o que essas lacunas representam e por que existem exige a compreensão de que o campo da saúde mental foi construído sobre um modelo de cuidado baseado na doença.

DOENÇA E BEM-ESTAR

Na área da saúde, existem duas estruturas principais para abordar o cuidado ao cliente. O primeiro é o modelo da doença (também chamado de *modelo biomédico, modelo centrado na patologia* ou *modelo do tratamento*). O modelo da doença investe na eficiência e no diagnóstico; o objetivo é descobrir o que está errado o mais rápido possível para que seja tratado o mais rápido possível.

Esse modelo se baseia no atomismo: a ideia de que o que está errado pode ser rastreado até que se chegue a uma fonte específica. Modelos de bem-estar, no entanto, se baseiam no holismo (o oposto do atomismo). O cuidado holístico segue a ideia de que cada aspecto do eu (o ambiente social, predisposições genéticas etc.) está interconectado com um todo indivisível. Quando você aborda sua saúde de maneira holística, não está apenas tentando descobrir uma coisa errada e resolvê-la: está trabalhando para fortalecer cada parte sua de modo que você seja mais saudável no todo.

Embora em determinadas situações o modelo biomédico seja apropriado e a melhor opção, ele tem um grande problema: depende de sintomas negativos. Assim, o perfeccionismo só entra no radar desse modelo se chegar ao nível de um estado disfuncional.

Operar com o modelo biomédico não apenas tem fortes implicações na maneira como conceitualizamos o perfeccionismo mas também impacta a maneira como conceitualizamos cada aspecto da saúde mental. A menor pontada de tristeza, uma gota de frustração — registramos qualquer declínio na emoção positiva como se fosse uma patologia. É um padrão cultural.

Esse padrão nasce do modelo centrado na doença sob o qual funcionamos. Em vez de procurarmos entender, queremos um diagnóstico. Em vez de dizer "Vamos ver o que está acontecendo aqui", dizemos "Vamos ver o que há de errado com você".

A patologização elementar em que o campo da saúde mental está embebido também é o motivo pelo qual ficamos confusos quando ouvimos a expressão "saúde mental". A saúde mental inclui a doença mental? Ou a saúde mental está mais relacionada a prosperidade e bem-estar, relegando assim a doença mental a uma categoria separada?

A supercategoria da saúde mental inclui tanto a doença mental quanto o bem-estar mental. Ainda que estejamos fazendo grandes progressos na incorporação ativa do bem-estar na saúde mental, ainda recorremos em excesso a abordagens reativas à doença. Esperamos que uma tendência se expresse em uma disfunção padronizada, depois tentamos reprimir os sintomas.

Onde nosso modelo de cuidado reativo em vez de proativo fica mais evidente é no fato de que hoje é preciso ter um diagnóstico de transtorno mental para receber reembolso por sessões de terapia. É como esperar ficar gripado para lavar as mãos.

O perfeccionismo é um fenômeno, não um transtorno. A cultura mais ampla se concentra em manifestações disfuncionais de perfeccionismo porque a indústria da saúde mental foi construída com base no modelo biomédico; vivemos concentrados em demonstrações disfuncionais de toda experiência psicológica.

O PODER DO PERFECCIONISMO

Perfeccionismo adaptativo é quando você, de forma consciente ou inconsciente, canaliza o poder do perfeccionismo para te ajudar e curar. Perfeccionismo desadaptativo é quando você, de maneira consciente ou inconsciente, canaliza o poder do perfeccionismo para te limitar e prejudicar.

Como discutimos na introdução, perfeccionismo é poder. E, como qualquer tipo de poder (amor, saúde, beleza e inteligência), contém um potencial dicotômico. O amor pode levar tanto a relacionamentos saudáveis quanto tóxicos. A riqueza pode gerar tanto filantropia quanto exploração. A beleza pode inspirar tanto arte quanto objetificação. O conhecimento pode tanto erradicar doenças transmissíveis através de vacinas, salvando uma infinidade de vidas, quanto culminar na criação de bombas atômicas que abreviam uma infinidade de vidas. Todo poder precisa de limites, incluindo o perfeccionismo.

O perfeccionismo desadaptativo vai destruir sua vida e ainda ter a coragem de cobrar uma taxa de destruição, com juros. Quanto a isso, não há dúvida. Os graves fatores de risco associados ao perfeccionismo desadaptativo são algo com que todo terapeuta, pesquisador e acadêmico bem-informado concorda sem hesitar. Vamos falar bastante sobre esses fatores de risco ao longo deste livro para que você possa aprender a identificar os sinais de alerta e a responder a eles de maneira apropriada (e vamos ser honestas: com base em experiências passadas, todas sabemos que identificar sinais de alerta e responder a eles de maneira apropriada são duas coisas muito diferentes).

Onde há fatores de risco também há fatores de proteção: condições com base nas quais criar e construir para aumentar a segurança emocional e promover o bem-estar. Gerenciar qualquer aspecto da sua saúde mental envolve mitigar os fatores de risco e enfatizar os fatores de proteção a partir de uma posição esclarecida e emocionalmente consciente.

Onde a erradicação falha, a integração é bem-sucedida. Abordar o perfeccionismo de maneira integrativa exige que você pense fora da caixa e depois jogue a caixa fora. E esse tipo de pensamento começa agora.

PENSE FORA DA CAIXA, DEPOIS JOGUE A CAIXA FORA

A mensagem transmitida por aí é que uma pessoa é perfeccionista porque ainda não aprendeu a ser saudável. Por favor, tire essa bobagem de "Sou uma perfeccionista em recuperação" da sua cabeça. Em primeiro lugar: não tem nada sobre quem você é de que seja preciso se recuperar.

Em segundo lugar: você precisa começar a valorizar o que tem. Pare de condenar seu perfeccionismo. Nem todo mundo tem a oportunidade de sentir esse seu impulso, que te leva a explorar os limites das possibilidades para si mesma e o mundo à sua volta. Perfeccionistas não se deixam limitar pelo que é "realista"; isso é uma vantagem inestimável por si só.

Como perfeccionista, você tem uma enorme energia interna, a ponto de talvez nem saber o que fazer com ela. Mas e se descobrisse o que fazer?

Enquanto estiver se contendo, essa energia vai se movimentar dentro de você e causar dor. Pare de reclamar da dor e seja curiosa quanto a por que ela existe. Se você é perfeccionista, quer mais de alguma coisa. Do quê? E por quê? Como você imagina que vai se sentir conseguindo o que quer? O perfeccionismo convida a uma exploração profunda e infinita de quem você é e do que mais deseja na vida.

Depois que descobrir o que quer, a pressão resultante do seu perfeccionismo estará lá para motivá-la a ir atrás do seu objetivo. Ao contrário de uma pessoa idealista, você não vai se contentar em sonhar acordada; vai precisar de alguma coisa a respeito. Essa qualidade ativa do perfeccionismo a princípio pode ser irritante, frustrante e às vezes até opressiva.

Você começa a valorizar seu ímpeto. Percebe que ele não está ali para te magoar, e sim para te motivar a atingir seu potencial. Você passa então de evitar seu ímpeto a honrá-lo, o que exige que pare de direcionar mal sua energia. *Então você vai além dos seus maiores sonhos.* A escola do perfeccionismo é um enorme presente.

Em terceiro lugar: você é perfeita. Sim, perfeita. Não "perfeita na sua imperfeição", não "boa o bastante". Você é perfeita.

É algo entre triste e estranho como ficamos na defensiva quando dizem que somos perfeitas.

Como pode dizer isso?!
Você nem me conhece.
Não consigo acreditar que usou essa palavra.
Não, não, não, não, com certeza, não!
Isso simplesmente não é verdade.

Sentimos que temos todo o direito à nossa postura defensiva e ficamos totalmente à vontade para rejeitar em voz alta no momento em que alguém ousa nos rotular assim. Por outro lado, raras vezes nos defendemos em voz alta e de imediato (ou mesmo na nossa própria cabeça e depois) quando alguém nos alfineta com uma crítica ou um comentário maldoso. Não sentimos na mesma hora que temos todo o direito de rejeitar categorizações negativas de nós mesmas, pois é mais fácil acreditar em coisas ruins a nosso respeito.

A palavra "perfeito" vem do latim *perficere*, *per* (completo) e *ficere* (fazer). "Perfeito" é algo que está feito por completo, que existe num estado de conclusão, totalidade, perfeição. Quando descrevemos uma coisa como perfeita, o que estamos dizendo é que não há nada que possamos acrescentar para melhorá-la. Nada mais é necessário, porque não se pode acrescentar o que quer que seja a algo que já está completo.

Pense numa pessoa que você ama. Agora pense no som da risada dela. Não é perfeita? Não há nada que você poderia mudar nessa risada para melhorá-la; ela está completa, plena. Usamos a palavra "perfeito" para enfatizar a completude. Quando dizemos que alguém é um "perfeito desconhecido", não estamos dizendo que é um desconhecido sem falhas, e sim que é um completo desconhecido.

Você não é desprovida de falhas — nenhum de nós é —, mas você é plena, você é completa e você é perfeita.

Reconhecemos a perfeição nas crianças, na natureza, nas nossas melhores amigas sem grande esforço, mas negamos a perfeição em nós mesmas como mulheres adultas, pois o que aconteceria se não precisássemos acrescentar nada a nós mesmas? O que aconteceria se compreendêssemos que não temos um problema, que estamos completas, que sempre estivemos completas? Que não precisamos consertar nada em nós mesmas para estar prontas para a vida? Que podemos simplesmente viver, agora?

A resposta é: teríamos poder. Só que já temos poder. A resposta é: nós nos sentiríamos no direito de acessar esse poder interno que possuímos. E como o mundo seria se nos sentíssemos tão no direito de acessar nosso poder quanto nos sentimos agora de renunciar à nossa integridade?

Minha definição preferida de "perfeição" está na *Metafísica* de Aristóteles,[16] um tratado filosófico dividido em catorze volumes sobre todos os temas relacionados à vida existencial e à essência do ser. Nessa leitura encantadora e leve, Aristóteles apresenta três aspectos que tornam algo perfeito:

1. *"É perfeito o que está completo, o que contém todas as partes requeridas."*

Você é perfeita porque já é um ser humano completo e pleno. Você já "contém todas as partes requeridas". Nunca precisou fazer nada para ser perfeita. Quando era bebê, antes mesmo de abrir os olhos, já era perfeita. Você não se tornou um ser humano mais completo depois de aprender a escrever ou andar, ou tirando notas boas, ou fazendo as pessoas rirem. Você não fez por merecer sua completude — você já nasceu com ela.

Ser plena nunca impediu ninguém de se sentir incompleto. Às vezes, você só consegue ver pequenos fragmentos de si mesma. Às vezes, não consegue se relacionar nem um pouco com seu eu verdadeiro e íntegro. Mas percepções limitadas não ditam a realidade. A lua está sempre cheia e completa, mesmo quando é só um risco no céu, mesmo quando você não consegue vê-la.

2. *"É perfeito o que é tão bom que não é superado por nada do mesmo tipo."*
Você é perfeita porque a singularidade de quem é "não é superada por nada do mesmo tipo". Ninguém poderia ser melhor você do que você. Você não é uma em um milhão, não é uma em um bilhão, *é a única*. Entenda isso.

3. *"É perfeito o que cumpre seu propósito."*
Você é perfeita porque o fato de estar viva no mundo cumpre um propósito. Você cumpre seu propósito simplesmente existindo, sendo você, que é única. Como Tolle diz: "Você é uma presença no mundo, e isso é tudo que precisa ser".

No dia em que nasceu, você já era digna de todo amor, alegria, liberdade, conexão e dignidade do mundo, apenas porque estava nele. Tudo isso ainda é verdade. Tudo o que conquistar nesta vida são apenas os aplausos que se seguem à música. Você é a música.

Num mundo onde os desejos e as ambições das mulheres são logo patologizados, as mensagens deste livro podem soar radicais — mas não são. Na verdade, são o oposto de radicais: são pontos de partida bem básicos. Você já está completa. Não há nada de errado com você. Você não é um poço de fraquezas. Você tem grandes forças, e pode usá-las para levar sua vida aonde quiser. Com a mesma facilidade com que aceita a verdade de "especialistas" que lhe dizem constantemente que você tem algum tipo de problema, considere a possibilidade de que você não tenha nenhum.

E se não houver nada — nadinha mesmo — que você precisa mudar para ter a vida que deseja? E se tudo de que precisa é ver a si mesma de uma perspectiva diferente? E se você não precisar de correção constante, e sim de conexão constante? Essas não são perguntas retóricas.

O PARADOXO DA PERFEIÇÃO

A perfeição é um paradoxo — você não pode se tornar perfeita, porque já é perfeita. Uma perfeccionista com mentalidade adaptativa acredita que essas duas coisas são possíveis. Uma perfeccionista com mentalidade desadaptativa acredita que essas duas coisas são falsas.

Se você ouvir os professores espirituais mais iluminados do mundo, não demorará para o tema do paradoxo da perfeição surgir. Eles dirão alguma versão de: Você precisa aceitar que a perfeição não existe, e quanto mais cedo fizer isso mais cedo será livre. Dirão que ninguém é perfeito, *muito menos eles*, e dirão que isso é bom, porque de outra maneira a vida seria terrível e entediante. Dirão que o perfeito não pode ser inimigo do bom, para você buscar progresso em vez de perfeição, e que feito é melhor do que perfeito. Então olharão nos seus olhos, abrirão um sorriso e anunciarão, com toda a certeza do mundo: "Você é perfeita".

Em todos os sentidos, estarão lhe dizendo a absoluta verdade.

UMA VIDA INSPIRADA

Todas as perfeccionistas perseguem o que é inatingível, "irreal", um ideal. Ao contrário de uma perfeccionista com uma mentalidade desadaptativa, no entanto, as perfeccionistas adaptativas compreendem que ideais não devem ser atingidos, mas podem servir de inspiração. É assim que as perfeccionistas adaptativas passam a vida: inspiradas. Atraídas por algo maior do que elas, uma tarefa grandiosa que nunca poderão concluir, algo digno de uma vida de tentativas.

Para levar uma vida inspirada, você terá que se familiarizar com seus impulsos perfeccionistas, dar a si mesma permissão de abraçar a energia do seu perfeccionismo e aprender a trabalhar *com ela*, em vez de contra ela. Esse trabalho não envolve consertar nada, livrar-se de nada, corrigir nada; envolve conexão.

Você já se conectou com suas fraquezas e falhas por tempo o bastante. E talvez seja até justo dizer que você foi além de se conectar, concentrando sua identidade nessas fraquezas. Em ambos os casos, agora chega. Agora vamos nos conectar com nossas forças.

Quando você estiver conectada com suas forças, terá a perspectiva necessária para integrar suas tendências perfeccionistas à sua vida de uma forma saudável. Saudável significa segura, empoderada, uma reflexão do seu verdadeiro eu. Saudável não significa feliz o tempo todo.

BEM-ESTAR EUDAIMÔNICO E HEDÔNICO

O bem-estar pode ser dividido em dois ramos básicos. Abordagens *hedônicas* do bem-estar buscam aumentar a felicidade e diminuir a dor, enquanto abordagens *eudaimônicas* do bem-estar buscam aumentar o sentido.[17] Experiências felizes e significativas não são de modo algum mutuamente exclusivas, mas uma não leva à outra.

As perfeccionistas consideram as abordagens hedônicas do bem-estar inexpressivas e limitadas. Em parte, esse é o motivo pelo qual as pessoas reclamam que perfeccionistas não sabem se divertir. Não é que perfeccionistas não saibam se divertir — a verdade é que elas têm fortes orientações eudaimônicas. O que as perfeccionistas consideram divertido é enfrentar novos desafios e construir sentido envolvendo as formas como esses desafios são vencidos, em vez de fazer o que quer que os outros façam.

Estilos de vida eudaimônicos foram descritos no mundo da pesquisa como "a busca pela perfeição que representa a realização do verdadeiro potencial de uma pessoa".[18] Sua forte orientação eudaimônica é um traço importante do seu perfeccionismo para levar em conta à medida que avançamos. Não há necessidade de sentir que está fracassando só porque você não se sente feliz o tempo todo. Ausência de ânimo não é um transtorno.

Seu objetivo não é estar sempre feliz ou se refestelar dia e noite com o doce coberto de dopamina da gratificação imediata. Se esse fosse seu objetivo, sua orientação seria hedônica e você seria hedonista, e não perfeccionista.

O hedonismo entedia as perfeccionistas. Perfeccionistas adoram trabalhar. Perfeccionistas adoram um desafio. Perfeccionistas querem contribuir, criar e crescer.

ADAPTANDO-SE DE DENTRO PARA FORA

Não importa se você sempre teve um impulso naturalmente forte pelo perfeccionismo ou se um impulso latente emergiu em virtude das suas experiências. Tampouco importa se seu perfeccionismo é um companheiro constante, algo que aparece sob pressão ou uma tendência arriscada que surge em momentos vulneráveis. O que importa é que, como adulta, você é responsável pelo seu perfeccionismo e pode aprender a conduzi-lo numa direção adaptativa.

E a que exatamente você estaria se adaptando? À versão mais autêntica de si mesma. As perfeccionistas adaptativas não se acomodam a ambientes e expectativas externos; sua adaptação é um processo interno. Você vai se adaptar de dentro para fora.

O perfeccionismo adaptativo envolve um conjunto de habilidades que pode ser aprendido. E você não está apenas prestes a aprendê-lo: logo estará desfrutando do desfile de benefícios que vem junto com isso. Por exemplo: as perfeccionistas adaptativas se beneficiam da sua elevada motivação para o sucesso.

Mas eu já tenho uma elevada motivação para o sucesso.

Talvez tenha, talvez não. Muitas perfeccionistas *acham* que têm uma elevada motivação para o sucesso, quando na verdade sua motivação é evitar o fracasso — algo completamente diferente.

Quando sua motivação é o sucesso, falamos em *motivação orientada pela promoção*. Quando sua motivação é evitar o fracasso, falamos em *motivação orientada pela prevenção*.[19] No seu artigo "Do You Play to Win — or to Not Lose?" [Você joga para ganhar — ou para não perder?], a dra. Heidi Grant e o dr. E. Tory Higgins, ambos psicólogos, explicam bem essas duas motivações subjacentes: "As pessoas que se concentram na promoção são atraídas por modelos inspiradores; as que se concentram na prevenção, por histórias de alerta".[20]

Conforme você aprende as habilidades necessárias para se adaptar internamente à sua versão de sucesso, baseada nos seus próprios valores, sua busca fica mais empolgante, significativa e, o mais importante, mais alegre. Por quê?

Como a pesquisa sugere, as perfeccionistas adaptativas jogam para ganhar; são mais propensas a desfrutar do processo porque seus esforços são alimentados pelo otimismo e pela busca de recompensas. As perfeccionistas desadaptativas, por outro lado, jogam para não perder; são mais propensas a se estressar e se preocupar, porque seus esforços são alimentados pelo medo.[21]

A partir do momento em que compreende que você é a pessoa responsável por definir o que é significativo para você, é capaz de se conectar com o poder de abraçar o sucesso nos seus próprios termos. Conforme continua obtendo sucesso nos seus próprios termos, cria uma confiança toda sua, que não depende de comentários externos. Para perfeccionistas adaptativas, "vencer" da maneira tradicional é legal (às vezes é *muito* legal), mas só isso. Vitórias e derrotas externas não definem sua vida nem a deixam arrasada quando você está conectada com seu valor intrínseco. De maneira análoga, o "fracasso" tampouco importa tanto para as perfeccionistas adaptativas.

As perfeccionistas adaptativas não registram contratempos como fracassos; elas os vivenciam como oportunidades de crescimento e aprendizagem. Não é que as perfeccionistas adaptativas sejam magicamente imunes à decepção; é que o apreço pelo aprendizado e a emoção da tentativa diminuem o impacto dela.

Você consegue ver como a ousadia é um efeito colateral natural do perfeccionismo adaptativo? E como não seria? As pessoas se seguram porque têm medo de fracassar, mas quando você aprende a ver sentido no processo, em vez de no resultado, é impossível fracassar. Isso remete ao estilo de vida eudaimônico — encontrar sentido é o sucesso.

Aliás, você sabe quanto ganha a mais quando não tem tanto medo de perder? Como Thomas J. Watson disse: "Se quer aumentar sua taxa de sucesso, dobre sua taxa de fracasso".

As perfeccionistas desadaptativas não vão em busca do sucesso: elas fogem do fracasso. Sua motivação é evitar o dar errado, porque a motivação do perfeccionismo desadaptativo é evitar a vergonha.

Como discutiremos no capítulo 4, evitar a vergonha é um dos exercícios emocionais mais exaustivos e fúteis que há. É impossível desfrutar do processo quando se está no espaço desadaptativo — pelo mesmo motivo que você não desfruta de um acidente de carro só porque não se machucou feio.

Essa mudança central de evitar o fracasso para buscar o sucesso definido por você mesma é, numa palavra, liberdade. Em duas palavras, é perfeccionismo adaptativo.

Parece bom demais para ser verdade — você pode mesmo desfrutar de todas as vantagens do perfeccionismo sem a autoflagelação que costuma acompanhá-lo? Pode mesmo aprender a usar seu perfeccionismo para chegar longe na vida sem permitir que ele arruíne sua vida? Pode se orgulhar do que está fazendo e ficar feliz mesmo se estiver fracassando, a ponto de o fracasso parecer uma vitória? Sim. As perfeccionistas adaptativas fazem isso todos os dias.

ABRAÇANDO O PERFECCIONISMO ADAPTATIVO

Ser saudável não é tomar a decisão de deixar de *não* ser saudável; é tomar a decisão de estar à altura das circunstâncias da sua vida. Comprometer-se com o perfeccionismo adaptativo não é uma escolha que você faz uma vez e pronto. Abraçar o perfeccionismo adaptativo envolve uma série de escolhas feitas repetidamente ao longo do tempo, sendo a primeira delas se concentrar em uma mentalidade de crescimento.

Você deve estar familiarizada com a teoria da "mentalidade de crescimento" e da "mentalidade fixa" da dra. Carol Dweck, psicóloga de Stanford. A ideia de Dweck é que as pessoas funcionam sob um desses dois sistemas de crenças básicos; ou acreditam que são capazes de crescer e se desenvolver (mentalidade de crescimento) ou acreditam que suas capacidades são estáticas (mentalidade fixa).

De acordo com Dweck, sua mentalidade impacta grande parte das suas decisões e sua satisfação com a vida. Como você reage ao fracasso pessoal assim como ao sucesso alheio, sua disposição a se esforçar, os objetivos que estabelece para si mesma — todas essas coisas derivam da sua mentalidade.

Por exemplo, se você tem uma mentalidade fixa e tende a acreditar que não pode aprender algo, *talvez* tente uma ou duas vezes antes de jogar as mãos para o alto e dizer: "Viu? Falei que eu não era boa nisso". Se acredita que é capaz de dar um jeito, em vez de se sentir sobrecarregada demais para continuar, você persiste.

É a mesma lógica por trás do motivo de as pessoas gostarem de completar quebra-cabeças de mil peças. Elas fazem esse tipo de quebra-cabeça porque sabem que eles podem ser resolvidos e acreditam que são capazes disso. Quando você tem consciência de que o sucesso é apenas uma questão de tentativa e erro, não se importa em tentar e não se importa em errar. Não apenas não se importa de se dedicar ao quebra-cabeça como também sente prazer com isso.

As pesquisas indicam que o perfeccionismo adaptativo está positivamente relacionado à adoção de uma mentalidade de crescimento.[22] Você nem precisa ter certeza de que é capaz de crescer: cultivar uma abertura em relação à sua capacidade de crescimento é sempre benéfico.

Trabalhei com muitas perfeccionistas em espaços desadaptativos que começam a terapia com uma mentalidade fixa quanto às suas possibilidades. O sentimento geral costuma ser algo como: "Sei que nunca vou ser feliz de verdade, mas gostaria de ser menos infeliz".

As pessoas usam o fato de que tentaram várias vezes ser saudáveis sem que isso nunca tenha dado certo como prova de que estão destinadas ao mal-estar permanente. É injusto chegar à conclusão da derrota sem considerar que a fonte da disfunção é a abordagem, e não a pessoa.

A abordagem atual do gerenciamento do perfeccionismo é um completo desastre. Como mencionamos, toda a estratégia está baseada na erradicação forçada. É por isso que tantas perfeccionistas recebem o péssimo conselho de ser medíocres de propósito. Tirar uma nota mais baixa de propósito, chegar tarde de propósito, obrigar-se a entregar um trabalho do qual não se orgulha de propósito.

Esperando que isso cure seu perfeccionismo, como se fosse uma febre, as perfeccionistas seguem o conselho. Mas essa abordagem não apenas não funciona como acaba fazendo as perfeccionistas se sentirem ainda pior, porque assumem que devem estar fazendo algo de errado.

Seu histórico de começos ruins não é prova de que sua capacidade de se curar, crescer e prosperar é estática. Seu histórico de começos ruins é irrelevante — não me importo com ele, e você tampouco deveria se importar. Permita que seu longo histórico de começos tortuosos represente seu compromisso permanente de descobrir seu autêntico eu.

Reconheça que nenhuma das soluções para gerenciar seu perfeccionismo funcionou até agora porque elas abordam o problema errado ao tentar fazer com que você deixe de ser perfeccionista. A cura não está em mudar quem você é; está em aprender a ser você mesma no mundo.

Para desafiar uma mentalidade fixa, compreenda que, quando você identifica errado o problema, identifica errado a solução. Você tem buscado uma solução incorreta, tentando ser menos você mesma, tentando controlar quem é. A solução é ser mais você mesma de maneira saudável.

Escolher uma mentalidade de crescimento exige que você reserve um momento para abrir espaço para a possibilidade. Abrir espaço para a possibilidade é como respirar. Respirar de verdade. Com o ar passando pela sua garganta. Considere que uma vida em que você sente alegria facilmente e com frequência é possível. O número de vezes que você ri numa semana, a qualidade dos seus relacionamentos, sua capacidade de dormir a noite toda, sua realização profissional — tudo isso pode mudar para melhor.

Mesmo que seja apenas um reconhecimento intelectualizado de uma possibilidade objetiva, é importante que você se abra para a ideia de que mudar é possível para você. Se tentar e ainda assim não conseguir criar uma abertura, tudo bem. Estar lendo isso já é uma abertura por si só.

Ousadia, autenticidade, uma motivação infinita que você nem precisa tentar cultivar, confiança o bastante para fracassar, aprender e crescer enquanto preenche sua vida cada vez mais de sentido e impacta positivamente não só a si mesma, mas também o mundo — perfeccionismo é isso. Você pode resistir a ele ou abraçá-lo.

Quando você para de resistir ao perfeccionismo, está praticando não resistência. A não resistência libera energia para outras coisas. Você é a pessoa responsável por decidir para onde essa energia recém-liberada vai seguir.

Se você direcionar sua energia de maneiras curativas e intencionais, poderá construir a vida que deseja em vez de uma vida que parece dura o tempo todo. Caso ninguém nunca tenha lhe dito isso, mesmo quando você constrói a vida que quer, em grande parte do tempo ela continua difícil. A diferença é que parece que essa dificuldade vale a pena, para dizer o mínimo.

3. Perfeccionismo como doença, equilíbrio como cura, mulheres como pacientes
Um modelo para patologizar as expressões de poder e ambição das mulheres

> *Houve pouca descrição da vida psicológica e dos percursos de mulheres brilhantes, mulheres talentosas, mulheres criativas.*
>
> Dra. Clarissa Pinkola Estés

Passei pela minha próxima cliente, Rupa, que estava trabalhando na colmeia — um aglomerado de estações de trabalho individuais dentro do escritório do Google em Nova York —, mas ela não me viu. Dez minutos depois, na minha sala, mencionei o ocorrido, e ela respondeu que era uma "abelha operária" só para parecer perplexa logo em seguida. Como alguém que não consegue jogar conversa fora por nada neste mundo, há poucas coisas que considero mais cativantes do que tentativas desastrosas de fazer isso. Sorri, sem levar adiante, então começamos a conversar de verdade.

Rupa fazia de tudo. Toda manhã, depois de se exercitar, em algum momento entre fazer o café e pegar o metrô, seu smartwatch celebrava seu esforço soltando fogos de artifício e anunciando: "Meta de movimento atingida". Honrando sua resolução de Ano-Novo, ela havia contratado uma assessoria financeira e estava tomando decisões em relação a dinheiro com as quais se sentia bem. Rupa sempre prestava atenção no que comia e não se deixava distrair pelos carrinhos de lanches do Google, suas máquinas de waffle, seu forno de pizza nem nada do tipo. E ela não só tinha amigos como *se encontrava com eles regularmente*.

Alguns aspectos da sua relação com o álcool eram complicados; portanto, depois de um vaivém um bocado difícil, ela decidira parar de beber. Sua carreira em marketing digital deixava um pouco a desejar no sentido criativo; então, depois de pesquisar com todo o cuidado os melhores equipamentos de proteção e de contratar a melhor empresa de climatização para garantir um sistema de ventilação adequado, Rupa comprou um forno caseiro e transformou o quarto extra do seu apartamento num ateliê de cerâmica. Ela costumava sair e viajar, ia ao dentista a cada seis meses, só comprava em livrarias independentes e dava permissão a si mesma para não fazer nada.

Rupa havia trabalhado duro por várias das coisas que amava na vida, e deixou aquilo muito claro na nossa primeira sessão: como tinha sido difícil chegar aonde chegara. Disse que tinha vindo me ver porque às vezes não conseguia dormir a noite toda.

"Com que frequência isso acontece?"

"Não sei, não fico controlando."

Então começamos a controlar. Rupa acordava cerca de quatro vezes na semana, por volta das duas da manhã, aparentemente sem motivo. Ficava olhando para o teto escuro, se esforçando para resistir à tentação de pegar o celular, mas às vezes o pegando na mesma hora.

Rupa voltava a dormir depois de mais ou menos uma

hora e acabava descansando o suficiente, mas aquilo a incomodava, o que era compreensível. Ela me disse que não se sentia estressada. Não bebia café depois do almoço e evitava alimentos com açúcar demais. Vivia fisicamente cansada e explicou: "É como se eu não conseguisse desligar meu cérebro ou algo parecido. Não sei".

Quando as pessoas dizem que não sabem por que não dormem, em geral querem dizer que não estão prontas para explorar os possíveis motivos em voz alta. Porque dizer as coisas em voz alta muda algo.

Às vezes, você expressa um pensamento em voz alta para lhe dar peso, porque ele importa. Às vezes, você expressa um pensamento em voz alta porque é trivial. Até que permita que as palavras atinjam o ar, pode ser difícil diferenciar os casos. As apostas são mais altas quando se diz algo em voz alta porque a verdade se torna mais clara para você.

Às vezes não falamos o que já sabemos em voz alta porque, embora reconhecer a verdade possa ser libertador, quase sempre é doloroso antes de tudo. Quando não consegue dormir, pelo menos uma parte de você sabe o motivo; caso contrário, continuaria dormindo. Eu não tinha ideia do que fazia Rupa acordar no meio da noite, mas sabia que, em algum nível, ela devia ter.

A noite anterior à sessão que mencionei (não fazia muito tempo que ela vinha se consultando comigo; tínhamos nos visto umas quatro ou cinco vezes) fora especialmente difícil para Rupa.

"Aconteceu de novo", ela disse, sentada perfeitamente ereta. "Estou tão cansada que minha vontade é de chorar."

"E o que está te impedindo de chorar agora?", perguntei, com sinceridade.

Algo na sua energia se alterou. Era como se Rupa tivesse inspirado como uma pessoa e, ao expirar, houvesse se tornado outra. Seu corpo pareceu murchar no sofá, e sua voz o acompanhou. Rupa era uma mulher dinâmica, com muitos lados autênticos. Não estava fazendo pose — aquele era apenas outro lado dela, um lado menos decoroso.

A expressão de Rupa me fez pensar em minha colega de quarto da faculdade quando ficava sem cigarros, o que compartilhei na sessão. Rupa ficou olhando para um canto onde não havia nada. Uns bons dez segundos se passaram. Então ela rompeu o silêncio: "Tudo na minha casa cheira a argila. Inclusive eu". Agora parecia mesmo prestes a chorar.

Não fazia sentido começarmos a rir naquele momento, mas foi o que aconteceu. Rupa começou a falar depressa e a gesticular, explicando que tinha comprado o forno porque achava que precisava de um hobby oficial. Além disso, dera um jeito de não haver lugar para as visitas se hospedarem, mas agora sua vida inteira cheirava a lama de spa.

Rupa estava no limite extremamente tênue entre rir do ridículo da situação e ter um colapso nervoso. Corria o risco emocional que todas assumimos quando narramos nosso fluxo de consciência sem qualquer filtro, e o que me impactou foi como aquilo era visceral para ela. A maior parte do trabalho da terapia é feita fora do consultório, mas Rupa não estava dividindo uma epifania que tivera alguns dias antes — estava passando por ela em tempo real. Era como se houvesse uma daquelas placas de NO AR acesas. Rupa estava ao vivo.

Me senti inquieta enquanto ela prosseguia, fazendo uma confissão depois da outra. Gostava daquela história de gerenciar seu dinheiro, mas para que exatamente estava economizando? Cortar a bebida havia culminado numa melhora real e ela continuaria com aquilo, mas agora Rupa não sabia o que a irritava mais: gente sóbria ou gente bêbada. E ela não comia de maneira intuitiva: só copiava uma ideia — o modo como *achava* que pessoas que comiam de maneira intuitiva comiam, o que envolvia muitas amêndoas. Rupa adorava seus amigos, mas nunca queria vê-los. E não gostava de encontros. Chegava ao ponto de odiá-los. Tanto que considerava a possibilidade de que pudesse ser assexual. Preferia ficar em casa, ver tv, se masturbar, julgar o perfil dos outros impiedosamente nos aplicativos de namoro, fazer uma máscara facial e ir para a cama sozinha. Rupa se ressentia de algo que não sabia o que era, embora reconhecesse exatamente o cheiro: de argila.

Ela havia cometido um erro de iniciante, um erro tão comum que infelizmente pode ser considerado um rito de passagem para a mulheridade: trocar a vida autodefinida por um equilíbrio prescritivo. Rupa sentia que havia sido traída pelo estilo de vida pacífico e envolvido, saudável e emocionalmente regulado que lhe fora prometido caso trabalhasse menos, encontrasse um hobby, socializasse mais, comesse bem e se concentrasse em estar disponível em termos afetivos. Estava fadado a dar errado desde o começo, como sempre está.

Você já viu aquelas fotos de alerta para não comprar móveis pela internet sem prestar atenção às dimensões? Com um item real, mas em miniatura, na palma da mão de alguém? Aderir ao equilíbrio prescritivo é assim, só que em vez de uma cadeira Eames o que você segura é uma vidinha para a qual é grande demais, uma vidinha na qual a magnitude de quem você é nunca poderia caber.

Se tiver sorte, você não vai conseguir se acomodar com a versão de sucesso de outra pessoa, por mais atraente que pareça. Algo vai bater na janela da sua vida, tentando chamar sua atenção. Talvez depois do trabalho, durante aquela caminhada em silêncio entre a calçada e a porta; talvez pela manhã, enquanto você faz o café; talvez, como aconteceu com Rupa e como é mais comum, a batidinha chegue na imobilidade garantida do meio da noite. Alguma coisa vai te pressionar de dentro para fora, exigindo mais de você. Uma vida melhor, uma vida maior. Uma vida na qual você cabe. *Sabe o que é isso?*

Rupa encarava o teto escuro cerca de quatro noites por semana porque estava tentando encaixar sua vida num gráfico: o que lhe diziam para fazer no eixo horizontal, o que ela esperava ser no eixo vertical. Sobre esse gráfico, se impunha a obrigação sempre premente de que as mulheres sejam, como a escritora Karen Kilbane diz, "patologicamente gratas", resultando numa sensação de fracasso silenciosa, invisível e internalizada. "O que tem de errado comigo? Qualquer outra pessoa seria grata pelo que tenho. Mas posso dar um jeito. Preciso me recompor." É assim que muitas mulheres ambiciosas passam seus vinte anos, trinta anos e mais — construindo a "vida equilibrada" que lhes disseram que todas querem só para depois não a quererem.

Rupa havia concluído sua lista para "ser equilibrada" e aguardou. Nada. Então sentiu o oposto de satisfação, uma ansiedade rastejante, sufocada, áspera. O choque silencioso, anticlimático, a conta-gotas da "mulher finalmente equilibrada" sempre nos faz regressar à sensatez. Sentada no sofá, exausta demais para fazer qualquer outra coisa além de dizer a verdade, fazendo a mim mesma (ou melhor, fazendo a si mesma) uma versão da pergunta brutalmente retórica "É isso?".

Num contraste nítido, noto uma qualidade brilhante e expansiva sempre que as mulheres descrevem as alegrias e os benefícios de envelhecer. É sempre mais ou menos assim: "Quando você chega a certa idade, aprende a não se importar mais. Finalmente aceita que não consegue agradar a todos, por isso busca agradar a si mesma. Você entende que sabe do que precisa. Faz seu melhor para chegar ao lugar mais conscienciosos possível, e a partir desse lugar você diz e faz o que quer. As farpas que caiam onde caírem". Os homens nunca descrevem o envelhecimento dessa maneira.

EQUILIBRADA PARA SEMPRE

Não conheço nenhuma mulher equilibrada. Conheço muitas mulheres que se sentiriam equilibradas se a semana tivesse dois dias a mais, se alguém cuidasse da casa em seu lugar, se um prazo fosse generosamente estendido, se os filhos passassem três dias inteiros com alguém amoroso e competente que não fosse elas. Conheço muitas mulheres, como Rupa e como antigas versões de mim mesma, que estruturam uma vida inteira para parecer bastante equilibrada até se sentirem entre inquietas e assombradas pela tal batidinha. É fácil se deixar levar pela sensação de que está perto de atingir o equilíbrio, como um apostador à mesa, arriscando só mais uma vez pela quinquagésima quarta vez — só que, infelizmente, a mesa sempre ganha. O equilíbrio continua um passo à frente, o prêmio sempre fugidio da modernidade feminina.

Contudo, no meu trabalho, as mulheres relatam seu fracasso em atingir o equilíbrio como se todos à sua volta o tivessem atingido. Minha resposta é menos "Não se preocupe, todo mundo tem dificuldade com isso" e mais "Não se preocupe, isso de equilíbrio não existe". O equilíbrio ocupa o lugar do príncipe no conto de fadas para mulheres adultas que diz que um dia, se você continuar sendo boazinha e virtuosa, se continuar fazendo tudo que deveria fazer, se tolerar só mais um pouquinho o fato de estar presa e/ou inconsciente, então o equilíbrio virá resgatá-la, tudo ficará bem e vocês viverão felizes para sempre.

Compramos a meta assumidamente sedutora do equilíbrio por causa de duas promessas falsas. Primeira: a de que a vida é estática. Claro que encontramos alguns obstáculos no meio do caminho, circunstâncias imprevistas e coisas assim, mas são exceções, e não a regra. A regra é: se sua vida não estiver automatizada, se os dias não fluírem com tranquilidade, é porque você está fazendo algo errado.

Como a vida é estática e portanto fácil de automatizar, você só precisa encontrar a fórmula certa para fazer com que tudo corra sem percalços, como deveria ser. Essa abordagem pronta da realização apresenta uma solução instantânea para cada problema, e então pronto! Tudo resolvido.

A segunda promessa falsa é de que suas necessidades, seus desejos, seus anseios, dos mais básicos aos mais complexos, todas aquelas colinas verdejantes e exuberantes, todas as suas curiosidades, grandes ou pequenas, podem ser atendidos, *e* podem ser atendidos ao mesmo tempo, e podem ser atendidos ao mesmo tempo enquanto você cumpre razoavelmente as inúmeras obrigações sociais, profissionais e familiares que advêm de ser um membro da comunidade.

A visão contemporânea do equilíbrio se baseia na noção de que sua vida poderia se encaixar numa lista de afazeres, e que quando você riscasse todos os itens da lista, abordando seus problemas e os solucionando, sentiria um clique satisfatório, como o de um cinto de segurança sendo afivelado. Se você ainda não ouviu esse clique, é porque não atingiu o equilíbrio. Porque não está fazendo certo. "Equilíbrio" se tornou sinônimo de "saúde". Se você não é uma mulher equilibrada, então não é uma mulher saudável.

Como talvez já tenha notado a essa altura, aqueles obstáculos ocasionais, aquelas circunstâncias imprevistas, são a regra, e não a exceção. A vida não é nem um pouco estática. É normal, natural e saudável enfrentar momentos em que ela é ofuscada por outra coisa, interna ou externa, às vezes ambas. Esse ofuscamento que alguns considerariam o oposto de equilíbrio ocorre repetidamente em nossa vida sempre fluida, nunca estática.

Esse ofuscamento não é o problema, e sim o ponto: estar vivo e se envolver com a vida em vez de se esconder atrás de uma vitalidade minuciosamente controlada e chamar isso de equilíbrio. Algumas épocas devem ser dedicadas ao trabalho. Outras, ao sexo. Outras, a três coisas ao mesmo tempo. Outras, a nove. Em algumas épocas da vida devemos vagar pelo vazio desalentador, retrocedendo em duas dessas coisas.

Que cara tem o equilíbrio quando você está se apaixonando, reformando sua casa ou enfrentando o luto? E durante um divórcio? Aquela manhã em que o carro não quer pegar? Seu terceiro mês procurando trabalho e sem perspectivas? A maioria das mulheres tem um momento #metoo — que cara tinha o equilíbrio no seu?

Que cara o equilíbrio tem no ano seguinte ao nascimento do seu segundo filho, ou quando você se prepara para a abertura de capital da sua empresa, ou quando seu pai ou sua mãe ficam doentes e precisam de maiores cuidados? E enquanto você procurar a pílula com a quantidade de hormônios certa? Qual é o nível apropriado de equilíbrio quando um parente está em meio a uma crise bipolar e ninguém teve notícias dele em três dias? Que cara o equilíbrio tem quando a empresa para a qual você trabalha é comprada por um conglomerado e sua estabilidade no emprego é no máximo de alguns meses, ou durante uma temporada de furacões particularmente destrutiva na região onde você mora? Qual é a fórmula certa para o equilíbrio durante uma pandemia global? E quando a pandemia "acaba" mas você continua processando as maneiras como ela mudou você e todos à sua volta?

A busca por equilíbrio é curativa dentro do seu construto original, baseado no objetivo do equilíbrio de energia (as noções filosóficas de yin e yang, alinhamento dos chacras etc.). Para desfrutar do máximo de vitalidade possível, é preciso prestar atenção ao seu sistema interno de energia e calibrá-lo de acordo com suas necessidades. Equilibrar energias é notavelmente diferente de equilibrar tarefas, e no momento o significado coloquial de equilíbrio parece representar a segunda opção.

Quando dizem que uma mulher tem uma vida equilibrada, não é porque ela descobriu o ponto ótimo do seu equilíbrio energético, e sim porque ela consegue lidar com várias tarefas e responsabilidades ao mesmo tempo. Porque ela pode continuar acrescentando coisas à sua agenda sem deixar a bola cair. Alteramos a definição de equilíbrio para que passasse a significar ser bom em se manter ocupado, o que não tem nada a ver com saúde. Daqui em diante, quando me referir a equilíbrio, estarei sempre me referindo a essa versão simplificada e estereotipada.

Alguém muito próximo uma vez compartilhou comigo o seguinte ditado do ramo jurídico: tornar-se sócio de um escritório é como participar de um concurso para ver quem come mais tortas cujo prêmio é torta. Isso não tem nada a ver com equilíbrio. Quanto mais tarefas você consegue equilibrar com sucesso, mais precedentes você cria e, para surpresa de ninguém, mais tarefas você precisa equilibrar.

Além de equilibrar tarefas, também se espera que as mulheres equilibrem antecipadamente a experiência emocional que os outros têm delas. Na minha cena preferida de *The Morning Show* (série de TV da Apple TV+), Bradley Jackson, interpretada por Reese Witherspoon, tem sua grande chance como âncora. Enquanto compra a contragosto um guarda-roupa apropriado para entrar no ar, ela descreve o que chama de "garota dos sonhos, inspiradora e inofensiva": "Só me disseram de umas mil vezes diferentes que sou liberal demais, conservadora demais, em cima do muro demais. Você tem muito queixo. Você não sorri o bastante. Você é morena demais. Quer ficar loira? Cadê seus peitos? Rápido, esconde os peitos. Espera, mostra os peitos. Você está atraindo os homens! Você está assustando as mulheres! Tente não ser tão combativa, os homens não querem comer você. Não seja tão raivosa, as mulheres se sentem criticadas".

Voltei essa cena duas vezes. Fiquei extremamente satisfeita ao ver essa articulação truncada e precisa de apenas algumas das opiniões contraditórias com que as mulheres se veem confrontadas. Todos os dias. Em todos os lugares. O tempo todo.

"Como você equilibra trabalho e maternidade?" Essa é uma pergunta que toda profissional que tem filhos costuma ouvir. Homens profissionais que têm filhos não ouvem o equivalente paternal dessa pergunta porque não se espera que eles sejam os responsáveis principais pelas crianças. Espera-se que eles concentrem a maior parte da energia no trabalho e sejam cuidadores secundários ou até mesmo uma presença terciária na vida dos filhos. Assim, mulheres que realizam um trabalho além do doméstico se consideram "mães que trabalham", enquanto homens nunca se consideram "pais que trabalham". Também é por isso que pais não vivenciam o mesmo nível de culpa quanto a demandas concorrentes na vida profissional e na vida familiar — eles simplesmente não têm a mesma quantidade de demandas concorrentes (ser bem-sucedido na profissão ao mesmo tempo que gerencia o cuidado dos filhos, a programação escolar, os encontros com outras crianças, as consultas médicas, a vida social do casal, a limpeza da casa etc.).[1]

Talvez esse seja um bom momento para esclarecer que a meta não é sermos tratadas como os homens. Sabe quando você deveria se lembrar de quem é alguém, mas não se lembra, então vai procurar no Google? Quando alguém me disse que eu fazia aniversário junto com Rudyard Kipling, minha reação foi dizer "Que legal!", mas depois eu tive que pesquisar quem era. Acabei lendo algumas poesias dele e deparei com "Se", um poema sobre ser um homem.

Há uma frase específica que, no contexto do poema, é otimista e encorajadora. Ainda assim, ela se destacou aos meus olhos como algo independente e se imprimiu na minha mente como uma recordação de todos os homens com quem já trabalhei: "E nunca dizer nada sobre sua perda".

Em meio a uma litania de sofrimentos privados que não permitimos que eles nem mesmo *comecem* a sentir, muito menos que cheguem a expressar, os homens sofrem por não ser desafiados na sua resposta desenfreada ao perfeccionismo. "Ser homem" invoca um vazio que não se encaixa na rica sensibilidade, no humor, no poder criativo, na compaixão permanente, na inteligência e na beleza dos homens. Qualquer pessoa criando um filho pequeno lhe dirá que ele é o menino mais encantador que já existiu. Todo esse afeto, essa bondade e essa curiosidade que irrompe prontamente do coração desses meninos é exatamente o que os homens aprendem que devem sufocar se quiserem ser levados a sério no mundo.

A autoestima dos homens é precária de um jeito que nem conseguimos imaginar. Fingimos que eles estão bem. Só que eles não estão bem. Os homens não estão sentados no alto dos seus tronos patriarcais rindo de todos os outros. Estão balançando no cantinho do fictício gênero binário, tentando não cair num precipício muito real.

Me considero uma pessoa de muita sorte por ter descoberto o trabalho do dr. Jackson Katz logo no início da minha carreira. Seu revolucionário *The Macho Paradox: Why Some Men Hurt Women and How All Men Can Help* [O paradoxo do macho: por que alguns homens machucam as mulheres e como todos os homens podem ajudar] é um maravilhoso ponto de partida e desenvolvimento para todas as questões que estão além do escopo deste livro. O livro *Beyond the Gender Binary* [Além do gênero binário], de Alok Vaid-Menon, escritore e artista internacionalmente aclamade, também é um excelente ponto de partida e desenvolvimento. Por ora, no entanto, vamos voltar a como não há maneira melhor ou pior de fazer algo impossível: chegar a um equilíbrio.

UM ENIGMA

Existem duas mulheres. Esposas e mães. Ambas acordam cedo, duas horas antes do restante da casa. A Mulher 1 explica que acorda cedo porque adora ter um tempo para si. Ela faz pão para a família e menciona algo sobre usar as mãos ao sovar a massa e o aspecto tátil da coisa. Enquanto o pão assa, ela limpa a casa, pois ter a casa limpa faz com que se sinta centrada. Como está sozinha e pode fazer tudo no seu próprio ritmo, a limpeza parece mais uma meditação do que uma obrigação. Quando ela termina, lê alguma coisa. A Mulher 1 adora essas manhãs só dela.

A Mulher 2 explica que acorda cedo porque gosta de se preparar para o trabalho no escritório. Menciona que a sensação de dar uma olhada na agenda e saber que está preparada para cada reunião é boa, e que identificar preocupações iminentes a ajuda a identificar soluções iminentes. Ela também adora a eficiência de responder a todos os e-mails do dia anterior de uma vez só. Caso tenha tempo depois de verificar a agenda e os e-mails, ela lê. Sua casa é bagunçada, mas não chega a ser suja. E costuma ficar assim, a menos que recebam visitas. Os filhos da Mulher 2 comem cereal no café da manhã, então ela não precisa preparar nada.

Qual dessas mulheres você acha que costuma ouvir que deve ser mais equilibrada?

É uma pegadinha, e a resposta é: nenhuma delas. Caso se apresentassem diante de uma espécie de conselho da mulher moderna, ambas seriam fortemente incentivadas a continuar se cuidando da maneira que achassem adequado. Ouviriam algo como: "Que bom para você! Faça o que for necessário para que *você* se sinta melhor! Precisamos colocar a máscara de oxigênio no próprio rosto antes, claro. Não dá para ajudar ninguém se a gente não *se* ajudar, antes de tudo".

Em seguida, o conselho imaginário faria uma perguntinha rápida. Apenas uma formalidade, claro. Alguém ali fala, talvez até sussurre: "Mas está todo mundo dormindo enquanto você faz essas coisas para si mesma, certo?".

Essa é a ressalva. Faça o que quiser — malhe, leia, entre para um clube, fique olhando pela janela, invista em si mesma e na sua carreira... faça absolutamente o que você quiser! *Só esteja pronta quando os outros acordarem.*

Entregamos às mulheres a pedra do equilíbrio, fazendo com que se lembrem sempre de que ela é impossivelmente pesada e que segurá-la as torna super-heroínas, então repetimos, como papagaios, que precisamos nos cuidar. "Equilíbrio e autocuidado, equilíbrio e autocuidado, equilíbrio e autocuidado." Sim, obrigada. Já ouvi.

As mulheres operam sob a suposição de que, uma vez que chegarem ao equilíbrio, estarão prontas para exercer seu poder no mundo. Ninguém precisa de equilíbrio para isso. Equilíbrio não é uma cartilha que te ensina a ser quem você é. Para a maior parte das mulheres, e com certeza para perfeccionistas de todo tipo, levar uma vida autêntica parece o oposto do equilíbrio na superfície. As mulheres mais realizadas que conheço não são nem um pouco equilibradas, nem um pouco mesmo.

Nos sentimos cada vez mais livres conforme envelhecemos não porque finalmente atingimos o equilíbrio que estávamos procurando, mas porque finalmente desistimos dele. Através de um processo doloroso de tentativa e erro, as mulheres aprendem que, como minha amiga Miesha costumava dizer: "Não dá para ganhar perdendo".

Com a irreverência energizante que vem do abandono daquilo que não lhes serve mais, as mulheres amassam as ordens de buscar equilíbrio e as jogam no lixo. Então queimam o lixo. Elas desistem. Não querem mais saber.

O equilíbrio não é real, o equilíbrio não existe. É só uma ideia. O equilíbrio não é possível na prática, devido a questões como tempo e realidade. O equilíbrio está sempre na esquina, depois das festas de fim de ano, assim que uma situação muito séria estiver resolvida. O equilíbrio nunca dá as caras de verdade, mas nós não notamos isso porque estamos ocupadas demais nos culpando pelo seu atraso. E, quando digo "nós", estou falando de nós, mulheres.

AMIGA, VOCÊ TÁ DESCOMPENSADA!

Existe um termo para descrever uma mulher que não está demonstrando equilíbrio: dizemos que ela está "descompensada". Visivelmente falhando em lidar com um milhão de coisas, essa mulher chega atrasada em reuniões, talvez com o cabelo bagunçado, e seu celular toca cinco minutos depois porque ela se esqueceu de silenciá-lo. Ou algo assim. O ponto é: ela não parece no controle e não parece equilibrada. Permite que as demandas concorrentes suguem seu tempo e sua energia de maneira aparente, e todo mundo nota.

Essa definição de mulher "descompensada" torna mais fácil notar o perfil; fica mais fácil perceber alguma coisa quando essa coisa é nomeada. Quando você pensa em alguém "descompensado", sempre pensa numa mulher ou numa pessoa afeminada. "Descompensada" é uma descrição reservada à feminilidade. Note que a visibilidade é importante aqui — se a pessoa "descompensada" *parecesse* no controle, se fizesse um bom trabalho *fingindo* estar equilibrada, não seria chamada de "descompensada".

"Descompensada" é uma descrição externa, pois é o externo que conta; a experiência interna das mulheres é secundária em relação à sua aparência. Isso espelha a suposição de que se as mulheres são magras também são saudáveis, não importa o que acontece nos bastidores. O que é culturalmente incentivado não é ser saudável, e sim *parecer* saudável aos outros.

Obviamente, a linguagem que usamos reflete a cultura em que vivemos. O que talvez seja menos óbvio é que a linguagem que não usamos pode servir como um reflexo ainda mais claro da cultura em que vivemos. Assim como no francês não há equivalente à ideia de um prazer vergonhoso, palavras e expressões como "mandona", "dura", "descompensada", "culpa materna" e "cara de brava" não parecem ter equivalente masculino. Quando aplicadas aos homens, as mensagens implícitas dessas palavras e expressões não se alinham ao sistema de valores da nossa cultura. Ou seja, não costumamos falar assim porque não faria sentido.

O prazer é algo natural, saudável e encorajado na cultura francesa; por que alguém teria vergonha de se permitir determinado prazer? Espera-se que os homens sejam autoritários, então como poderiam ser "mandões"? Não se espera que estejam sempre sorrindo e que sejam sempre agradáveis, então quando apresentam uma expressão facial neutra por que alguém consideraria isso fora do normal? Não se espera que os homens estejam sempre equilibrados, por isso eles não têm como parecer "descompensados". Culpa paterna não existe, pois os homens não recebem a mensagem de que deveriam se sentir culpados por trabalhar. E "duro" parece uma qualidade supérflua quando aplicada a um homem.

Transmitimos expectativas implícitas de performance de gênero ao associá-las à linguagem cotidiana (por exemplo, "mãe que trabalha"). A linguagem também tem uma função regulatória ao reforçar tais expectativas através de graus variados de punição e recompensa, incluindo a "recompensa" da não punição. Por exemplo, desviar-se da expectativa implícita de performance de gênero de parecer uma mulher saudável e equilibrada te marca como "descompensada" (uma punição). Incorporar pontos de exclamação gratuitos aos seus e-mails implica que ninguém poderá chamar você de "grossa" (a "recompensa" da não punição).

Sim, há mulheres que subvertem as expectativas de performance de gênero e são bem-sucedidas em conquistar o respeito da indústria e poder, mas isso tem um custo pessoal e profissional tremendo — não a um risco tremendo, porque o risco é transformado em custo imediato. Um exemplo memorável:

No que a ESPN chamou de "a mais controversa final do US Open da história", a autoproclamada perfeccionista Serena Williams perdeu um ponto e um game depois de três avisos de violação de código de conduta. O último, por agressão verbal, foi dado depois que Williams chamou o juiz de cadeira de "mentiroso" e "ladrão". Williams recebeu a punição com protesto, dizendo ao juiz: "Isso já me aconteceu vezes demais. Não é justo. Sabe quantos homens fazem coisas muito piores?". Williams continuou se defendendo com assertividade: "Tem um bocado de homens por aí que já disseram um monte de coisas, mas... porque sou mulher, você vai tirar isso de mim. Não é certo".

Na tempestade midiática do pós-jogo, S. L. Price escreveu num texto na *Sports Illustrated* que concordava com a declaração de Williams de que alguns homens já haviam feito coisas muito piores, citando a vez em que Jimmy Connors, campeão de Wimbledon e do US Open, numa partida do mesmo torneio, chamou o juiz de "aborto" e disse a ele: "Sai dessa cadeira, seu vagabundo". Connors não sofreu nenhuma consequência e acabou ganhando o jogo.[2] Nas palavras da dra. Phyllis Chesler, escritora feminista icônica: "Que estranho, que familiar".

O OPOSTO DA MULHER EQUILIBRADA

Ser considerada "descompensada", seja por si mesma ou pelos outros, é a punição por não parecer equilibrada, mas não é o oposto de ser equilibrada. O oposto de ser uma mulher equilibrada e saudável é o perfeccionismo.

O perfeccionismo pode ser sua perdição, mas, como já falamos, qualquer poder sem limites também pode. Então por que tratar o perfeccionismo de maneira diferente?

Ou melhor ainda: *Por que consideramos o perfeccionismo um traço negativo nas mulheres?*

Há um motivo pelo qual você nunca ouviu um homem se referir a si mesmo como um "perfeccionista em recuperação" — ninguém diz aos homens que eles precisam "se recuperar" do seu perfeccionismo. Homens são ensinados a integrar seus esforços perfeccionistas, sua insistência em padrões elevados, seu impulso às vezes meticuloso ao ponto da ineficiência, às vezes destrutivo da perspectiva interpessoal, a quem eles são no sentido mais holístico. Homens são ensinados a perseguir suas ambições sem pedir desculpas. Não apenas esperamos que homens perfeccionistas façam isso como os celebramos pelo mesmo motivo. Um exemplo fácil é a persona televisiva de Gordon Ramsay, chef britânico que se tornou magnata da mídia.

Mulheres, como a essa altura já sabemos bem, são condicionadas a pedir desculpas de maneira crônica. Depois que um estudo de 2010 confirmou que as mulheres pedem mais desculpas do que os homens, começamos a notar que, como padrão, as mulheres amortecem pedidos e declarações gerais com a palavra "desculpa".

Desculpa, você pode passar o café? Desculpa, tenho uma pergunta. Desculpa, é meu aniversário.

A percepção da tendência das mulheres a pedir desculpas em excesso não veio da noite para o dia. Esse ponto crítico na consciência cultural só se deu porque empresas, meios de comunicação e indivíduos nos opuseram a esse fenômeno repetidamente. Recomendações de prestar atenção ao uso da palavra "desculpa" inundaram o Zeitgeist. Choveram editoriais, TED Talks e podcasts a respeito. Amy Schumer fez um esquete só com mulheres que pediam desculpas demais; a Pantene veiculou uma campanha publicitária baseada no tema. Nossa atenção foi chamada.

Agora paramos de pedir desculpas, e *quase* paramos de pedir desculpas por não pedir mais desculpas. David Matley, pesquisador da Universidade de Zurique, entre outras coisas estuda a cultura digital e a interação entre redes sociais, apresentação do self e gerenciamento de relações. Ao examinar a hashtag #sorrynotsorry [desculpa mas não vou pedir desculpa], ele descobriu que ela é usada de maneira um tanto pragmática, "marcando um não pedido de desculpas num ato que equilibra (falta de) educação e estratégias de autoapresentação [...] permitindo [a quem usa a hashtag] assumir uma postura tanto de oposição quanto de cumplicidade nas normas de adequação on-line, que estão sempre evoluindo".[3] Usamos #sorrynotsorry para anunciar de maneira desafiadora que não nos importamos com o que os outros têm a dizer em relação a nossas escolhas, ao mesmo tempo que tentamos nos manter palatáveis reconhecendo que sabemos que as escolhas que estamos transmitindo são "contra as regras". Se você tivesse que adivinhar, quem diria que usa mais #sorrynotsorry, homens ou mulheres?

No momento, as expressões de ambição e busca de poder por parte das mulheres são suprimidas canalizando-as no conceito de perfeccionismo e depois patologizando o perfeccionismo à exaustão; esse é um dos impulsos implícitos mais amplamente propagados da agenda machista da nossa cultura. Reforçar a moderação da expressão de poder por parte das mulheres é anunciado como "encontrar o equilíbrio", uma instrução predominantemente direcionada a mulheres.

Para nós, perfeccionismo é uma doença da qual se leva a vida inteira para se recuperar. A mensagem implícita por trás da palavra "perfeccionismo" é: *você está fazendo coisas demais*. O equilíbrio é oferecido (vendido) como o corolário da cura. A mensagem implícita por trás de "encontrar equilíbrio" é cuidar de si mesma se acalmando e diminuindo o ritmo, ao mesmo tempo que continua cuidando dos outros e sendo tudo para todos ao mesmo tempo.

PERFECCIONISTAS CELEBRADAS

Ser uma perfeccionista nem sempre é patologizado. Se uma mulher emprega seu perfeccionismo de acordo com os padrões tradicionais de feminilidade, seu perfeccionismo é reconhecido como excelência e recompensas são oferecidas. Se uma mulher emprega seu perfeccionismo em áreas historicamente dominadas pelos homens ou de acordo com os padrões tradicionais de masculinidade, seu perfeccionismo é patologizado e punições acontecem.

É por isso que, como mencionei na introdução, Martha Stewart, que talvez seja a perfeccionista mais celebrada do nosso tempo, pôde construir um império sobre seu perfeccionismo. É preciso ressaltar outra vez, no entanto, que sua empresa, a Martha Stewart Living Omnimedia, se concentra em: receitas práticas para o brunch, tudo relacionado às festas de fim de ano, paletas de cor que se destacam, casamentos. Todos interesses arquetípicos da dona de casa. O perfeccionismo de Martha Stewart recebe aclamação estrondosa em vez de conselhos de "maior equilíbrio" (ou seja, de controlar seu empenho) porque seus interesses se atêm a assuntos em relação aos quais se aceita que as mulheres sejam publicamente ambiciosas. Por que parece tão "fora da personagem" lembrar que a impressionantemente industriosa Martha Stewart foi corretora de Wall Street antes de lançar a revista *Martha Stewart Living*?

Em 2011, Marie Kondo, consultora em organização, escreveu *A mágica da arrumação*. Minhas pobres amigas. Por muito tempo, só falei desse livro. Eu adorei. Do começo ao fim, *A mágica da arrumação* é o desfile do perfeccionismo. Cada camisa deve ser dobrada à perfeição, na vertical. A intenção é central até na menor das decisões. Absolutamente nada é gratuito em qualquer lugar da casa. Há um estado ideal que você deve tentar atingir, e esse esforço deve envolver alegria. O título do livro poderia muito bem ser *Arrumação: Um guia para perfeccionistas*.

A mágica da arrumação vendeu mais de 11 milhões de exemplares em quarenta países do mundo todo, passou 150 semanas na lista de mais vendidos do *New York Times* e inspirou *Ordem na casa com Marie Kondo*, série da Netflix, porque... odiamos perfeccionismo? Achamos que é algo ruim? Sabemos que não é nada saudável?

Por favor...

Adoramos o perfeccionismo, nunca nos cansamos dele. É claro que não adoramos as expressões desadaptativas do perfeccionismo. A menos que a disfunção tenha sido transformada num programa de TV, não adoramos expressões desadaptativas de nada. Se entregue no contexto certo, nossa cultura exalta o perfeccionismo. E uma exploração de qual é o "contexto certo" não consome muito tempo.

Você acha que é coincidência nossa cultura abraçar, celebrar e vender mulheres perfeccionistas quando seu perfeccionismo se expressa na melhoria e na decoração do lar, em organizar reuniões sociais e na arrumação? Essa celebração serve tanto como uma recompensa quanto como um sinal: é assim que as mulheres devem se comportar.

"SOU TÃO PERFECCIONISTA"

Da mesma maneira que "mandona" cumpre a função de regular comportamentos autoritários e tradicionalmente masculinos em meninas e mulheres, "perfeccionista" teve uma ascensão silenciosa para regular a ambição e o poder. Como acontece com todas as mensagens implícitas, não só a ouvimos de maneira inconsciente como a internalizamos sem perceber. Vou dar um exemplo.

Certa tarde, num espaço de trabalho compartilhado, me vi sentada perto de uma área que uma fotógrafa havia arrumado para tirar fotos dos seus clientes. Ao longo dos inúmeros cliques, ela fazia comentários como:

Sou tão perfeccionista, eu sei, mas você pode pôr a mão um pouco mais perto do quadril?
Sou meio perfeccionista, é irritante, eu sei! Mas você pode virar o rosto um pouquinho na direção da janela?
Tá, vou ser um pouquinho perfeccionista aqui e te pedir para manter o queixo a um ângulo de noventa graus do peito.

A fotógrafa podia ser ou não ser perfeccionista, não a conheço. O que sei é que se trata de uma profissional cujo trabalho é posicionar o sujeito da fotografia (no caso, uma pessoa) através de direções às vezes específicas e às vezes gerais. E ela repetidamente mitiga suas direções com o qualificador vago de "perfeccionista" para manter palatabilidade e controle da sessão ao mesmo tempo. O controle, nessa dinâmica, é concedido previamente. Ficou acordado que a fotógrafa é a especialista ali; no entanto, ela ainda parece sentir a necessidade de qualificar verbalmente a ratificação do seu poder. Sempre que precisa de uma foto melhor, abranda a comunicação situando a necessidade no contexto do seu perfeccionismo.

A comunicação implícita requer sutileza. O que marca a sutileza bem-sucedida é a abundância de negação plausível. É fácil negar a função regulatória do perfeccionismo dizendo algo como: "Perfeccionismo pode ser algo muito prejudicial. É por isso que encorajam as mulheres a ser menos perfeccionistas e buscar o equilíbrio". Como um comprimido escondido na comida, a repressão do desejo das mulheres de se destacar é engolida sem perceber quando misturada com o conceito já ambíguo de perfeccionismo.

A insistência por mais equilíbrio não é uma resposta ao estado de saúde das mulheres; é uma resposta ao estado do poder das mulheres. Infelizmente, a mensagem implícita funciona. As mulheres desperdiçam sua energia numa busca infrutífera por equilíbrio e internalizam seu desejo perfeitamente saudável de mais como uma dificuldade de ser grata.

Nada disso pretende negar que o perfeccionismo pode ser uma força destrutiva na vida de alguém. O perfeccionismo pode ser prejudicial ou útil a qualquer pessoa, dependendo de como ela o administra. Até reconhecermos a natureza dicotômica relacionada a gênero do perfeccionismo, estamos todas concordando em ficar de braços cruzados enquanto homens despreparados têm o direito de voar direto rumo ao sol escaldante, enquanto as mulheres veem suas asas cortadas em nome da sua proteção.

MAIS

Se você não tem uma vida equilibrada agora, isso não significa que há algo errado. Você não precisa malhar até se sentir cansada demais para ficar irritada, não precisa fazer longas listas de por que é grata até não desejar mais nada. Você pode estar irritada e cheia de amor ao mesmo tempo. Pode ser grata e querer mais. Nada disso precisa estar em equilíbrio.

Você tem todo o direito de querer mais e de conseguir mais. Querer mais é saudável. Seus desejos são reais e importantes, e não precisam fazer sentido para mais ninguém além de você mesma.

Querer mais pode parecer subversivo e "sórdido" para mulheres a quem ensinaram que seu perfeccionismo (leia-se "sua ambição") é ruim e errado, assim como sentir tesão pode parecer subversivo e "sórdido" para mulheres a quem ensinaram que seu desejo sexual é errado. Querer mais é uma afronta a tudo que você aprendeu sobre ser uma mulher grata, saudável e equilibrada. Uma mulher que quer mais é ingrata, um homem que quer mais é um visionário. Uma mulher que busca poder "tem sede de poder", um homem que busca poder é "o macho alfa". Essas narrativas são velhas e entediantes. Chega delas.

Não permita que sua ambição seja patologizada. Recuse-se a pedir desculpas pelo seu desejo insaciável de se destacar, ou a disfarçá-lo. Rejeite totalmente a noção de que você precisa de conserto. Reivindique seu perfeccionismo agora mesmo.

Mesmo que apenas pelo mais breve momento, permita-se considerar algo radical nesse mundo misógino: *não tem nada de errado com você.*

4. O perfeccionismo de perto
Uma compreensão aprofundada do perfeccionismo e da fluidez da saúde mental

Nada é fixo nos assuntos da mente e do coração.

Dra. Harriet Lerner

Lena estava cansada aquele dia. Já havia se comprometido com coisas demais. Quando o e-mail chegou, soube na mesma hora que tinha de dizer não. Queria dizer não. Ou talvez seja mais correto afirmar que ela queria querer dizer não.

Só que a ideia de dizer sim à oportunidade a animava, mesmo Lena estando cansada. Aceitar um pouco mais do que seria capaz de aguentar havia se tornado sua filosofia. Ela leu o e-mail em voz alta na nossa sessão. Depois, sem fazer nenhuma pausa, começou a defender o sim:

"O que eu faria se só aceitasse aquilo para o que tenho energia? Sinceramente, nada. E quão animada seria minha vida se eu me certificasse de ter tempo para fazer tudo? Muito pouco." Em vez de minhocas de plástico, ela usava a mim, a terapeuta presente, como isca. "Quanto eu cresceria se sempre fizesse o que sei que é teoricamente a escolha mais saudável? Estou aqui para crescer."

Agora era minha vez de ler um e-mail em voz alta. Encontrei uma mensagem que Lena havia me mandado no outono anterior, pedindo para marcar nossa primeira consulta. Ela me cortou assim que reconheceu do que se tratava. "Tá, já entendi, já entendi. Pode parar." E ficou em silêncio.

No e-mail, Lena descrevia um "profundo e necessário" desejo de mudar seu estilo de vida. Uma parte sua queria parar de se forçar, parar de se sentir obrigada a estar à altura da ocasião e ser sempre sua melhor versão. Ela queria descobrir como ser mediana sem se sentir péssima.

Funcionar pouco acima da sua capacidade sempre tinha energizado Lena, a não ser quando a fazia sofrer, claro. Ela havia me escrito aquele e-mail num momento de dor. O lado negativo da ambição é algo que as perfeccionistas conhecem muito bem — você percebe que está sobrecarregada, mas não consegue ver nenhuma alternativa além de seguir em frente.

Ao mesmo tempo, Lena não estava errada. Às vezes acontece de sabermos que estamos passando do limite se aceitarmos algo mas aceitamos mesmo assim, e passamos o restante da vida gratas por aquela nossa versão que disse sim — a ter outro filho, a ser a principal palestrante de um evento, a dar uma festa e comemorar oficialmente, a aceitar uma oferta de emprego. Não sabíamos no que estávamos pensando quando concordamos em fazer uma reforma, começar um podcast, adotar um cachorro que rói tudo que vê. Era coisa demais, é coisa demais, mas não faríamos diferente se pudéssemos.

Como o equilíbrio não existe, sempre operamos ou acima ou abaixo da nossa capacidade energética. Em outras palavras, estamos sempre sobrecarregadas ou sendo subaproveitadas. As perfeccionistas escolhem consistentemente operar acima da sua capacidade energética. Para elas, o risco de ser subaproveitadas é muito mais assustador do que o risco de acabarem sobrecarregadas.

Lena e eu reconsideramos tudo isso. Discutimos limites, esgotamento mental e os infinitos dividendos do descanso. Também exploramos sua animação, se ela podia ou não recuar em alguns compromissos anteriores para assumir aquele e o quanto lhe custaria dizer sim e dizer não.

Eu não estava tentando fazer com que ela chegasse a nenhuma conclusão em particular. Só estava tentando fazer com que pesasse suas opções levando em conta seus valores, suas limitações, seus sonhos e o que aprendera a seu próprio respeito até então.

Lena suportou a tensão o máximo que pôde: três dias. Então se decidiu.

PERFECCIONISMO E TENSÃO

Todo mundo sente tensão às vezes. Notamos a distância entre o que idealizamos e a realidade que temos à frente. Isso cria uma tensão, que procura uma saída.

Sentir essa tensão e buscar um alívio é uma experiência diária para as perfeccionistas. Elas vivem com uma tensão constante dentro de si, que nunca vai embora. E, como uma lâmpada que zumbe quando está acesa, você se acostuma com o barulho.

A sensação de tensão nem sempre é boa, mas tem seu valor. Ela energiza e desperta a atenção. Catalisa a ação. Torna tudo mais interessante. O que fazemos com as tensões que se apresentam é o que torna a vida uma experiência tão colorida, redentora, trágica, alegre e surpreendente. A tensão é o curinga.

As perfeccionistas experimentam uma tensão prototípica: querer o que não se pode ter. Você quer que o ideal se torne a realidade. Idealmente, Lena conseguia imaginar como organizar sua vida de modo a continuar aceitando oportunidades sem que aquilo lhe custasse nada. Quão perto ela conseguia chegar do ideal sem se destruir? Na verdade, era o que todas as suas perguntas queriam saber.

O PERFECCIONISMO É ALTAMENTE INDIVIDUALIZADO

A tensão do perfeccionismo emerge do embate constante entre os dois aspectos mais fundamentais da sua identidade — você é um ser humano cheio de falhas e com limitações significativas, ao mesmo tempo que é uma criatura perfeita com potencial ilimitado. Reconciliar essa disputa no pano de fundo entre seus limites e seu potencial é o desafio subjacente do perfeccionismo. Ainda assim, como mencionei na introdução, descrever o perfeccionismo não é tão simples quanto dizer: "Perfeccionistas querem que as coisas sejam perfeitas o tempo todo".

Os ideais que as perfeccionistas buscam não são genéricos; refletem uma visão "perfeita" individualizada de sucesso construída em torno das suas maiores prioridades. Esse é um dos traços mais mal compreendidos do perfeccionismo — as pessoas pensam: "Bom, não posso ser perfeccionista porque sempre perco a hora... Não posso ser perfeccionista porque não me importo com um pouco de bagunça". O perfeccionismo vai muito além da caixinha em que tentamos enfiá-lo.

Por exemplo, uma perfeccionista parisiense pode não se importar em ficar no mesmo emprego sem ser promovida por anos porque seu desejo de se destacar, conquistar e avançar rumo a um ideal se expressa na dinâmica interpessoal. As perfeccionistas parisienses querem uma conexão ideal — *sua* versão da amizade ideal, da parceria romântica ideal, da conexão com o eu ideal ou das relações ideais com colegas, familiares e comunidades, ou até todas essas opções. O componente individualizado do perfeccionismo também é o motivo pelo qual perfeccionistas intensas que tenham padrões rígidos no trabalho não se importem em voltar para uma casa que parece que acabou de ser assaltada.

O PERFECCIONISMO É COMPULSIVO

Como mencionamos antes, perfeccionistas são pessoas que notam a diferença entre a realidade e um ideal com bastante frequência e se sentem obrigadas a diminuí-la. Embora a compulsividade seja muitas vezes usada como marcador clínico de uma disfunção, ela não é automaticamente disfuncional.

No perfeccionismo adaptativo, esforços compulsivos saudáveis são motivados por valores, contribuem para a realização pessoal e podem ser executados de maneira não prejudicial à própria pessoa e aos outros. No perfeccionismo desadaptativo, esforços compulsivos insalubres não contribuem para a realização pessoal e são executados de maneira que pode prejudicar a própria pessoa e os outros.

Aceitar que o perfeccionismo é uma compulsão significa aceitar que, como perfeccionista, você sempre será impelida a se esforçar ativamente pelo ideal que seu tipo representa. Se Lena reprimisse sua compulsão de perseguir seu ideal específico, se ela reduzisse a uma velocidade média e apertasse o botão do piloto automático, algo dentro dela se apagaria, tal como aconteceria se um artista sufocasse sua compulsão por fazer arte. Não importa o que o artista faça, não importa o quanto conquiste em outras áreas da sua vida, sempre se sentirá um fracasso se não fizer arte. Não há como mudar isso. E não há por que mudar.

Pode ser assustador e limitante aceitar a natureza compulsiva do perfeccionismo, aceitar a natureza compulsiva de qualquer impulso natural forte. Queremos controlar o grau em que somos impelidas a fazer o que quer que seja. Queremos nos sentir livres.

A liberdade não pode ser atingida através do controle; só através da aceitação.

Por mais que tentasse encontrar uma maneira de abrir mão do seu impulso pelo esforço, por mais que tentasse "relaxar" e apresentar um desempenho mediano sem se sentir um fracasso, Lena não conseguia. Você tampouco conseguirá.

Esta é sempre a parte mais provocativa de explicar o perfeccionismo — dizer que, a menos que você esteja se esforçando para sobressair de alguma maneira, vai se sentir uma fracassada. Ninguém gosta de ouvir isso. Para começar, parece um julgamento negativo em relação à média, o que na verdade não é.

A média não é uma coisa ruim. Perfeccionistas não têm problemas em operar na média ou abaixo da média em muitas áreas — só não nas áreas em que desejam sobressair.

Também parece muito mais palatável e apropriado dizer que pessoas saudáveis são aquelas que descobrem como se satisfazer com o suficiente. Isso é verdade. Não é possível ser uma perfeccionista saudável a menos que você aprenda a reconhecer o que é o suficiente e a valorizá-lo. No entanto, você pode valorizar isso e ainda assim querer mais. Isso também é saudável.

Às vezes, uso uma linguagem floreada para amortecer provocações: se não honrar a motivação que tem aí dentro para explorar ativamente o ideal, você provavelmente experimentará uma sensação de derrotismo permanente. (Em outras palavras, vai se sentir um fracasso.)

Não falo em "fracasso" no contexto da comparação social, em relação aos outros, e sim no sentido de perder contato com seu eu pleno. As perfeccionistas "confessam" na terapia que, quando param de tentar sobressair, se sentem sem graça. Sentem que perderam alguma coisa. Sentem que são um fracasso. O truque não é descobrir como não querer sobressair — para perfeccionistas de verdade, o tiro sempre sai pela culatra. O truque é descobrir como sobressair com base nos seus valores, e não nos valores dos outros.

Voltaremos a Lena e a valores no capítulo 8. Agora, vamos falar sobre como saber que você é uma perfeccionista de verdade.

DIFERENCIANDO O PERFECCIONISMO

A qualidade compulsiva e ativa do perfeccionismo é o que separa idealistas e esforçadas das perfeccionistas. Idealistas podem ser felizes só falando sobre seus ideais ou sonhando acordadas com eles; perfeccionistas se sentem obrigadas a se envolver na busca ativa de um ideal. Esforçadas podem escolher parar e ficar bem com sua escolha; perfeccionistas, não.

Por exemplo, alguém muito esforçado, que desfrutou de uma carreira produtiva e recompensadora, pode decidir: "Quer saber? Já chega. Cansei de trabalhar". Pessoas esforçadas podem se aposentar cedo, na casa dos cinquenta, vamos dizer, e passar o dia na praia, refestelando-se em fazer nada, indefinidamente, por anos. Embora esse cenário seja o sonho de muita gente, seria um exílio de horror penoso para perfeccionistas. Algo que não teria como dar certo.

Narcisistas também podem parecer que são perfeccionistas e manter padrões bastante elevados na busca dos seus objetivos. De acordo com a quinta edição do *Manual diagnóstico e estatístico de transtornos mentais* (*DSM-5*), no entanto, narcisistas são capazes de acreditar que chegaram à perfeição depois de atingir seus objetivos.[1] Eles podem pensar: "Eu era o chefe perfeito", "Eu criei o programa perfeito", "Minha arte era perfeita". Mesmo quando sentem uma profunda satisfação depois de atingirem um objetivo, perfeccionistas sempre notam áreas que tecnicamente poderiam ser melhoradas. Além do fato de que narcisistas demonstram uma falta de empatia consistente, outra diferença-chave em relação às perfeccionistas é que as narcisistas não sofrem com a autocrítica da mesma maneira.

Todas as perfeccionistas têm uma forte crítica interna. As perfeccionistas adaptativas aprendem a responder a essa crítica interna com compaixão, impedindo assim que a negatividade tenha poder sobre elas — embora a negatividade continue presente. Narcisistas não têm essa forte crítica interna, e sim superfãs internos que lhes dizem que são geniais, as melhores, e que as regras não deveriam se aplicar a pessoas tão especiais quanto elas. O narcisismo envolve um senso de grandiosidade que o perfeccionismo não alcança.

Narcisistas são altamente sensíveis a críticas vindas dos outros, o que chamamos de "ferida narcísica", mas sua dor decorre de confusão: "Como não veem que sou especial? Por que não entendem que mereço tratamento diferenciado?". Para compensar feridas narcísicas, as narcisistas exigem uma quantidade contínua de admiração e confirmação dos outros, o que chamamos de "suprimento narcísico".

Enquanto isso, uma perfeccionista com mentalidade adaptativa obtém a maior parte da sua validação de si mesma, enquanto uma perfeccionista com mentalidade desadaptativa não se sente tranquilizada por essa reafirmação. Por motivos em que estamos prestes a mergulhar, a admiração e a reafirmação excessivas fazem a perfeccionista desadaptativa se sentir *mais insegura*.

Também se confunde transtorno obsessivo-compulsivo (TOC) com perfeccionismo, embora sejam bastante diferentes. Uma pessoa com TOC pode ter pensamentos intrusivos em relação a certo tema obsessivo — por exemplo, contaminação ou dano. Pode ficar preocupada, por exemplo, com alguém que ama se machucar, então vê na cabeça, sem parar, a imagem da pessoa sendo atingida por um ônibus. Os pensamentos obsessivos do TOC podem ser intrusivos a ponto de parecerem de outra pessoa, como se seu cérebro tivesse sido sequestrado e você fosse obrigada a reviver em loop um pensamento ou uma imagem que não quer reviver.

Sobrecarregada com pensamentos indesejados, quem sofre de TOC muitas vezes desenvolve atos ritualísticos e compulsivos para neutralizar a ameaça e a ansiedade geradas pelos pensamentos recorrentes. Pode haver certo grau de pensamento mágico no TOC: "Se todos os vasos na prateleira estiverem em perfeita simetria, ninguém que amo vai se machucar".[2]

Em contraste com os esforços compulsivos gerais que as perfeccionistas demonstram na sua busca pelo ideal, a compulsividade no TOC se manifesta através de atos específicos, como contar até certo número, lavar as mãos ou repetir determinada frase. A compulsividade no TOC também pode refletir regras rígidas aplicadas sem lógica aparente: "Não posso entrar num cômodo sem antes bater à porta três vezes". Perfeccionistas também podem apresentar comportamentos rígidos, mas sua rigidez mantém uma conexão com a realidade e a lógica: "Só vou mandar um e-mail depois de ler três vezes, porque talvez haja erros gramaticais e não quero parecer incompetente".

Para deixar claro, o perfeccionismo não é considerado um transtorno. Ao contrário do transtorno de personalidade narcisista e do TOC, não há critérios padronizados para que alguém seja clinicamente reconhecido como perfeccionista. Essas diferenças refletem minha conceitualização do construto perfeccionismo/perfeccionista.

O transtorno clínico mais próximo do perfeccionismo desadaptativo é o transtorno de personalidade obsessivo-compulsiva (TPOC). O nome lembra o TOC, mas se trata de um transtorno diferente. Entre outros critérios, o TPOC pode ser diagnosticado por preocupação excessiva com o trabalho às custas de relacionamentos interpessoais saudáveis, obsessão pelo controle e preocupação com a ordem e aquilo a que o *DSM-5* se refere como "perfeccionismo rígido".[3]

O "perfeccionismo rígido" é assim definido pelo *DSM-5*:

> Insistência rígida em que tudo seja impecável, perfeito, à prova de erros e falhas, incluindo o desempenho da pessoa e dos outros; sacrifício da pontualidade para garantir a correção de todos os detalhes; crença de que há uma única maneira certa de fazer as coisas; dificuldade de mudar de ideia e/ou ponto de vista; preocupação com detalhes, organização e ordem.[4]

Observe que o *DSM-5* explica essa rigidez com intenção e grande consideração. A semântica faz alusão ao corpo de pesquisa que demonstra que o perfeccionismo pode ser tanto flexível quanto rígido, adaptativo e desadaptativo, saudável ou não. O *DSM-5* não tem o hábito de incluir distinções comparativas; não se fala em "narcisismo rígido", "bulimia rígida" ou "agorafobia rígida", porque o narcisismo, a bulimia e a agorafobia são compreendidos como uniformemente desadaptativos.

Observe também que a definição clínica de "perfeccionismo rígido" no momento não inclui expressões emocionais e interpessoais de tendências perfeccionistas que abordaremos mais adiante neste capítulo e que também são traços do perfeccionismo.

Num primeiro momento, pode ser fácil para qualquer perfeccionista se identificar com o TPOC. Um exame mais profundo do grau de rigidez envolvido no transtorno, no entanto, é esclarecedor. Como o *DSM-5* afirma: "Indivíduos com esse transtorno são [podem ser] rigidamente deferentes a autoridade e às regras, e insistem em conformidade bastante literal, sem flexibilização em circunstâncias atenuantes".[5] Por exemplo, se alguém cai na grama e precisa de ajuda, uma pessoa com TPOC talvez não considere apropriado pisar na gama para oferecer ajuda por causa de uma placa dizendo NÃO PISE NA GRAMA.

Embora não seja preciso atender a todos os critérios para ser diagnosticado com um transtorno, outros critérios para TPOC incluem tendência a acumulação e avareza[6] — ambos numa tentativa de manter controle extremo sobre a própria vida.

Mais em específico, acumular objetos como aparelhos domésticos quebrados ou milhares de revistas velhas é motivado por uma tentativa ilógica, extrema e inflexível de se preparar para eventos futuros inesperados.[7] Por exemplo, alguém com TPOC pensaria: "Nunca se sabe o que vai acontecer, posso precisar de um botão velho de torradeira para algo no futuro, por isso não devo me desfazer dessas dezessete torradeiras quebradas".

A frugalidade extrema que às vezes aparece no TPOC é motivada pelos mesmos mecanismos de obsessão pelo controle. Para lidar com o fato de que não pode controlar o futuro, a pessoa se recusa a gastar dinheiro, de modo a se sentir mais preparada para o que quer que venha, e mais no controle. Não estou falando de mesquinharia. Uma pessoa com TPOC pode ter 2 milhões de dólares e se recusar a comprar uma refeição para si mesma, preferindo se alimentar das amostras grátis distribuídas no supermercado.

O *DSM-5* reforça a diferença entre as tendências perfeccionistas e rigidez extrema enfatizando: "Traços de personalidade obsessivo-compulsiva em moderação podem ser especialmente adaptativos, em particular em situações que recompensam o alto desempenho. É só quando esses traços são inflexíveis, desadaptativos e persistentes e causam prejuízo funcional ou sofrimento subjetivo significativos que constituem transtorno de personalidade obsessivo-compulsiva".[8]

É importante compreender que não é porque sua experiência atual não é clinicamente reconhecida como doença que você está livre. Seu trabalho é examinar o grau em que seus pensamentos, sentimentos e relacionamentos interpessoais atrapalham ou melhoram sua qualidade de vida. Terapia, livros e tudo relacionado a desenvolvimento pessoal oferecem uma estrutura de apoio enquanto você reflete a respeito, mas no fim das contas só você sabe como é ser você. Conforme avançarmos em nossa exploração do perfeccionismo, seja sincera consigo mesma quanto ao que ajuda e o que te faz mal.

PERFECCIONISMO E SE ESFORÇAR PARA ATINGIR UM IDEAL

Perfeccionistas querem continuar se esforçando por um ideal impossível ao longo de toda a vida; como acabamos de discutir, na verdade, precisam disso. Perfeccionistas adaptativas consideram uma honra e um privilégio ter descoberto um empreendimento digno de uma eterna busca. Quando seu esforço é guiado por valores e executado de maneira saudável, trata-se de uma alegria singular. A recompensa de fazer um trabalho que você sabe que nunca vai concluir é continuar fazendo esse trabalho.

Trabalhar compulsivamente por um ideal impossível é a base do perfeccionismo. *Por que* você se esforça, e *como* se esforça, determina se seu perfeccionismo é saudável ou não.

- POR QUE VOCÊ SE ESFORÇA? Sua motivação de encurtar a distância entre o ideal e a realidade vem do desejo de sobressair e crescer (adaptativo) ou da necessidade de compensar inadequações percebidas e evitar o fracasso (desadaptativo)?

- COMO VOCÊ SE ESFORÇA? Está machucando a si mesma ou aos outros no processo (desadaptativo)? Ou se sente bem a respeito (adaptativo)?

Identificar a motivação por trás do seu empenho (a parte do "por que") exige que você explore seu valor próprio.

PERFECCIONISTAS E VALOR PRÓPRIO

Valor próprio envolve compreender que, agora mesmo, por mais que ainda não tenha atingido várias coisas que pretende atingir, você é digna de todo o amor, toda a alegria, dignidade, liberdade e conexão que teria se já as houvesse atingido. Você é digna de todas essas coisas só por existir.

Seu valor é algo dado; você não tem participação nele. Desde que nasceu até o dia em que morrer, você será digna. Você é digna a cada hora que passa, independente de qualquer erro, no sol e na chuva. Se vai aceitar ou negar seu valor, isso só depende de você.

Outra maneira de compreender o que é valor próprio é compreendendo o que valor próprio *não* é. Valor próprio não é autoestima. Como a sempre brilhante dra. Brené Brown explica de maneira sucinta: "Autoestima é pensamento"; ou seja, autoestima não é uma sensação.[9]

O valor próprio, por outro lado, é vivenciado mais no íntimo. Tem a ver com o que você sente e acredita que merece. Essa diferença causa confusão em perfeccionistas que têm autoestima elevada e se sentem inseguros ao mesmo tempo.

Por exemplo, uma promoção conquistada a duras penas pode ser recebida com o seguinte monólogo interno: "Sei que sou inteligente, sei que sou competente, sei que estou me saindo bem. Então por que me sinto tão inadequada?". Sim, você sabe que é competente e inteligente, mas *acredita que é digna* de ter um trabalho que ama?

O outro lado da moeda é que os perfeccionistas podem se descobrir numa situação infernal e não conseguir sair dela. Por exemplo, uma pessoa num relacionamento tóxico compreende que é engraçada, atraente, inteligente, "um bom partido". Pode ter autoestima elevada, mas ainda assim ficar com alguém que a trata como comida velha na geladeira — deixando-a ali só porque não se deu ao trabalho de jogá-la fora. Talvez diga algo como: "Isso não é nem um pouco saudável. Sei que deveria terminar, então por que não faço isso?". Sim, você sabe que é inteligente, sedutora, engraçada — mas *acredita que é digna* de amor de verdade?

Quando as pessoas dizem "Você é o bastante", estão se referindo ao valor próprio. Estão dizendo: "Ei, você não precisa de nada para merecer acesso imediato a amor, liberdade, dignidade, alegria e conexão. A 'entrada' é paga pela sua simples presença. Só estar aqui já é o bastante".

Perfeccionistas adaptativas se conectam com seu valor próprio. Quando você sabe que é plena e completa (ou seja, perfeita) exatamente como é, opera com uma mentalidade de abundância. Você já tem aquilo de que precisa e se sente segura. Para perfeccionistas adaptativas, buscar um ideal é uma celebração dessa segurança.

Perfeccionistas desadaptativas não se sentem íntegras ou seguras. Vivem em dívida e operam com essa mentalidade. Seus empenhos são motivados pela necessidade de compensar, consertar o que não está funcionando, tentar oferecer substitutos ou esconder o que está faltando.

Um exemplo simples das diferentes motivações que impelem perfeccionistas adaptativas e desadaptativas pode ser encontrado em pessoas que se esforçam para ter uma boa aparência. Perfeccionistas adaptativas querem ter boa aparência porque se sentem bem por dentro. Estimular e expressar esse sentimento positivo interno faz com que se sintam mais alinhadas com quem são, celebrando a si mesmas. Perfeccionistas desadaptativas buscam ter boa aparência porque por dentro se sentem mal. Ficam desesperadas para melhorar seu exterior porque se sentem tão inadequadas que acreditam que têm que oferecer *alguma coisa* aos outros.

Outra maneira de pensar: perfeccionistas adaptativas dão presentes; perfeccionistas desadaptativas oferecem prêmios de consolação. Um prêmio de consolação é um pedido de desculpa. Quando você recebe um prêmio de consolação, estão tentando te dizer algo como: "Sinto muito por você não ter vencido, mas olha aqui uma coisa menos desejável para não ter que voltar para casa de mãos vazias". Uma perfeccionista com uma mentalidade desadaptativa sente que "já perdeu" em ser plena, boa o bastante ou aceitável tal como é. Perfeccionistas desadaptativas se esforçam para atingir metas (incluindo metas interpessoais, como agradar aos outros) na esperança de que as pessoas não se sintam de mãos vazias na sua presença.

É impossível aparecer de mãos vazias porque você sempre traz a si mesma. Quando está conectada com seu valor próprio, sabe disso; quando não está, simplesmente esquece.

Se você está com uma mentalidade desadaptativa isso não significa necessariamente que você se sente indigna. Você só não se sente totalmente digna *agora*. E acredita que, depois que consertar o que não está funcionando (ou seja, depois que se tornar superficialmente perfeita e portanto digna), enfim merecerá o que mais deseja. Você vive num estado de espera.

É importante compreender que estar desconectada do seu valor próprio não é pensar algo como: "Sou um lixo e preciso me desdobrar para compensar isso". Em geral, essa desconexão é vivenciada de maneira mais sutil. E matizada por um toque de otimismo equivocado.

Quem está desconectada do seu valor próprio pensa algo mais parecido com: "Tá, estou quase lá, estou chegando perto, logo vou poder curtir a vida, assim que estiver pronta, assim que estiver magra, assim que estiver ganhando mais de tantos dinheiros, assim que conseguir tal emprego, assim que engravidar, assim que for aceita por tal instituição de ensino, assim que estiver namorando, assim que conseguir comprar para a pessoa que amo o presente que ela quer, *poderei me sentir bem em relação a mim mesma assim que merecer*". Quando você está desconectada do seu valor próprio, acha que a capacidade de sentir alegria é desenvolvida por meio da conquista de objetivos.

Eu me pergunto se escrevi este livro inteiro só para poder escrever a seguinte frase: "Ninguém conquista o direito à alegria". Já nascemos com esse direito. Assim como com o direito ao amor, à liberdade, à dignidade e à conexão. Como o inimitável James Baldwin disse: "Sua coroa já foi comprada e paga. Tudo que você tem a fazer é usá-la".

Uma autoestima elevada não equivale a amor-próprio. Outro grande mal-entendido em relação ao valor próprio é o de que ele seria estático, e ele é fluido. Mesmo a mais autoconfiante entre nós não está protegida de se desconectar do seu valor. A mudança pode acontecer num instante.

SOZINHA DENTRO DO CARRO PARADO

Como pessoas civilizadas fazem, minha amiga Selena me mandou uma mensagem perguntando se podia telefonar. Liguei para ela na mesma hora. Selena estava no estacionamento de uma Target, sozinha no carro. Me preparei para ouvir.

SELENA: Oi.
EU: Oi, tudo bem?

Então veio a pausa inevitável que quer dizer: "Desculpe, mas preciso de um momento de silêncio enquanto me preparo para ter um troço".

Com a respiração entrecortada e a voz estridente, Selena explicou que esqueceu que era Dia do Espírito Escolar. Suas duas filhas tinham ido para a escola usando roupas normais, enquanto todos os outros alunos estavam de verde e branco, as cores da instituição. A direção havia mandado uma foto da turma para todos os pais, que Selena insistiu em me mandar também. "Não manda, não preciso ver", eu disse. "Já mandei", ela falou.

"Olha só as crianças à esquerda, com o rosto pintado." Sua voz passou de aguda a agressiva. "Quem tem tempo de pintar a porra do rosto dos filhos de manhã?! Vou te dizer quem: boas mães. Minha filha não está sorrindo. O que vou dizer a elas quando chegarem em casa? 'Desculpa, mas a mamãe é péssima'?"

Selena sabe que é uma excelente mãe. Ela chegou a um nível de desenvolvimento pessoal em que está quase sempre ancorada com seu valor próprio. No entanto, a foto tocou um ponto sensível.

Três anos depois do divórcio, Selena já havia trabalhado bastante sua vergonha e sua culpa por ter "estragado a vida" das filhas ao não querer permanecer casada. Isso *depois* de ter trabalhado bastante sua vergonha e sua culpa por passar tempo demais no trabalho (tempo demais, no caso, era qualquer tempo). As lições que aprendera ao longo da vida a haviam levado a pensar mais ou menos assim: "Tá, foi tudo muito difícil, mas eu consegui! Aprendi com essas lições. Agora posso desfrutar do resto da minha vida".

Já fazia pelo menos um ano que ela se sentia segura e livre, como se o trabalho de se conectar com seu valor próprio tivesse ficado para trás. Então a foto do Dia do Espírito Escolar chegara à sua caixa de entrada, e assim que ela abriu o e-mail foi empurrada cruelmente de volta à estaca zero emocional.

Neste momento, você pode estar se sentindo muito conectada ao seu valor próprio, como se já tivesse aprendido as lições principais. Não importa o quanto tenha crescido, você encontrará sua própria versão do questionamento do seu valor em algum ponto no futuro, quando estiver sozinha dentro do carro parado.

A verdade não é que você voltou à estaca zero, e sim que o valor próprio é fluido. Quanto mais você estabelece uma conexão com seu valor próprio, mais facilmente se realinha quando perde o chão, ainda que todas percamos o chão.

Alguns dias são um pouco demais. Outros não, e perdemos o chão mesmo assim. Esse descentramento pode acontecer num piscar de olhos — quando todo mundo numa reunião ri e você não sabe se é *com* você ou *de* você; quando seu cartão de crédito é recusado no supermercado; quando encontra alguém que não esperava ver nas redes sociais; quando a pessoa com quem está saindo ou de quem está ficando amiga para de responder às suas mensagens. O valor próprio é fluido porque a saúde mental como um todo é fluida.

A SAÚDE MENTAL É FLUIDA

Por dentro, perco o controle sempre que ouço algo como: "Um em cada cinco americanos sofre de alguma condição de saúde mental". Para mim, afirmações assim são o equivalente estatístico de um erro gramatical. Sempre sinto vontade de pedir ao vazio: "Posso, por favor, dar uma palavrinha com os outros quatro americanos?".

Ninguém está protegido de "condições de saúde mental"; condições de saúde mental são condições humanas. Todos temos capacidade de mergulhar, afundar, navegar, flutuar e subir. Todos temos altos e baixos em momentos diferentes, de maneiras diferentes, por motivos diferentes. Não há problema algum, e não deveria haver mesmo; é exatamente por isso que precisamos uns dos outros.

Se você está se perguntando se é uma perfeccionista adaptativa ou desadaptativa, poupe-se do trabalho: você é as duas coisas. Todos os perfeccionistas são as duas coisas.

Adoramos o pensamento binário. Estamos deprimidos (droga!) ou não (ufa!). A saúde mental não funciona assim. Embora seja útil e conveniente confiar nos limiares diagnósticos sobre os quais os modelos categóricos são construídos, a saúde mental é muito mais dependente de contexto e baseada em traços do que imaginamos. Quando uso os termos "adaptativo" e "desadaptativo" para descrever as perfeccionistas, estou me referindo à mentalidade em que a pessoa se encontra, e não à pessoa em si.

Sabe qual é a melhor maneira de explicar a fluidez da saúde mental em geral e o perfeccionismo em particular? Correndo o risco de que você feche este livro e depois o queime, vou lhe dizer algo que um professor me falou no penúltimo ano da faculdade e de que ainda não me recuperei por completo: "Esta matéria não tem nota".

AS MANIFESTAÇÕES PURAS DO PERFECCIONISMO

Como estamos acostumados a conceitualizações reducionistas do perfeccionismo, fica fácil ignorar quão dinâmico ele é. Uma vez que esse construto é fluido e dependente do contexto, convém separá-lo das camadas da personalidade e analisar o que o faz continuar operando.

Estas são as manifestações puras do perfeccionismo com que me deparei no meu trabalho:
Perfeccionismo emocional: Quero vivenciar um estado emocional perfeito.
Perfeccionismo cognitivo: Quero compreender perfeitamente.
Perfeccionismo comportamental: Quero desempenhar meus papéis e realizar minhas tarefas perfeitamente.
Perfeccionismo objetal: Quero que esta coisa externa — esta arte, a superfície da mesa, meu rosto, o filme que estou dirigindo, minha apresentação em slides, a seção "Sobre este site" do meu site, o cabelo dos meus filhos — exista em estado perfeito.
Perfeccionismo processual: Quero que este processo — um voo de avião, a reabilitação, ir à igreja, fazer uma apresentação, um casamento — tenha um início, um meio e um fim perfeitos.

Diferentes facetas do perfeccionismo emergem e recuam dependendo dos contextos em que nos encontramos. Por exemplo, durante as festas de fim de ano, o perfeccionismo objetal aparece com força em mim, e fico mais inclinada a me comportar como uma perfeccionista clássica (que não é meu modo normal). Planejo o dia hora a hora. Uso saia lápis xadrez e faço escova no cabelo. No ano passado, passei trinta minutos no quiosque natalino na esquina da rua 72 com a Amsterdam em meio à chuva torrencial procurando pela guirlanda perfeita.

No ano em que me mudei para Nova York, minha irmã e eu recebemos nossa família para o Natal no apartamento que dividíamos no quinto andar de um prédio sem elevador. Ela perguntou do que podia ficar encarregada. Minha resposta foi: "Seria ótimo se você me deixasse cuidar de tudo".

Eu tive que subir e descer aqueles cinco lances de escada uma centena de vezes ao longo de três dias — para comprar comida, decorações, ir à lavanderia. Não conseguia sair do modo preparação. Havia um brechó ótimo a alguns quarteirões de distância, e encontrei lá um conjunto lindo de taças vintage com desenhos de azevinho e frutas vermelhas nos bojos com bordas douradas. Fiquei obcecada pela ideia de servir o tradicional eggnog naquelas taças.

Tive que descer e subir de novo para comprar favas de baunilha. Valeu a pena. Dava para ver aqueles pontinhos pretos maravilhosos ampliados pelo vidro espesso da taça. Ou pelo menos eu podia ver, porque ninguém mais se importou com aquilo.

Cobri a bebida já espumosa com uma colherada generosa de chantili feito na hora, um leve toque de noz-moscada ralada e uma canela em pau que podia ser usada para mexer. Quando servi, um dos meus irmãos disse "obrigado" e, sem qualquer cerimônia, tirou a canela do copo e a deixou num guardanapo.

Fiquei só olhando para ele enquanto uma mistura nostálgica de músicas natalinas tocava ao fundo, no volume perfeito. "O que foi?", meu irmão perguntou. Com toda a paciência, expliquei que ele precisava pôr a canela de volta na bebida, porque era Natal. Meu irmão obedeceu sem dizer nada, depois foi até a cozinha e despejou mais rum no eggnog.

Perfeccionistas clássicos ficam facilmente obcecados

pela perfeição do objeto, mas isso pode acontecer com qualquer pessoa. Supondo que o perfeccionista esteja num espaço adaptativo (o que eu não estava naquele Natal em particular), se concentrar no perfeccionismo objetal pode ser satisfatório, emocionalmente regulatório, meditativo e significativo.

Quando expressado de maneira adaptativa, o perfeccionismo objetal ajuda a aumentar a sensação de plenitude e perfeição que já existe dentro de você. Quando expressado de maneira desadaptativa, o perfeccionismo objetal reflete sua dependência de um objeto externo para que você se sinta plena e perfeita por dentro.

Naquele primeiro Natal em Nova York, uma parte de mim achava mesmo que, se eu oferecesse a comida e a decoração perfeitas, se criasse uma playlist festiva perfeita e preparasse as atividades perfeitas, isso faria com que todo mundo se sentisse conectado, centrado e pleno. Então, quando todo mundo estivesse bem, *eu* poderia me sentir conectada, centrada e plena. Meu trabalho estaria feito e eu finalmente poderia relaxar e curtir. Depois de todo aquele trabalho, eu certamente seria merecedora de alegria.

Eu não estava conectada ao meu valor próprio naquele momento, o que não significava que sentisse que não tinha valor nenhum, e sim que estava esperando para viver plenamente minha vida — desfrutando do presente — quando merecesse. Eu fazia com que minha alegria dependesse do meu desempenho em vez de da minha existência. Nesse caso, meu desempenho se concentrava na minha habilidade de ser bem-sucedida em controlar os outros fazendo com que se sentissem relaxados e felizes. Abraçar meu poder teria sido algo como me dar permissão para sentir alegria independente das condições — e deixar os outros serem quem eram e sentir o que sentiam.

Cada tipo de perfeccionista tem sua própria maneira de expressar a dinâmica inerente ao perfeccionismo desadaptativo, mas, não importa o contexto, a fórmula é a mesma: você se distancia do seu valor próprio e acredita que restaurá-lo depende de um resultado externo. Você começa a compensar uma coisa que não precisa ser compensada. Começa a tentar merecer algo que já é seu.

Seu perfeccionismo desadaptativo se precipita ao pensar que salvar o dia ou resolver a situação vai te proteger de se machucar. O perfeccionismo desadaptativo faz você achar que uma canela em pau é a chave para a paz. O perfeccionismo desadaptativo só piora tudo.

Para perfeccionistas parisienses, o perfeccionismo desadaptativo se parece com agradar aos outros em detrimento de agradar a si mesmo. Para perfeccionistas procrastinadoras, parece esperar tempo demais e nunca pôr a mão na massa. Para perfeccionistas caóticas, é se sabotar dizendo sim a tudo sem se comprometer com nada. Para perfeccionistas intensas, parece com operar como se a conquista pudesse lhe dar o que apenas a conexão pode. Para perfeccionistas clássicas, é se recusar a reconhecer que, não importa quanta previsibilidade, beleza exterior e organização se crie, alguns momentos são incertos e não podem ser controlados.

Para todo mundo, o perfeccionismo desadaptativo se assemelha a pegar um momento de desconexão e responder a ele de uma maneira que te isola. Em vez de recorrer ao seu poder autêntico, você se curva ao controle superficial.

CONTROLE SUPERFICIAL E PODER AUTÊNTICO

Como luxúria e amor, poder e controle podem parecer idênticos, mas não são. O controle é limitado e de propriedade transacional. Se você está numa posição de controle e cede esse controle a outra pessoa, está renunciando a ele. O poder, por outro lado, é ilimitado e pode ser compartilhado. Se você está numa posição de poder e empodera outra pessoa (dando poder a ela), não perde nada do seu próprio poder.

Poder é compreender a imutabilidade do seu valor. Você não fica desesperada para que algo se desdobre de determinada maneira porque sabe que já é digna do que quer que o resultado lhe renda. Você se dá permissão para sentir alegria, amor, dignidade, liberdade e conexão. Você já ganhou.

A confiança de já ter ganhado libera seu potencial. Quando seu amor-próprio não está em jogo, fica mais fácil correr riscos. Você consegue mais do que quer, porque está mais disposta a tentar.

Quando se desconecta do seu valor próprio, você fica obcecada pelo controle. Pode ser vista como exigente ou carente, de tão apegada a um desdobramento específico. Você *precisa* que algo aconteça de uma determinada maneira para sentir alívio. Quer perceba ou não, fica desesperada.

A ansiedade concomitante de alguém desesperado é facilmente perceptível. Se você quer ser uma líder no seu campo, na sua família, na sua comunidade, no mundo, precisa aprender a ser poderosa em vez de controladora. Ninguém quer trabalhar para ou conviver com pessoas controladoras.

O controle encoraja a restrição; o poder encoraja a liberdade. O controle é mesquinho; o poder é generoso. O controle microgerencia; o poder inspira. O controle manipula; o poder influencia. O controle é míope — você precisa planejar tudo, um movimento preciso por vez; o poder é visionário — concede a você o grande luxo de dar um salto de fé. O poder é mais.

Basear-se numa estratégia de controle superficial em vez de acessar seu poder equivale a mover um carro empurrando-o pelo para-choque em vez de entrar e dirigi-lo.

Pense nos líderes ao seu redor. A autoridade deles se baseia em controle ou poder? É possível ser uma figura de autoridade sem ter poder (o chefe que não é ouvido ou respeitado) ou um líder sem autoridade oficial (a pessoa que influencia a decisão da equipe inteira). O poder não é concedido por títulos. Qualquer um é capaz de ser poderoso.

PERFECCIONISTAS E ATENÇÃO PLENA

Poucas palavras viraram commodities mais radioativas do que "atenção plena". Uma vez, vi uma marca de maionese chamada Maionese Plena. É um mundo estranho. De qualquer maneira, prefiro a palavra "presença" para descrever a habilidade de uma pessoa de conscientemente trazer todo o seu eu para o momento presente. Buscar perfeição e buscar presença são duas coisas que estão sempre ligadas.

Quando algo é vivenciado como "perfeito", isso só acontece porque a pessoa está presente. Mesmo quando algo é funcionalmente perfeito, se a pessoa não está presente acaba encontrando uma falha.

Suas lembranças de momentos perfeitos são lembranças dos momentos em que você mais esteve presente.

Perfeccionistas são perfeccionistas porque amam perseguir ideais. Objetivos são finitos; ideais são contínuos. Depois que uma perfeccionista atinge um objetivo, sempre estabelece um novo objetivo, um objetivo maior, pois seu verdadeiro interesse reside em perseguir o ideal que o objetivo representa.

Por definição, ideais são impossíveis de atingir; estar presente é a exceção que prova a regra.

O perfeccionismo reflete nosso desejo natural de vivenciar um total alinhamento com o mundo interno e externo. É uma tentativa de fazer o ideal (abraçar o que é possível) e a realidade (abraçar o que é) convergirem. A única maneira de encurtar essa distância de verdade é estar presente. Quando você está presente, abraça tanto o que é quanto o que é possível simultaneamente. Você atinge um ideal — o estado ideal de atenção.

Estar presente significa estar em contato com o momento. A leitura desta frase. Sua respiração, por mais superficial que você perceba. O fato de estar viva, e não morta, aqui e agora.

Uma estranha irreverência acompanha a presença. Você não precisa que nada aconteça. Não precisa que ninguém goste de você. Está solta da mesquinhez dos seus pensamentos, desapegada da tensão de tentar trazer o futuro para mais perto e forçar tudo a acontecer agora mesmo.

Quando você está presente, sua vida de agora não é ditada pela sua vida do passado; é ditada pela possibilidade. Você fica ao mesmo tempo envolta na sua plenitude e totalmente livre.

Um equívoco em relação a estar presente é a ideia de que presença é igual a felicidade. Respiramos fundo, endireitamos a postura e esperamos. Esperamos sentir alguma coisa. Reluzentes, purificadas, prontas — *felizes*. Da maneira como as pessoas parecem se sentir nos comerciais de carros.

É possível estar presente e se sentir cansada. Estar presente e de coração partido. Estar presente e não se sentir pronta. Presença garante liberdade, não felicidade.

Estar presente não é um estado de espírito; é um estado do ser. Portanto, estar presente não muda a maneira como você pensa ou sua percepção; muda a maneira como você se move, o ângulo em que escolhe posicionar a cabeça, o tom e a velocidade da sua voz. Isso independe de você respirar pelo peito ou pela barriga, ou deixar o ar parado no alto da garganta, pendurado como um lustre. Independe de você notar ou não a vibração das cores à sua volta. Independe de você interromper ou escutar os outros. Independe de ficar cutucando a unha ou manter as mãos paradas. Isso são só características da qualidade da sua presença.

A presença muda quão crítica, compassiva ou concentrada em soluções você é. Estar presente traz alívio quando se vive num mundo onde o que está falando e o que está errado eclipsam o que é bom e está aqui.

Mesmo nos momentos em que é difícil estar presente, porque abraçar a realidade é difícil, a presença retém uma qualidade melhoradora. Estar presente é o único ideal atingível, e é por isso que atrai magneticamente as perfeccionistas.

Então por que as perfeccionistas não estão todas se refestelando na paz interior e numa consciência mais elevada?

Porque, pelo menos no começo, perfeccionistas tentam fazer a engenharia reversa da experiência de estar presente. Elas pensam: "Se eu conseguir que isso/eu/os outros seja(m) perfeito(s), então me sentirei perfeita".

Perfeccionistas acreditam que, depois de manufaturar a perfeição externamente, vão se sentir vivas, satisfeitas, conectadas, em contato com as possibilidades, expansivas, plenas, centradas — tudo que as pessoas sentem quando estão presentes. Só que o inverso é que é verdade. Quanto mais você cultiva a presença internamente, mais se permite se sentir plena, viva e conectada, não importa o que está acontecendo à sua volta. Quanto mais presente você se encontra internamente, mais reconhece a perfeição externamente.

Quando ouço as pessoas falando de momentos perfeitos, não é a parte material que descrevem, e sim a sensação de plenitude e conexão. Quando ouço as pessoas falando de momentos que "deveriam ter sido perfeitos" e não foram, elas descrevem a perfeição exterior e superficial em meio a uma sensação interna de fragmentação.

Consideramos a perfeição superficial afetada e monótona porque não é imbuída de presença; outras pessoas podem copiá-la. É possível seguir um código de números e cores para pintar uma figura sem cometer nenhum erro, mas ninguém cria uma obra de arte assim. Algo estará faltando; sua presença singular, que é o que torna a pintura "feita por completo", ou seja, perfeita.

Não é coincidência que as pessoas que chegam ao topo e se mantêm lá são as que se sentem presentes ao fazer o que fazem. Essas são as pessoas que sentimos que realizam seu trabalho "perfeitamente". Quando Beyoncé pisa no palco, não está apenas nos entretendo com seu desempenho; está nos inspirando com uma apresentação da sua presença.

O que Beyoncé domina não é uma sequência de movimentos de dança ou cantar lindamente as letras das músicas — muita gente sabe dançar, muita gente tem uma voz maravilhosa. O que Beyoncé domina é a habilidade de acessar consistentemente o poder da sua presença singular.

Como Beyoncé é a rainha da presença, poderia pisar no palco vestindo um lençol e ficar parada, olhando nos seus olhos, e ainda assim prenderia sua atenção. Sabe o que prenderia sua atenção? O poder dela. Sabe de onde vem o poder dela? Da sua presença. Sabe o que a presença dela parece? Perfeita.

Quando as pessoas dizem que tudo de que precisamos já está dentro de nós, estão falando do poder da sua presença singular. Quando alguém está totalmente presente com você, chega a ser hipnótico. Você pensa: "Nunca conheci ninguém igual". Porque não conheceu mesmo. Todo mundo tem uma presença singular.

Gostamos de ficar perto de pessoas presentes porque elas nos despertam para nossa própria presença. É difícil reconhecer o poder da presença no outro e continuar ignorando nosso próprio poder.

Sua presença é o epicentro do seu poder. Você já tem tudo de que precisa para estar presente.

Para uma perfeccionista com uma mentalidade adaptativa, a presença é a principal prioridade. O que quer que esteja fazendo, pensando ou sentindo, você procura antes de tudo estar presente. Algumas pessoas descrevem esse nível de envolvimento com o momento presente como "estar focado". O psicólogo Mihaly Csikszentmihalyi chama isso de "estar em fluxo".

Estar presente também pode ser descrito de maneira mais geral: se libertar, soltar, se abrir para as possibilidades, viver sem os ditames do passado e as instruções do futuro, reservar espaço para a espontaneidade. O que todas essas formas têm em comum é a ênfase na perda do controle.

Quando está presente, você não tem controle e não se importa. Quando está conectada com seu poder, você não precisa de controle.

O oposto da presença é a ausência. Quando você está ausente, se desconecta do seu poder. Em vez de se sentir digna, você espera o momento em que se sentirá digna. Em vez de se expandir, você sente uma claustrofobia emocional. Em vez de residir plenamente dentro de si, você desocupa a propriedade. Em vez de aceitar o que é (o que não implicaria ter de gostar disso), você desperdiça energia rejeitando a realidade da situação e resistindo a ela. Sua identidade é substituída pelo seu produto — o que você faz e quão bem e quão rápido faz se tornam quem você é.

Para uma perfeccionista com uma mentalidade desadaptativa, desempenho é a prioridade principal. Você precisa se destacar mesmo quando não se importa com o que está fazendo, mesmo que não queira estar fazendo, mesmo que não lhe dê nenhuma alegria fazer aquilo, mesmo que te machuque. O controle é maximizado, porque quando você se sente sem poder ser controladora parece a coisa certa a fazer.

MIL ADAGAS

A maior e mais catastrófica angústia de procurar paz no desempenho externo bate quando você atinge seu objetivo. Finalmente você é a número 1. A melhor. Você conquistou o que considera ser uma prova tangível do seu valor. Talvez seja a sala grande e o cargo alto. Talvez você tenha comprado a casa perfeita. Esteja cabendo numa calça jeans. Ou tenha recebido um troféu pesado, com seu nome gravado embaixo. O importante é que você conquistou tudo que dizia que queria. É aí que as perfeccionistas com uma mentalidade desadaptativa são golpeadas por mil adagas ao mesmo tempo.

Esse é um dos aspectos mais desconcertantes e notáveis do perfeccionismo, relatado por inúmeros terapeutas, pesquisadores e perfeccionistas: quando perfeccionistas desadaptativas chegam à "perfeição", quando atingem seu objetivo ou até mesmo o superam em muito, continuam se sentindo insatisfeitas.

A dra. Karen Horney, pioneira da psicanálise, descreveu essa insatisfação como a "razão inversa" entre o sucesso e a segurança interior: "Em vez de sentir 'Eu consegui', ele apenas sente 'Aconteceu'. Conquistas repetidas no seu campo não o deixam mais seguro, apenas mais ansioso".[10] Os drs. Paul L. Hewitt, Gordon L. Flett e Samuel F. Mikail, especialistas em perfeccionismo dos dias modernos, acrescentam que a persistência do perfeccionismo na insatisfação crônica é especialmente desconcertante porque "contradiz décadas de pesquisa e reflexão sobre o reforço".[11]

Numerosos estudos destacam o ponto de que atingir objetivos não apenas não traz satisfação às perfeccionistas mas com frequência faz com que se sintam piores.[12] Por que alguém se sentiria pior depois de conseguir exatamente o que quer, ou até de *superar* suas metas?

Porque a experiência da vitória te força a perceber que o valor próprio e a presença não têm substitutos. Não mesmo.

USANDO SEU PERFECCIONISMO A SEU FAVOR

A noção de que você não precisa tentar ser perfeita porque já é perfeita pode ser bem estranha para quem sempre ouviu que faltava alguma coisa, que era inadequada, que estava quase lá. Não existe "quase lá". Só existe o aqui e o agora.

Eu costumava sentir o estômago embrulhar sempre que novembro se aproximava. As festas de fim de ano me sobrecarregavam, e meu perfeccionismo desadaptativo tentava salvar o dia. Hoje, meu estômago não revira mais. Aprendi a usar os primeiros sinais de crescimento do meu perfeccionismo objetal como uma deixa para estar presente e me manter conectada.

Acesso a riqueza de poder que tenho dentro de mim em vez de tentar controlar tudo. Na prática, exercer seu poder é lembrar a si mesma de que você já é plena e perfeita. Exercer seu poder é tirar um tempo para olhar para si mesma e se perguntar como está se sentindo, tal qual uma amiga faria (no capítulo 8, você vai aprender por que deve fazer isso na terceira pessoa). Exercer seu poder é se dar livre acesso à gentileza em vez de esperar para ver como as coisas se desenrolam antes de decidir quanta gentileza você merece. Exercer seu poder é estabelecer limites para as pessoas e coisas que tornam mais difícil para você acreditar no seu valor e se manter presente.

Ainda faço tudo que perfeccionistas clássicas fazem no fim do ano, mas com alegria e desapego em relação ao resultado. Agora posso dizer que amo essa época, o que nunca achei que diria.

Cada aspecto do seu perfeccionismo é uma meditação. Cada aspecto é um sino que toca quando você precisa se lembrar de algumas coisas:

- O passado já foi, poderia muito bem ter acontecido há 8 mil anos, e o futuro é algo que você não tem como controlar; portanto, escolha estar presente.

- Você já é plena e perfeita; não precisa se tornar algo que já é.

- Você é digna de paz agora mesmo, e até quando está dormindo.

- Seu potencial é infinito e está te chamando. Não seria emocionante atender a esse chamado?

Depois que você internaliza esses lembretes, é como se seu perfeccionismo dissesse: "Ótimo, você entendeu. Agora vamos nos divertir um pouco!". Você se vê livre para soltar toda a intensidade do seu esforço a serviço do seu mais alto potencial e dos seus desejos mais profundos. Você se torna mais ainda quem é, e consegue mais do que quer. Quando aprender a usar seu perfeccionismo a seu favor, você vai adorar o fato de que não há como bloquear esse impulso. E vai amar ser perfeccionista.

A chave aqui é responder de maneira consciente ao perfeccionismo, em vez de reagir de maneira inconsciente, para que ele seja saudável. Não se pode responder de maneira consciente a algo que se ignora. Precisamos então voltar às manifestações puras do perfeccionismo.

AS MANIFESTAÇÕES PURAS DO PERFECCIONISMO — PARTE 2

Além do perfeccionismo objetal, que já discutimos, também observei manifestações comportamentais, emocionais, cognitivas e processuais do perfeccionismo no meu trabalho.

Perfeccionismo comportamental, no sentido literal, é fazer algo perfeitamente (tirar dez numa prova), mas também pode incluir se obrigar a comportamentos que você acredita que demonstram a maneira perfeita de agir nos papéis que desempenha (de filha, chefe, mulher, pessoa confiante, mãe etc.).

Esse tipo de perfeccionismo é adaptativo quando inspira um desempenho melhor sem custar sua saúde e sem apego ao resultado. Por exemplo: "Quero aprender bem essa música no piano porque gosto de me empenhar em algo que amo. Se estragar tudo no dia da apresentação, tudo bem, mas mereço dar a mim mesma a chance de me destacar".

Quando você pratica o perfeccionismo comportamental à custa do seu bem-estar, ele se torna desadaptativo. Por exemplo, quando mesmo que isso te deixe desconfortável por inúmeros motivos você continua concordando que seus sogros se hospedem na sua casa sempre que estão na cidade porque acredita que é o que a nora perfeita faria. Ou quando perde o fio da meada em uma reunião e quer fazer uma pergunta, mas acaba ficando quieta porque prefere ser a funcionária perfeita, que está sempre por dentro.

Todo mundo ao menos ocasionalmente encontra dificuldade em agir a favor do seu eu mais autêntico. Quando a inabilidade de agir a favor do seu mais autêntico eu se transforma numa resposta-padrão, isso é indício de uma disfunção. Quando nos sentimos obrigadas a agir regularmente de maneiras que traem nossas necessidades, nossos objetivos e nossos valores, a obrigação em geral é com um padrão de perfeição comportamental a que nem percebemos que estamos aderindo.

Perfeccionismo cognitivo envolve ser capaz de entender algo com perfeição. Há alguns sistemas e fórmulas que podem ser plenamente compreendidos de uma perspectiva cognitiva — por exemplo: "Aqui estão todos os detalhes de como um pacote é enviado do nosso depósito até a porta do cliente". Embora haja utilidade numa compreensão analítica de um processo, fora de sistemas fixos, o desejo de compreender ou saber perfeitamente algo pode fazer você se sentir empacada e perdida.

Uma perfeccionista procrastinadora, por exemplo, poderia ficar estagnada no ciclo eterno do perfeccionismo cognitivo se pensasse: "Preciso compreender perfeitamente como cada aspecto do planejamento urbano funciona antes de me candidatar a esse cargo".

Em relação à perda, considere a forte pressão exercida pela necessidade de entender por completo (ou seja, à perfeição) "o porquê" — por exemplo, ao tentar estabelecer o motivo exato pelo qual alguém nos deixou ou a necessidade de conhecer toda a lógica por trás de não termos sido contratadas. Isso é perfeccionismo cognitivo.

Acreditamos que compreender perfeitamente o porquê vai nos ajudar a controlar sentimentos negativos em relação ao ocorrido. No entanto, o poder está na aceitação e no processamento dos sentimentos indesejados dentro de nós, e não em bloqueá-los.

O perfeccionismo cognitivo se mostra adaptativo quando é movido pela curiosidade e pelo desejo de aprendizado, sem apego ao resultado. Por exemplo, um neurologista que dedica sua vida a pesquisar por que sonhamos. Ao fim de décadas e décadas de pesquisa, ele poderia dizer: "Não sei exatamente por que sonhamos". Não teria encontrado uma resposta ou qualquer tipo de fechamento, mas teria desfrutado de décadas de um trabalho significativo. Poderia então se aposentar e isso não teria importância. De uma maneira ou de outra, nunca deixaria de tentar responder à pergunta.

Perfeccionismo processual envolve querer que um processo tenha um começo, um meio e um fim perfeitos. O fim "perfeito" de um processo no longo prazo pode ser ele nunca terminar. Assim, se um processo se encerra (por exemplo, um casamento que resulta em divórcio) ou sofre uma interrupção significativa (como uma recaída na reabilitação), todo o processo é considerado um fracasso.

O perfeccionismo processual também inclui padrões autoimpostos e noções preconcebidas sobre a quantidade de tempo, energia e ajuda que um processo exige. Uma perfeccionista poderia, por exemplo, passar no exame da ordem dos advogados e ainda assim enxergar essa vitória como um fracasso porque, na sua cabeça, não deveria ter precisado estudar tanto.

Também é possível considerar o perfeccionismo processual no que se refere à formação de identidade. Se você vê sua infância como tendo sido disfuncional e está presa à noção do perfeccionismo processual, sente que está condenada a uma vida em que ficará sempre "correndo atrás do atraso". O processo de se tornar quem é não começou de maneira perfeita, então como poderia vir a ser bom?

Uma manifestação oposta, mas similar, do perfeccionismo processual surge nas perfeccionistas que sentem que tiveram uma "infância perfeita". Como o processo se iniciou perfeitamente, a pressão é enorme para que o restante da vida se desdobre de maneira igual, porque, aos olhos dessas pessoas, não há desculpa para o contrário.

As perfeccionistas procrastinadoras precisam se esforçar para não se ver sobrecarregadas pelo seu desejo de que os processos comecem perfeitamente. As caóticas empacam quando os processos não prosseguem perfeitamente. As intensas ficam obcecadas por uma conclusão perfeita para o processo (a conquista do objetivo). Como suas metas são de natureza mais interpessoal, as perfeccionistas parisienses não querem saber em que estágio do processo estão, desde que se sintam conectadas com os outros. As clássicas tampouco ligam para o estágio em que se encontram, desde que possam aplicar sua organização e produzir alguma estabilidade.

Como todos os modos de perfeccionismo, o processual é adaptativo quando você o usa a seu favor em vez de permitir que dite a qualidade da sua vida. Aubrey era uma cliente minha que via o mundo através das lentes do perfeccionismo processual. Ao esperar o ônibus, pegar as roupas na lavanderia ou ver TV, ela mantinha uma consciência aguda de como o processo podia ser aperfeiçoado para chegar à experiência ideal.

Por anos, Aubrey lutou contra a frustração enquanto tentava ser como os outros. Eles não pareciam notar ou se importar que sua experiência pudesse ser melhorada. Seu mundo se abriu quando discutimos maneiras através das quais ela poderia empregar seu perfeccionismo naquilo que mais valorizava.

Aubrey era garçonete e, como qualquer perfeccionista, valorizava um serviço bem-feito. Sentia que não podia trabalhar bem se não tivesse um tempo de referência tanto para lidar com os clientes que perguntavam por que a comida não tinha chegado quanto para gerenciar as expectativas daqueles que ainda não o haviam feito.

Procurando soluções, ficou sabendo da existência de sistemas digitais que facilitavam a comunicação entre o salão e a cozinha, e percebeu que isso a deixou "estranhamente encantada". Ela queria que o restaurante investisse num sistema.

Aubrey ficou empolgada em apresentar a ideia à gerência, que negou depois de vinte segundos de discurso por causa dos custos. Sem se deixar abalar, ela sugeriu então que os pratos do dia fossem servidos a todas as mesas como degustação assim que os clientes chegassem. A cozinha já fazia os pratos do dia de todo modo, as porções seriam mínimas e aquilo agradaria aos clientes, ao mesmo tempo lhes dando algo em que se concentrar durante a espera imprevisível. A solução foi um sucesso.

E por que aquele mancebo horroroso ficava bem na entrada? Aubrey quis treinar seu discurso à gerência comigo: "Um monte de casacos de outras pessoas deveria ser a primeira coisa que os clientes veem quando entram no estabelecimento?". O estabelecimento, no caso, era um restaurante universitário, mas ela não se importava.

Aubrey fez, em três meses, mais melhorias do que o restaurante havia visto em cinco anos. Os lucros (e as gorjetas) aumentaram. E o mais importante: era recompensador e uma alegria para Aubrey sentir e ver sua própria agência em ação.

O que costumava ser uma frustração diária para Aubrey agora é sua carta na manga. O objetivo dela é abrir um restaurante acolhedor e casual com base comunitária. Do começo ao fim, Aubrey quer oferecer uma experiência inesquecível. A dúvida não é se ela vai ou não fazer isso, e sim quando.

Ter um dom sem a chance de aperfeiçoar as habilidades envolvidas e sem poder desfrutar dele ou compartilhá-lo com outras pessoas é algo doloroso. Ter um dom que é interpretado como um fardo é ainda mais doloroso.

Certos setores são mais apropriados para quem enxerga ou antecipa naturalmente os pequenos processos dentro de um processo mais amplo — design, direção, a indústria hoteleira. Ainda assim, você não precisa empregar o perfeccionismo processual de maneira formal ou profissional para se beneficiar dele. Se estiver chafurdando no perfeccionismo processual, use a consciência de que deseja que o processo seja perfeito como uma deixa para estar presente e pôr as coisas em perspectiva.

Perfeccionismo emocional é o desejo de estar num estado emocional perfeito. Aqui, "estado emocional perfeito" não significa feliz ou tranquilo; significa que você quer controlar perfeitamente o que sente, quando sente e em que grau sente.

Por exemplo, um estado emocional perfeito para uma mãe pode incluir tolerância com uma ligeira irritação com o filho ou a filha quando grita. O que ela sente é irritação, quando ela sente é em momentos em que a criança está gritando e o grau em que sente é leve. No entanto, caso ela se veja excedendo o que considera a experiência "perfeita" da irritação, fica vulnerável à autocensura.

Vamos dizer que a mãe fique irritada sem a criança estar gritando, ou que a criança grite por um momento e a mãe fique intensamente irritada, talvez até furiosa. Qualquer experiência que se desvia do estado emocional perfeito é vista como um fracasso por um perfeccionista num espaço desadaptativo.

Não é incomum abraçar sentimentos indesejáveis em porções controladas, algo como: "Ok, vou me permitir ficar triste com isso por cinco minutos, depois vou seguir em frente". Para alguém preso a uma demonstração desadaptativa do perfeccionismo emocional, encontrar seu mundo interno através da emoção dosada é uma estratégia importante. Essa noção é apoiada pela pesquisa; o perfeccionismo desadaptativo está correlacionado com o uso da supressão emocional para lidar com o estresse.[13]

Para as perfeccionistas às voltas com o perfeccionismo emocional, tudo é medido e cronometrado. Elas tentam controlar seus sentimentos, e não só os "ruins", como se manejassem um botão de volume.

A resposta emocional perfeita também pode envolver

tentativas de se forçar a se sentir grata quando está ressentida, tentativas de se forçar a ficar animada quando o que sente é tédio, tentativas de se forçar a ficar satisfeita com seu corpo quando não está e por aí vai. No momento em que não consegue controlar de maneira apropriada seus sentimentos, você se torna punitiva consigo mesma.

Quando as perfeccionistas adaptativas notam que sua resposta emocional é diferente da resposta ideal que têm em mente, ficam curiosas em saber por que isso está acontecendo (em vez de incorrer no punitivismo); elas se perguntam do que podem estar precisando. Em vez de fugir dos seus sentimentos, as perfeccionistas adaptativas trabalham para regular sua experiência emocional de maneiras saudáveis. (Vamos falar sobre como fazer tudo isso na segunda metade do livro.)

O perfeccionismo emocional também é adaptativo quando você cria um estado emocional ideal marcado pela flexibilidade e pela intencionalidade, depois usa esse ideal para ajudar a motivá-la a realizar uma mudança positiva. Por exemplo, se você está infeliz no trabalho, pode elaborar conscientemente um estado emocional ideal para essa área:

"Quando alguém me pergunta o que eu faço, quero ficar feliz de poder explicar. Não preciso pular da cama de empolgação com a perspectiva de ir trabalhar todo dia, mas quero ter um sentimento geral de orgulho. Quero que os dias difíceis não pareçam uma ameaça direta à minha saúde mental. Quero que a sensação de que preciso me forçar a fazer meu trabalho desapareça. Não preciso ficar tranquila o tempo todo, mas quero me sentir confortável o bastante a ponto de rir algumas vezes por semana no trabalho."

Então, lembrando que ideais não têm o propósito de ser atingidos, e sim de inspirar, você pode usar esse ideal para guiá-la na sua busca por um novo emprego.

A busca de perfeição emocional é um dos componentes mais negligenciados, se não *o* componente mais negligenciado, do perfeccionismo. O perfeccionismo emocional escapa dos radares porque não é tão simples quanto querer se sentir feliz o tempo todo; trata-se de uma experiência individualizada e particular.

O lugar onde o perfeccionismo emocional fica mais evidente é na visão do perfeccionista do que significa estar curado. Como "prova" de cura, você quer se sentir de uma forma específica num grau específico numa circunstância específica. Foi o que aconteceu com Marissa.

Marissa trabalhava com um homem a quem descrevia como o amor da sua vida. Eles saíram por algumas semanas, mas acabaram decidindo parar por causa das complicações profissionais. Os dois continuaram "amigos". Algumas semanas depois do último encontro, o sujeito começou a sair com outra mulher do trabalho e em seis meses estava casado com ela.

Depois que seu ex anunciou para todo o escritório que a esposa estava grávida, Marissa expressou seu profundo desejo de sentir "apenas alegria por ele". No entanto, ela estava devastada. Sua solução foi controlar completamente a situação. Seu perfeccionismo (que costumava operar à parisiense) passou a apontar em todas as direções com força total.

Para começar, Marissa insistiu em fazer um chá de bebê para o casal no escritório. Ela precisava ser a amiga perfeita (perfeccionismo comportamental), precisava se sentir perfeitamente feliz por eles (perfeccionismo emocional) e precisava que o chá de bebê em si fosse perfeito (perfeccionismo objetal). Se conseguisse deter todo o controle, inclusive tendo uma última conversa com o colega sobre por que as coisas não tinham dado certo entre os dois (perfeccionismo cognitivo), então conseguiria superá-lo por completo e sua relação se encerraria de maneira perfeita (perfeccionismo processual). Era um plano de proporções épicas.

Começamos abordando o perfeccionismo emocional.

EU: O que você acha que seria uma resposta emocional razoável ao ver os dois juntos e sorrindo no chá, ele com a mão na barriga dela?
MARISSA: Eu gostaria de me sentir bem, mas não de um jeito muito marcante. Como quando a gente se sente ao ver uma joaninha.

Eu não disse nada.

MARISSA: É possível! Você não sabe o que vai acontecer!
EU: Nesse caso, acho que sei. E acho que você também sabe.

O objetivo de Marissa, como o objetivo de que muitas de nós somos vítimas, não era processar o que havia acontecido, e sim aprender a controlar seus sentimentos em relação ao que havia acontecido. Noções preconcebidas do que significa estar "oficialmente curado" inundam nosso coração e nossa mente. Essas ideias de como nossa cura deve parecer estão sempre erradas. Você nunca sabe que forma sua cura assumirá.

Uma forma de definir a cura é se abrindo à possibilidade. Quando se concentra no controle emocional, você se fecha à possibilidade. O poder está em compreender que, não importa o que sinta, você tem agência sobre todos os momentos da sua vida. A exceção a essa regra é o trauma.

PERFECCIONISMO E TRAUMA

Um trauma ocorre quando você é incapaz de acessar seu poder ou quando não tem nenhum poder (como é o caso no trauma de infância). Ele muda a pessoa de tal maneira que ela não consegue voltar a ser quem era antes de passar por ele. Você não se cura do trauma voltando a ser quem era, e sim evoluindo para a pessoa que decide que deseja ser agora. O perfeccionismo desadaptativo pode se manifestar como uma reação ao trauma, e foi isso que aconteceu com Naomi.

Naomi foi estuprada no seu quarto de hotel durante uma viagem com os amigos para esquiar. Como acontece com muitas sobreviventes de estupro, a lembrança de Naomi era sensorial em vez de cronológica. Ela recordava vividamente o cheiro seco e fresco da neve que entrava pela porta aberta da sacada, e prometeu a si mesma que estaria curada quando o estupro não fosse a primeira coisa que lhe viesse à mente ao sentir o cheiro da neve no ar.

Mais do que qualquer outra coisa na vida, Naomi queria recuperar o simples prazer de inspirar fundo e sentir o cheiro fresco, neutro e revigorante da neve. Determinada a atingir essa "meta de tratamento" autoimposta, nos últimos três invernos ela vinha se forçando a se deitar de costas na neve, fechar os olhos e respirar.

Não estava funcionando.

Agora ela odiava a neve ainda mais. Odiava filmes com neve. Odiava o inverno. Odiava o aplicativo do clima que tinha no celular. Odiava aquecedores. Odiava casacos pesados. Odiava o verão, porque ele ia embora. Odiava o céu, porque era de onde vinha a neve. Odiava coisas novas a cada dia. "Estou aqui", ela me disse, "porque tem que ser este ano. Preciso que o cheiro da neve volte a me trazer alegria."

Era setembro e estávamos em Nova York.

Enquanto ouvia Naomi descrever em detalhes como se deitava no chão coberto de neve, juntei as mãos como se fosse rezar, com os indicadores tocando os lábios. Isso pareceu incomodá-la, ou ao menos confundi-la. Depois de concluir a descrição da técnica de dessensibilização que ela mesma se prescrevera e de dois segundos de silêncio, Naomi me perguntou: "Você deveria fazer isso?".

"Fazer o quê?"

"Achei que terapeutas não pudessem se emocionar."

Eu sentia uma forte angústia por Naomi, mas percebi que ela estava projetando seu perfeccionismo emocional em mim. Para ajudá-la, eu precisaria ser capaz de deixar meus sentimentos de lado e me concentrar em gerar resultados. Naomi queria que eu me envolvesse com ela de maneira puramente intelectualizada, pois queria aprender a lidar com seu trauma de maneira puramente intelectualizada.

Como é o caso com muitas vítimas de trauma, estar em contato com sua dor parecia não ser seguro para Naomi. Ela não conseguia prever ou controlar sua resposta emocional, o que considerava um fracasso pessoal. Testemunhar a mínima reação emocional em mim a fazia se sentir insegura e incerta quanto à minha capacidade de ajudá-la, como se eu estivesse fracassando com ela também.

A colisão de trauma e perfeccionismo mal gerenciado resulta no que Horney chamou de "supremacia da mente".[14] A integração (ou seja, a cura de verdade) não é vista como uma opção. Como Horney explica: "Não mais mente e sentimentos, mas mente contra sentimentos, mente contra corpo, mente contra o self [...]. Seu cérebro é a única parte que parece viva".

No nível intelectual, perfeccionistas compreendem que

não podem mudar o passado, mas isso não as impede de tentar mudar o fato de que o passado teve um impacto nelas. Aceitar isso é confrontar uma perda de controle, uma derrota, um fracasso grandes demais.

A solução "lógica" se torna dividir a experiência entre o evento e o grau em que ele impactou você. Você aceita o evento e rejeita o impacto. Diz alguma versão de "Sim, isso aconteceu comigo, mas estou bem". Essa separação é uma espécie de matemática, uma divisão do trauma.

O poder está em aceitar que, embora não possa controlar o que sente ou o fato de que o passado a impactou, o que acontece a seguir só depende de você. Poder é compreender que sua vida pode se tornar uma escolha consciente de buscar o que você quiser, e que não precisa ser uma reação inconsciente de fugir do que já aconteceu.

Continuar a se conscientizar das fórmulas e permissões que você sustenta para seus vários "estados emocionais perfeitos" é muito útil para derrubar a noção de que qualquer resposta emocional prescritiva é exigida de você.

CRIAÇÃO E PERFECCIONISMO

Quanto o estilo de criação tem a ver com o desenvolvimento do perfeccionismo em qualquer direção? Sugerindo mais pesquisas nessa área, a dra. Cláudia Carmo e colegas apontam:

> Muitos estudos apoiam a ideia de que o perfeccionismo se desenvolve com mais facilidade em famílias com pais extremamente críticos e que um estilo de criação autoritário pode levar as crianças a adotar uma orientação perfeccionista ao

longo da vida. No entanto, ainda não está claro se o estilo de criação tem uma ligação direta com o desenvolvimento das facetas adaptativa e desadaptativa. [...] Ainda que tenha havido progresso em relação ao suporte empírico para o papel de pais no desenvolvimento do perfeccionismo adaptativo e desadaptativo em adolescentes e crianças, as pesquisas ainda são relativamente escassas e inconclusivas.[15]

Minha perspectiva sobre esse tema, embora informada pelas pesquisas disponíveis, deriva sobretudo do meu trabalho clínico. Ofereço minha experiência apenas como um ponto de referência isolado.*

Como discutimos no capítulo 2, o perfeccionismo é um impulso natural; algumas pessoas nascem com uma alta propensão a ele. Com base nas minhas conversas com perfeccionistas, o perfeccionismo pode se manifestar nas crianças por meio de curiosidades e interesses que podem ser obsessivos, às vezes incluindo comportamentos compulsivos e autodirigidos. Marie Kondo, por exemplo, era obcecada por design de interiores e organização desde pequena. Em vez de sair para brincar no recreio, ela preferia ficar na sala de aula, organizando as estantes. Em casa, se esgueirava até o quarto dos irmãos para arrumar a bagunça sem que ninguém soubesse.[16]

Mais do que assistir ao seu filme preferido uma centena de vezes, uma obsessão típica da infância, as crianças perfeccionistas dirigem um foco intenso a uma atividade específica que parece aleatória para os outros porque não é necessariamente "infantil" — montar aquários, colecionar malas de viagem, ouvir óperas clássicas. Isso não é aleatório; é um reflexo de algo que ganha vida dentro delas — o desenvolvimento do ideal individual.

---

* Ver mais na Nota da autora (p. 389).

Quando não compreendemos uma coisa, tendemos a temê-la ou ficar curiosos em relação a ela; a maior parte das pessoas segue a primeira opção. O fato de Kondo não sair durante o recreio e de demonstrar um comportamento compulsivo em relação à ordem e à organização deve ter assustado seus professores e cuidadores na época. No entanto, quando tudo isso é examinado no contexto da grande paixão da sua vida (ainda mais considerando como essa paixão foi monetizada de maneira bem-sucedida), o padrão de comportamento antes preocupante se torna uma anedota adorável.

Se esquecemos que crianças não são adultos em miniatura, fica fácil interpretar erroneamente alguns dos seus comportamentos como perfeccionistas. Por exemplo, se uma criança de quatro anos se joga no chão e dá um chilique porque não consegue encontrar o lápis da cor certa para terminar seu desenho de unicórnio, isso não significa necessariamente um caso de perfeccionismo.

As crianças estão aprendendo a se regular emocionalmente; não podemos esperar que tenham a mesma capacidade dos adultos de considerar o todo e gerenciar sentimentos negativos. Ser dominado por emoções como frustração ou decepção e ter uma reação desproporcional a elas é apropriado do ponto de vista do desenvolvimento — e não estamos só falando de bebês dando ataques, mas de diferentes comportamentos de crianças de todas as idades.

Às vezes, quando a criança apresenta tendências perfeccionistas rígidas de maneira padronizada, isso a prejudica porque causa perturbações significativas no seu dia a dia, além de sofrimento. Nesses casos, é preciso recrutar um arsenal de apoio, via coordenação escolar, conhecidos na comunidade, terapeutas familiares e afins. Hoje, algumas pesquisas exploram a relação do perfeccionismo rígido com uma série de transtornos mentais.

De modo geral, o perfeccionismo rígido é considerado um traço transdiagnóstico, o que significa que está presente de alguma forma em múltiplos diagnósticos de transtornos mentais. Mecanismos transdiagnósticos são fatores de risco e de manutenção de transtornos, o que significa que tornam mais provável que um transtorno surja e mais provável que se prolongue.

Dito isso, e embora é claro que aconteça, nunca falei com um pai ou uma mãe preocupados com tendências perfeccionistas pouco saudáveis nos filhos sem que esse pai ou essa mãe reconhecesse seu próprio relacionamento pouco saudável com o perfeccionismo. Na minha opinião, a melhor maneira de ensinar as crianças é pelo modelo, ou seja, demonstrando um comportamento. Se os comportamentos que você transmite são saudáveis ou não, pouco interessa; a criança aprende com a mesma facilidade. Outra vez, as palavras de James Baldwin se aplicam aqui: "As crianças nunca foram boas em ouvir os mais velhos, mas nunca deixam de imitá-los".

CRIAÇÃO E PERFECCIONISMO DESADAPTATIVO

Se você cresceu sabendo que era amada, é quase impossível se identificar com a ideia de ter que se perguntar se é amada, ou simplesmente saber que não é amada nem querida. O pensamento de fundo onipresente para tanta gente — "Será que alguém me ama de verdade?" — simplesmente não ocorre em crianças que vivem a segurança emocional sem paralelos do amor incondicional.

Da mesma maneira, se você cresceu num ambiente de abuso, negligência ou vulnerabilidade, é quase impossível se identificar com a ideia de que alguém poderia te amar independente do que você faça ou não nesta vida. Quando uma pessoa amada apenas condicionalmente ouve "eu te amo", o que ela entende é: "Eu te amo por enquanto, então não estrague tudo". Amor condicional não é amor, é um contrato. Todos sabemos que contratos incluem frases em letras miúdas e podem ser anulados.

As teorias desenvolvimentistas do perfeccionismo desadaptativo ecoam todas o mesmo sentimento: quando a necessidade básica de amor e pertencimento não é atendida numa criança, toda a energia que normalmente iria para a construção de um senso de autonomia (explorar interesses pessoais, estabelecer relacionamentos saudáveis com outras pessoas) é redirecionada a tentativas de pertencimento e merecimento de amor.[17] Esse apelo por conexão pode assumir a forma de buscar ser superficialmente perfeito: "Estou fazendo tudo direito. Agora você me ama?".

Perfeccionismo como resposta a abuso e negligência não é apenas uma questão de querer amor, mas de sobrevivência. Cuidadores não existem apenas para te elogiar e abraçar: também dão comida, abrigo e roupas. Você é totalmente dependente deles. Quando não há segurança nesse apego primordial, ser menos que sua versão mais perfeita parece perigoso. Perigoso tipo atravessar a rua com o sinal aberto para os carros.

Quando comecei minha carreira na assistência social, fazer visitas domiciliares para verificar se crianças estavam morando num ambiente abusivo era parte do meu trabalho. Nunca vou me esquecer do conselho de arrepiar que minha chefe me deu antes que eu fosse a campo pela primeira vez:

"Procure pelas crianças com um comportamento perfeito. Isso significa que elas estão morrendo de medo".

Internalizar a versão perfeita que outra pessoa quer de você nem sempre envolve tirar boas notas ou parecer perfeito; pode incluir ser uma criança quieta e discreta, uma criança que não tem nenhuma necessidade, uma criança que está sempre chamando a atenção com piadas ou criando problemas.

Crianças que não se sentem amadas fazem qualquer coisa para ser merecedoras de amor. "Você precisa de uma distração? Posso ser seu projeto. Não quer mais ficar triste? Posso ser feliz o bastante pela família inteira. Precisa que eu não seja um fardo? Não vou fazer barulho nem para mastigar."

Tudo que uma criança que não se sente amada faz é para responder à questão: "Agora sou digna de amor?".

A criança faz alguma versão dessa pergunta indefinidamente, mas não para sempre. Quando a resposta continua sendo recebida como "não", uma mensagem é internalizada: "Ah, não sou como as outras pessoas, felizes e amadas. Não sou digna de amor, segurança ou gentileza".

Um interruptor invisível é acionado. No inconsciente da criança, ela não tem mais a liberdade de ser quem quiser. Isso seria inseguro e desestabilizador demais. Sem liberdade, restam duas opções. A primeira é a atuação: a criança decide desempenhar o papel de alguém digno e torce para ninguém descobrir que é tudo fingimento. A segunda é a destruição: ela decide se destruir com uma mentalidade do tipo "Se ninguém se importa comigo, por que eu deveria me importar?".

Para as que escolhem a atuação, a pressão por um desempenho perfeito é imensa. É como quando alguém que está mentindo acaba acrescentando detalhes demais à história falsa porque a mentira não parece verdade nem mesmo na sua cabeça. O perfeccionismo desadaptativo opera da mesma maneira. A pessoa sente que está contando uma mentira — só está fingindo ser digna, então é melhor inventar uma boa história, é melhor ter uma atuação perfeita, porque qualquer furo na narrativa vai revelar o golpe.

Embora esses padrões de relacionamento consigo próprio e com os outros muitas vezes derivem da família de origem, também podem vir de uma sensação de rejeição ou falta de amor por parte da cultura mais ampla, do ambiente escolar, de instituições religiosas e assim por diante.

Padrões inconscientes de atuação e destruição prosseguem até ser interrompidos por uma intervenção consciente. Uma vez que a consciência entra no jogo, tudo é possível.

PERTENCIMENTO

Costumamos falar sobre amor e segurança como se fossem coisas boas de ter quando criança. Um quintal grande é uma coisa boa de ter quando criança. Amor e segurança são necessidades. E não precisamos apenas crescer com amor e segurança: precisamos cultivar amor, segurança e pertencimento quando formos adultos também.

Qualquer um que cresça isolado ou que viva isolado quando adulto encara algum tipo de aflição diagnosticado — depressão, ansiedade, perfeccionismo desadaptativo, vícios e mais. Não é da natureza do ser humano viver isolado; fomos feitos para estabelecer conexões.

Conexão é a fonte de todo crescimento e de toda cura. É uma necessidade. Na ausência de conexões saudáveis, nos tornamos disfuncionais.

Disfunções crônicas aumentam nossa vulnerabilidade a transtornos mentais, incluindo a propensão ao suicídio. A próxima seção discute perfeccionismo e suicídio. Se você acha melhor pulá-la, pode seguir direto para o capítulo 5.*
Se não souber direito, não tenha pressa: você pode ler o restante deste capítulo depois. Ele não vai a lugar nenhum.

PERFECCIONISMO E SUICÍDIO

Por três anos, Simone foi minha cliente das nove da manhã de segunda-feira. O clínico-geral que a encaminhara dissera que Simone "não andava se sentindo ela mesma" depois do término de um relacionamento e que estava tomando antidepressivos prescritos por um psiquiatra que havia visto uma única vez cinco anos antes.

Em nosso primeiro mês de trabalho, incentivei Simone a se consultar com uma psiquiatra da minha confiança para que sua medicação fosse revista. A alteração a ajudou mais rápido do que ela esperava. (Acho que Simone não estava esperando que a ajudasse nem um pouco.) Eu me lembro de como ela sentia medo de que sua sensação de alívio fosse apenas um efeito placebo que logo passaria. Simone não queria "voltar atrás", como falou.

Perguntei a Simone de maneira direta, a única maneira possível, o que precisava perguntar: "Você já pensou em

---

* Se você anda tendo pensamentos suicidas e não confia em si mesma para fazer escolhas seguras nas próximas 24 horas, procure apoio. Avise a alguém em quem confia o que está acontecendo e diga que não se sente confortável sozinha, ou ligue para o Centro de Valorização da Vida (cvv) no 188, que atende 24 horas. Você também pode falar por chat ou por e-mail com o cvv. E pode ir a um hospital ou ligar para o Serviço de Atendimento Móvel de Urgência (samu), no 192, se precisar de uma ambulância.

dar fim à sua vida?". A resposta dela não foi um não firme, o que podia ser traduzido como um sim.*

Simone e eu começamos a falar bastante sobre suicídio, o que era uma coisa boa. Ter conversas sobre ideação suicida não me assusta. Não falar a respeito é que é aterrorizante. O fato de evitarmos coletivamente discussões envolvendo suicídio é ao mesmo tempo compreensível e misterioso, uma grave negligência. Estamos em meio a uma crise de saúde pública. Não nos aproximamos do alerta vermelho: já estamos nele.

Nos últimos vinte anos, o número de pessoas que se suicidaram nos Estados Unidos aumentou impressionantes 35% de acordo com o Centro de Controle e Prevenção de Doenças (CDC, na sigla em inglês). Um relatório de 2019 do Instituto Nacional de Saúde Mental (NIMH, na sigla em inglês) identificou o suicídio como a segunda principal causa de morte de pessoas entre dez e 34 anos. De acordo com o mesmo relatório, 1,4 milhão de adultos tentou dar fim à própria vida em 2019. A pandemia exacerbou essa crise exponencialmente.[18]

De acordo com o CDC, por exemplo, no período de um mês entre fevereiro e março de 2021, passagens pela emergência decorrentes de possíveis tentativas de suicídio aumentaram mais de 50% entre meninas de doze a dezessete anos.[19] O CDC também afirma que 12 milhões de americanos relatam ter pensado seriamente em se matar a cada ano.[20] Qual não será o número de pessoas que estão considerando seriamente se matar mas não relatam isso? Ninguém sabe dizer, embora seja possível afirmar que mais de 12 milhões.

---

* Para deixar claro, mesmo quando alguém responde a essa pergunta com um não firme isso não significa necessariamente que está lhe dizendo a verdade ou que não corre esse risco.

Concentrar as conversas sobre suicídio na terapia e quando uma pessoa famosa tira a própria vida não é uma forma eficiente de chegar a uma compreensão coletiva mais profunda dessa questão tão complexa. Por uma questão de estatística, sabemos que algumas das pessoas lendo este livro já pensaram em tirar a própria vida. Você também pode estar preocupada que alguém que ama possa ser suicida. É importante falar sobre o assunto de maneira proativa, regular e substancial.

Não conversamos sobre suicídio porque não sabemos como. Não fazemos ideia do que dizer porque não compreendemos o tema. Não compreendemos porque não conversamos a respeito. Discutir o suicídio proativamente gera benefícios imediatos, como o entendimento de que não há necessidade de esperar até que uma situação se transforme numa crise para ligar ou enviar uma mensagem dando apoio. E linhas diretas (inclusive por mensagem de texto) não são apenas para quem pensa em suicídio; elas oferecem apoio em qualquer crise de saúde mental, incluindo questões relacionadas a abuso de substâncias. Linhas diretas de apoio também atendem pessoas preocupadas com alguém e que desejam ter uma melhor compreensão de como lidar com a propensão ao suicídio.*

Como diz o clássico da terapia: "Nunca é sobre o que é". Quando falo com pessoas que atravessam o espectro do suicídio, noto que não é morrer que elas querem, e sim o alívio da dor que sentem. Uso a expressão "espectro do suicídio" porque (assim como os modelos categóricos de transtornos

---

* Você pode ligar para o cvv em qualquer momento do dia e da semana, e não apenas no auge de uma crise, e não apenas para falar de questões relacionadas a suicídio.

mentais são uma simplificação exagerada da experiência psicológica contextual e em constante evolução de uma pessoa) ninguém é simplesmente "suicida ou não suicida". Por exemplo, algumas pessoas são parassuicidas, o que é definido pela Associação Americana de Psicologia como exibir "uma variedade de comportamentos envolvendo danos autoinfligidos e deliberados que podem ou não ter a intenção de levar à morte".[21]

A dra. Adele Ryan McDowell é uma das muitas psicólogas que defendem descrições detalhadas de pontos adicionais no espectro do suicídio (em oposição aos três básicos: ideação, plano e tentativa). Ela incentiva a inclusão dos seguintes marcadores:[22]

- IDEAÇÃO: pensar em acabar com a própria vida.

- TENTATIVA: tentativa de suicídio que não termina em morte.*[23]

- PASSIVAMENTE SUICIDA: pensar no suicídio sem tomar nenhuma medida ativa para acabar com a própria vida. (A propensão passiva ao suicídio pode ser expressada de maneira indireta como indiferença em relação à morte — por exemplo, alguém passivamente suicida poderia dizer algo do tipo "Eu não me importaria se um ônibus me atingisse".

* Embora alguns usem a expressão "gesto suicida" para descrever tentativas, aprendi que ela é pejorativa, mesmo que sem intenção. Como afirma a dra. Nicole Heilbron, psicóloga e membro da direção da Divisão de Saúde Mental Infantil e Familiar e Neurociência do Desenvolvimento da Universidade Duke: "Rotular os comportamentos de um indivíduo como 'gestos' [...] pode comunicar uma diminuição de importância que talvez leve a uma falsa sensação de controle em relação à segurança do indivíduo e à necessidade de monitoramento".

- PENSAMENTO ATIVO: bolar um plano e trabalhar nos detalhes.

- PENSAR E FAZER: McDowell afirma que há dois tipos de "pensar e fazer", o planejado e o impulsivo. O impulsivo é "um lampejo de pensamento e uma onda de sentimentos que fazem sentido na hora. Com frequência, ocorre entre adolescentes e jovens adultos".

- CRONICAMENTE SUICIDA: pensar cronicamente em suicídio, ameaçar ir adiante ou fazer múltiplas tentativas.

- SUICÍDIO LENTO: McDowell descreve essa categoria como sendo "evidenciada por uma vida inteira de danos autoinfligidos que prejudicam cronicamente a saúde, o bem-estar, a estabilidade mental, a resiliência emocional e a energia vital de uma pessoa".

Um grande mal-entendido em relação ao suicídio é a ideia de que ele ocorre numa progressão linear. Achamos que o suicídio "funciona" da seguinte maneira: primeiro a pessoa pensa a respeito por um tempo, depois elabora um plano e por fim o executa — tudo isso enquanto transmite alertas para seus entes queridos. Como o dr. Paul Nestadt, psiquiatra da Escola de Medicina da Universidade Johns Hopkins, explicou a Kim Tingley, do *New York Times*: "O suicídio também é surpreendentemente impulsivo. A maioria das pessoas que decidem se suicidar agem em menos de uma hora, e quase um quarto em cinco minutos". Tingley acrescenta: "Livrar-se de armas ou tornar o acesso a elas mais difícil preveniria muitas mortes em decorrência de suicídio, assim como serviços de saúde mental mais acessíveis e amplamente disponíveis".[24]

É importante compreender quão impulsivo o ato do suicídio pode ser para que se perceba quão fortemente a presença de uma arma de fogo em casa pode impactar se você ou alguém que more lá morrerá por suicídio. Mais da metade dos suicídios nos Estados Unidos ocorre por arma de fogo. De acordo com o CDC, em 2018, duas vezes mais pessoas morreram em decorrência de suicídio com arma de fogo do que por homicídio com arma de fogo.[25]

David Hemenway, professor de políticas de saúde da Escola de Saúde Pública T. H. Chan da Universidade Harvard, explica essa desconexão de maneira sucinta: "Diferenças nas taxas gerais de suicídio entre cidades, estados e regiões dos Estados Unidos são mais bem explicadas não pelas diferenças em saúde mental, ideação suicida ou mesmo tentativas de suicídio, mas pelo acesso a armas de fogo. Muitos suicídios são impulsivos, e o desejo de morrer muitas vezes simplesmente passa. Armas de fogo são um método rápido e letal de suicídio, com uma alta taxa de casos fatais".[26]

Talvez a última coisa que você queira discutir no seu trabalho, na sua família, no seu relacionamento seja se as pessoas à sua volta estão sofrendo de um jeito que se matar parece uma solução, mas esse tipo de conversa é necessário.

Você sabe se as pessoas que lhe são mais próximas (incluindo seus filhos) já pensaram em suicídio? Considere perguntar. A crença de que se pode "plantar" a ideia de suicídio só de tocar no assunto é outro equívoco. Uma pesquisa sugere que reconhecer e falar sobre o suicídio reduz a ideação suicida e leva a uma disposição maior a procurar ajuda.[27] Como a dra. Stacey Freedenthal, terapeuta, escreveu no maravilhoso site Speaking of Suicide (www.speakingofsuicide.com): "Onde você se preocupa em não plantar uma semente, uma árvore grande já cresceu".[28]

Mesmo depois do alívio significativo que os remédios lhe proporcionaram, Simone teve ideações suicidas todos os dias por pelo menos cinco meses. Era uma das primeiras coisas em que ela pensava ao acordar. Embora sua qualidade de vida estivesse melhorando, a ideia de voltar a um estado de dor que a deixava acabada e abatida a sobrecarregava. A ideação suicida de Simone servia como uma técnica para se tranquilizar: "Se voltar a ficar ruim assim, tenho como fugir".

Não foi se sentir melhor que reduziu a ideação suicida de Simone. O que levou a isso foi compreender que se a dor voltasse ela não seria mais impotente.

Simone encontrou seu poder ao escolher se cercar de fatores de proteção — coisas que contribuem para a resiliência, como fazer terapia, caminhar (o que também ajudava com o sono), comer direito, tomar os remédios e desenvolver suas conexões sociais. Ela começou a trabalhar como voluntária na sinagoga que ficava no quarteirão da sua casa, apesar de não ser judia. Assinou a newsletter da Universidade de Nova York, embora tivesse se formado quinze anos antes em outro lugar. Não importava; a newsletter tinha uma lista de serviços grátis para o público em geral como costuma acontecer na maioria das instituições desse porte.

Devagar, Simone encheu sua vida de pessoas e coisas que pareciam, como ela disse, "boas e legais". Não tenho como exagerar o impacto desses acréscimos tão simples à sua vida. Por exemplo, ela nunca havia ouvido falar de chia, muito menos experimentado. Um dia, comprou um pacote e começou a passar junto com cream cheese em seu bagel no café da manhã. Por algum motivo, isso a fez compreender que tinha poder sobre a própria saúde. Simone começou a carregar sementes de chia na bolsa e a colocá-las em tudo. Na pizza, no café gelado, nos ovos. Ia comer carne e legumes salteados? Não sem um pouco de chia. Sorvete de sobremesa? Não sem um pouco de chia. Não era a chia em si que fazia diferença, e sim a identidade que tornava possível. Ela começou a se ver de maneira diferente, como alguém que podia fazer escolhas saudáveis, como alguém que poderia viver a vida de outro modo.

Simone também encontrou poder pensando em alternativas caso o desejo ou o impulso de se matar voltassem. O número da linha de apoio estava salvo no celular. Uma amiga lhe deu a chave do seu apartamento para que pudesse ir até lá sempre que não confiasse que ficaria bem sozinha. Simone também salvou o endereço do hospital mais próximo na sua conta do Uber. Ela mantinha uma mala pronta no armário caso precisasse ir para o hospital, como as grávidas fazem.

Quando já fazia dois anos que vínhamos trabalhando juntas, Simone mandou um cartão para meu consultório. Tinha uma orquídea na frente, mas nada dentro. Ela preencheu o espaço:

Ninguém sabe o que a vida vai trazer. De qualquer maneira, escolho ficar.
A gente se vê na semana que vem.
Simone

Era o oposto de um bilhete de suicídio.

Por muito tempo, pareceu impossível a Simone seguir em frente, convivendo com o peso da dor. Ela não está sozinha, talvez especialmente entre outras perfeccionistas.

Há muito tempo, pesquisadores investigam se o perfeccionismo aumenta a vulnerabilidade ao suicídio. Embora seja difícil interpretar esses estudos sem uma definição consistente do que é perfeccionismo, a resposta curta é: sim. O perfeccionismo está correlacionado à propensão ao suicídio.

Uma pesquisa sugere que "a forma mais perniciosa de perfeccionismo [envolve] sentir pressão externa para ser perfeita".[29] É o que dois dos maiores especialistas em perfeccionismo, o dr. Gordon L. Flett e o dr. Paul L. Hewitt, que já foram mencionados neste livro, identificaram décadas atrás como "perfeccionismo socialmente prescrito".[30]

Existe muita riqueza escondida no mundo obscuro da academia, e a conceitualização de perfeccionismo socialmente prescrito é um desses tesouros. O perfeccionismo socialmente prescrito explora como a percepção das normas e expectativas à sua volta impactam sua saúde mental. Não apenas a estrutura moldada pelo contexto de Flett e Hewitt rende insights poderosos quanto à mecânica do perfeccionismo como também, se aplicada amplamente, oferece uma visão mais profunda das influências socioculturais por trás da miríade de outras questões de saúde mental.*

Perfeccionismo socialmente prescrito é basicamente quando os outros esperam que você seja perfeita; se correlaciona com qualidades desadaptativas em geral (como ansiedade e procrastinação em excesso), e especificamente com a propensão ao suicídio.[31]

A pressão externa pela perfeição percebida talvez pareça ser mais problemática em relação à propensão ao suicídio por causa do papel desempenhado pela humilhação e pela vergonha. Quando você impõe padrões perfeccionistas a si mesma independente das expectativas dos outros, se torna menos propensa à humilhação porque não sente ne-

---

* Ver a Nota da autora para saber mais a esse respeito.

cessariamente que os outros esperam que seja perfeita; seu perfeccionismo é vivenciado de maneira privada. No entanto, quando impõe padrões perfeccionistas a si mesma porque acha que os outros esperam perfeição da sua parte, acaba mais vulnerável à humilhação e à vergonha, pois sente que há um "público" observando.

Se você ou alguém próximo se torna mais visível (por exemplo, um adolescente que vira representante da classe, um atleta local que aparece num jornal de circulação nacional, um empregado cujo trabalho gera um burburinho significativo na sua área), o risco de propensão ao suicídio associado à pressão externa pela perfeição percebida é algo que se deve ter em mente — uma associação de que não só perfeccionistas devem se lembrar, mas também empresas de mídia social, gerentes, técnicos, professores, funcionários, parentes e afins.

É importante notar a ênfase na pressão externa *percebida* pela perfeccionista. Como chefe, mãe, companheira, líder ou técnica, você pode não sentir que está pressionando as pessoas à sua volta para serem perfeitas. Na verdade, pode até ficar chocada em saber que alguém sente tamanha pressão vinda de você. Sua flexibilidade, sua abertura, o quanto aceita os erros (e até os incentiva) e uma consideração positiva e incondicional pelas pessoas no seu mundo são pontos que vale a pena deixar claros com frequência.

A compreensão do pensamento dicotômico (também conhecido como pensamento polarizado ou tudo-ou-nada) ajuda a esclarecer o desenvolvimento e a progressão da propensão ao suicídio.

PERFECCIONISTAS E PENSAMENTO DICOTÔMICO

Sinal revelador de que uma perfeccionista está num espaço desadaptativo, o pensamento dicotômico ocorre quando toda uma gama de possibilidades é eclipsada pelos extremos de um espectro. Não há meio-termo no pensamento dicotômico — ou você é bem-sucedida ou fracassa, ou é bonita ou feia, ou é reverenciada ou motivo de piada.

Sabe como Simone descreveu a princípio sua apatia em relação à morte? De maneira calma e lógica, explicou: "Uma vez, pedi comida chinesa e tinha um grampo, um grampo prateado, de grampeador, no arroz. Procurei por outros, mas era difícil garantir que não houvesse mais nenhum. Por um tempo mastiguei a comida devagar, para ver se aparecia alguma coisa. Isso meio que estragou a refeição, então joguei tudo no lixo sem terminar. Minha vida é bem assim. Tem grampo no arroz, mas mesmo que eu conseguisse tirar já estragou tudo, então qual é o sentido?".

Quando estamos lidando com o pensamento polarizado, cada pensamento tem um centímetro de folga, mas abaixo dele há um vão de trezentos metros. De repente, você se vê nos recantos mais profundos da Terra.

"E o que você acabou comendo?", perguntei a Simone.

SIMONE: Como assim?
EU: O que você jantou aquela noite, em vez da comida chinesa?
SIMONE: Nada. Falei que a refeição estava arruinada.

Esse é o verdadeiro pensamento dicotômico. Não é tanto a refeição ter sido ou não arruinada; é que num piscar de olhos você perde a linha de pensamento: "Já que a refeição foi arruinada, não existe a opção de comer qualquer outra coisa". É por isso que o pensamento dicotômico é perigoso: porque sua velocidade e a falsa lógica por trás de uma experiência leve de descontentamento podem facilmente se transformar numa confusão existencial envolvendo o sentido da sua própria vida.

> *Tivemos uma briga terrível, então o relacionamento é um fracasso, então eu sou um fracasso, então minha vida inteira é um fracasso, então qual é o sentido?*
> *Estou me sentindo completamente humilhada, então minha confiança foi totalmente destruída, então nunca mais vou me sentir bem, então qual é o sentido?*
> *Não consegui o trabalho que eu queria, e mesmo que eu consiga outro nunca vai ser aquele, portanto nunca vou ser feliz, então qual é o sentido?*
> *Meu carro não está pegando, as coisas são sempre difíceis para mim, as coisas sempre vão ser difíceis para mim, então qual é o sentido?*

O pensamento dicotômico se apresenta tanto no plano micro (ou você se saiu bem na reunião ou estragou tudo) quanto no macro (ou você tem uma carreira de sucesso ou é um fracasso total). Quando não trabalhado, o pensamento dicotômico consome a psique como água sendo absorvida pela ponta do papel-toalha. Você teve um desempenho perfeito ou deveria ter vergonha de si mesma; você é superprodutiva ou uma preguiçosa; todo mundo te ama ou você é um fardo; você é a melhor ou simplesmente perdeu seu tempo.

Impedir o pensamento dicotômico fica mais fácil depois que você toma consciência de que ele existe.

Quando perceber que está flertando com o pensamento dicotômico, não tente se forçar a parar de pensar em termos de tudo-ou-nada. Se conseguir encontrar um meio-termo, ótimo. Se não conseguir, estenda a mão para alguém. A conexão vai manter seus pés no chão quando nada mais for capaz disso.

No meu antigo consultório, eu tinha um quadro com "meio" escrito em letras garrafais contra um fundo cinza. Adorava ouvir as pessoas dizendo "Estou meio", "Meu dia foi meio bom", "Estou meio deprimida". "Meio" é um hino breve que você canta quando sai da terra do pensamento tudo-ou-nada e entra na terra do meio-termo. Nas palavras da brilhante dra. Anika Warren, minha professora preferida na pós-graduação: "É preciso aprender a viver no meio".

Perfeccionistas adaptativas desenvolvem o hábito do pensamento "meio". Aprendem a escolher a presença em vez da ausência, o poder em vez do controle, a conexão em vez do isolamento (a segunda metade deste livro foi pensada para oferecer estratégias e ferramentas específicas envolvidas nessa aprendizagem). Perfeccionistas adaptativas também aprendem a deixar de cometer o principal erro das perfeccionistas, que é responder a deslizes se punindo.

Todo mundo é punitivo consigo mesmo às vezes, mas perfeccionistas levam isso a outro nível. São as campeãs da punição. Aperfeiçoam-na. Formam-se nisso.

5. Você estava tentando resolver o problema errado
A questão não é ser perfeccionista, mas responder a deslizes se punindo

A esposa de um pastor idoso que conheci me disse que quando era jovem e teve seu primeiro filho não acreditava em bater em crianças, embora usar uma vara para isso fosse um castigo comum na época. Um dia, no entanto, quando o menino tinha quatro ou cinco anos, fez algo que ela sentiu que valia uma surra — a primeira em sua vida. A mãe disse que ele mesmo teria de sair e procurar uma vara com a qual apanharia. O menino passou um bom tempo fora. Quando voltou, estava chorando. Ele disse: "Mamãe, não encontrei uma vara, mas aqui tem uma pedra para você jogar em mim". De repente, ela viu a situação do ponto de vista da criança: se minha mãe quer me machucar, não faz diferença como vai fazer isso, e pode muito bem ser com uma pedra. A mãe pegou o menino no colo e os dois choraram. Então deixou a pedra numa prateleira da cozinha para se lembrar de nunca recorrer à violência.
Isso é algo que acredito que todo mundo deveria ter em mente.

Astrid Lindgren, em seu discurso ao receber o prêmio da paz conferido pelos livreiros alemães, em 1978

Quarta-feira, 19h07.
Carla ligando. Atendi.

EU: Oi, tudo bem aí?

As sessões de Carla costumavam ser às quartas às 19h, e ela nunca se atrasava.

CARLA: Tudo bem. Estou aqui fora.
EU: O interfone não está funcionando? Vou abrir para você.

Na época, eu estava atendendo numa sala térrea num predinho antigo no Upper East Side. De tempos em tempos, o interfone parava de funcionar.

CARLA: Não, já vou subir. Sei lá.

Puxei a cortina da janela e a vi diante dos degraus da entrada. Carla estava com os olhos baixos. Um pé cutucava a cerca de ferro que envolvia uma árvore na calçada. Ela estava fumando. "Vou descer", eu disse, e desliguei. Quando cheguei perto, notei que Carla tinha chorado.

EU: Não sabia que você fumava.
CARLA: E não fumo. Está incomodando você? Desculpe. Sei que é nojento.

Sentei nos degraus; parecia que ia chover em breve. Algumas pessoas passaram por nós, que continuávamos em silêncio.
Levantei os olhos. "Nunca consegui decidir se um céu dramático ajuda ou atrapalha em momentos assim."

CARLA: Momentos assim como?
EU: Não sei, me diga você. O que está acontecendo?

Ainda fumando, Carla começou a andar de um lado para o outro da calçada, com passadas tão largas que parecia que estava aprendendo uma dança. Ela me contou que havia discutido com a mãe naquela manhã e acabara desligando na cara dela. Depois se sentira mal e telefonara para pedir desculpas. A conversa parecera ir bem e a mãe fora compreensiva. Carla levou dez minutos para contar essa parte da história, então eu a interrompi: "Não quer entrar?".

Depois que ela apagou o segundo cigarro, entramos. Enquanto me atualizava sobre o seu dia, eu esperava que me contasse algo do tipo que talvez só falasse na terapia. O que não aconteceu.

Ela descreveu uma sequência de eventos em que sentiu que havia estragado o momento e depois, inconscientemente, decidido tornar o dia mais difícil para si mesma. Por exemplo, depois de desligar com a mãe, foi a um café movimentado embora já estivesse se sentindo agitada demais e soubesse que ia acabar chegando atrasada ao trabalho (o que a deixava estressada). Normalmente ela ouvia música durante o trajeto, porque isso a relaxava, mas naquele dia decidiu que seria melhor "refletir" sobre a maneira como havia desligado na cara da mãe. Carla repassou o incidente na cabeça, ao que se seguiram comentários negativos sobre como era uma filha ingrata e precisava aprender a ser mais paciente. O caminho até o trabalho foi terrível, o que a ajudou a sentir que estava sendo devidamente responsabilizada pelo ocorrido.

Conforme o dia foi se desenrolando, Carla continuou a inundar o cérebro com um monólogo interno negativo; cancelou um almoço com uma amiga da Filadélfia que ia passar o dia na cidade. Eu sabia que ela vinha esperando por aquele almoço e perguntei por que tinha desistido. Ela falou que não era certo ser frívola quando se estava "para trás". A expressão ficou comigo, "para trás".

EU: Em relação a que você está "para trás"?
CARLA: Não sei.
EU: O que tem na sua frente?
CARLA: Minha melhor versão. Quero ser minha melhor versão.
EU: Está dizendo que quer ser perfeita?
CARLA: Não, perfeita, não. Sei que ninguém é perfeito. Mas sou melhor que isso, e quero ser o melhor que posso. Essa não sou eu.
EU: Qual é a diferença para você?
CARLA: Diferença entre o quê?
EU: Entre ser o melhor que pode e ser perfeita?

Silêncio.

Autopunição envolve voltar consciente ou inconscientemente a algo que você sabe que vai te prejudicar, ou se negar algo que sabe que vai te ajudar. O intuito da punição é gerar mais dor. Quando você é punitiva consigo mesma, o plano é se machucar para se ensinar uma lição. Você se pune "pelo seu próprio bem". Você se machuca como uma estratégia de aprendizado, crescimento e cura.

Nunca funciona. Quando você pune uma pessoa, ela não aprende a mudar; o que aprende é a evitar a fonte da punição. Se você é a fonte da sua própria punição (através de um monólogo interno crítico, por exemplo), aprende a evitar a si mesma se entorpecendo. E você pode se entorpecer comendo demais, gastando demais, trabalhando demais, envolvendo-se em dramas, abusando de substâncias, vendo TV em excesso, perdendo tempo nas redes sociais etc.

Ninguém se cura machucando a si mesmo. Para possibilitar qualquer tipo de crescimento pessoal, precisamos internalizar as lições dos nossos erros passados, compreender quais são as alternativas mais saudáveis e acreditar na nossa capacidade de mudar. Fazer mudanças positivas na vida não exige nenhum tipo de punição.

Mesmo quando funcionam no sentido de substituir o comportamento indesejado pelo desejado, as punições não são eficazes porque só criam mais problemas. Por exemplo, se você tem um restaurante e não quer que ninguém chegue atrasado para trabalhar, pode abordar o comportamento indesejado com punição demitindo os próximos três funcionários que se atrasarem. No dia seguinte, todos que ainda trabalharem para você chegarão no horário. Sua punição terá sido eficaz, parabéns. Você terá uma equipe que não se atrasa *e* fala para absolutamente todo mundo que conhece para não frequentar o restaurante *e* se prepara para pular fora na primeira oportunidade que aparecer *e* faz sempre o mínimo, em vez de contribuir com um trabalho de alta qualidade (e não se esqueça daqueles que cospem na comida).

Quando você pune seus funcionários, pode até atingir o benefício ostensivo de mudar o comportamento específico visado pela punição, mas esse ganho superficial é obtido ao custo enorme de coisas mais importantes, como lealdade, permanência e iniciativa própria. Você acaba com a espontaneidade e a colaboração, porque punições são desmoralizantes. A criatividade e a inovação acabarão morrendo na sua empresa.

Quando você escolhe a punição, não está solucionando o problema; está evitando-o e criando outros.

Punições são uma maneira negativa de abordar problemas; elas os aumentam. Soluções, sim, são uma maneira positiva de abordar problemas; elas os reduzem. O oposto da solução não é o problema, é a punição.

É importantíssimo que perfeccionistas compreendam a natureza ineficaz da punição, porque se há uma coisa em que todos os especialistas concordam é que as perfeccionistas são excelentes em punir a si mesmas.[1] Quando você está num espaço desadaptativo, a punição será sua primeira opção, o padrão, o piloto automático, a menos que você faça a escolha consciente de interrompê-la.

COMPREENDENDO A PUNIÇÃO

Punição é diferente de disciplina, de assumir a responsabilidade, de consequência natural e reabilitação.

Diferenças entre punição e disciplina:

- A punição procura aumentar a dor. A disciplina procura criar estrutura.

- A punição é reativa. A disciplina é ao mesmo tempo proativa e reativa.

- A punição se concentra em desencorajar o comportamento negativo. A disciplina se concentra em desencorajar o comportamento negativo através da promoção do comportamento positivo.

Amy Morin, psicoterapeuta e ativista da área da saúde mental, diz que, ao contrário da disciplina, a punição não envolve uma abordagem positiva da mudança. Uma abordagem positiva da mudança inclui intervenções como ensinar estratégias de enfrentamento positivas, elogiar quando alguém se sai bem e, quando se sai mal, dedicar um momento a ensinar como lidar melhor com uma situação parecida no futuro.[2] Morin aponta que a punição busca controlar alguém através da dor. Já a disciplina busca ensinar alguém a se empoderar através de mais estrutura.

Diferenças entre punição e assumir a responsabilidade:

Assumir a responsabilidade é ao mesmo tempo algo proativo e reativo, e encoraja a pessoa a se responsabilizar por si mesma. Quando isso acontece de maneira proativa, gera confiança. Você confia que a pessoa vai se responsabilizar pelo seu papel numa situação independente de qualquer exigência externa. Quando acontece de maneira reativa (por exemplo, quando você se responsabiliza por um dano causado), é curativo: assumir a responsabilidade inclui abordar ativamente aqueles que sofreram danos.[3]

Assumir a responsabilidade é algo ativo, enquanto a punição é passiva. Consiste em reconhecer abertamente que seu comportamento impactou os envolvidos e que você poderia ter feito uma escolha diferente, pedir desculpas a todos que foram prejudicados, fazer o possível para resolver o problema, comprometer-se a melhorar e bolar um plano para isso.[4]

Assumir a responsabilidade exige que você reconheça seus deslizes, mas tem menos a ver com levar a culpa e mais com liderar a busca por uma solução.

A punição, por outro lado, não exige nem um grama de reflexão, reconhecimento, responsabilização, condolência ou uma promessa de melhorar e um plano para tornar isso realidade. A punição é preguiçosa.

A diferença entre punição e consequência natural:

A punição recorre ao medo para motivar os resultados desejados. Consequências naturais dependem da compreensão do impacto das suas escolhas para motivar os resultados desejados. Enquanto a primeira gera uma mentalidade do tipo "Tenho medo de fazer a coisa errada", a segunda gera uma mentalidade do tipo "Quero ativamente fazer a coisa certa".

A punição leva a evitar sua fonte; a consequência natural incentiva evitar a escolha negativa e a procurar escolhas positivas.[5]

A diferença entre punição e reabilitação:

A reabilitação e a punição são ambas reativas, mas a reabilitação procura estabilizar e empoderar, enquanto a punição procura desmoralizar e desacreditar. A reabilitação envolve um crescimento positivo embasado numa fundação estável e saudável. A punição não se importa em gerar crescimento positivo nem se interessa em reestruturar a fundação pelo trabalho de reparação — ela só despeja dor em cima de todo o resto.

A punição é uma forma de controle coercitivo. Um relacionamento com alguém por quem você é coercitivamente controlada (incluindo um relacionamento consigo mesma) não é saudável. Se não reconhecemos a natureza disfuncional da punição é porque vivemos numa cultura que transmite e promove ativamente a punição como uma maneira apropriada e eficaz de responder ao comportamento indesejado (muito embora não seja nenhuma das duas coisas).

Apesar de sabermos da sua ineficácia, a punição é uma linha divisória na nossa cultura. Permitimos que dezenas de milhares de alunos apanhem com palmatória todo ano nas escolas,[6] apesar das provas que demonstram de maneira esmagadora que bater em crianças leva a mais agressividade, comportamento antissocial e questões de saúde mental. Respondemos à taxa de reincidência extraordinariamente alta do complexo industrial prisional (que *grita* que punição não funciona) com leis ainda mais punitivas, em vez de aumentar os recursos em comunidades dominadas pelo crime. Confinamos seres humanos na solitária e os assassinamos com uma variedade de métodos sancionados pelo governo, incluindo fuzilamento, injeção letal, eletrocussão, câmara de gás, hipóxia por nitrogênio e enforcamento. Essas punições não são relíquias de uma época menos iluminada. Na véspera de Natal de 2020, o Departamento de Justiça dos Estados Unidos estendeu sem alarde seus protocolos de execução.[7]

Nessa cultura retributiva em vez de restaurativa, na qual a punição é a primeira linha de defesa, faz sentido que você tenha internalizado a punição como primeira linha de defesa contra as qualidades que não gosta de ver em si mesma. O que não faz sentido é continuar usando isso como agente de uma mudança positiva.

De perto, tudo que se vê na punição é desespero. Quando nos sentimos desesperadas, desconectadas do nosso poder, recorremos à punição para nos sentirmos no controle. E se sentir no controle não equivale a empoderamento.

A CARA DA AUTOPUNIÇÃO

Para destruir nossa motivação de nos punir é preciso conhecer a cara da autopunição. Tendemos a pensar em punições de maneira visível e tangível — ir para a cadeia, ter direitos revogados etc. No entanto, a autopunição na maioria das vezes não é visível, tangível ou consciente. Há inúmeras maneiras de punir a si mesma, embora cada tipo de perfeccionista costume se ater a uma delas.

PERFECCIONISTAS PROCRASTINADORAS: Ruminação
Comparando-se negativamente aos outros e a versões idealizadas de si mesma, ela minimiza qualquer sucesso que tenha conquistado até então e concentra sua energia em pensamentos cíclicos e improdutivos relacionados a não estar fazendo o bastante.
Visualizando: *Ela anda de metrô com o olhar perdido, balançando suavemente no assento. Envolvida em pensamentos arrependidos e ressentidos quanto a tudo que não fez, perde a estação onde deveria descer.*

PERFECCIONISTAS CLÁSSICAS: Dissociação
Enquanto cumpre sua lista de afazeres, ela se mantém ocupada com coisas desimportantes em vez de se envolver com algo significativo.
Visualizando: *Ela tira o pó da cabeceira da cama enquanto transa.*

PERFECCIONISTAS PARISIENSES: Tentativas infinitas de agradar
Ela insiste em agradar, mesmo quando ninguém pede. Prioriza o prazer e o conforto dos outros em relação ao

seu. Exibe uma versão de si mesma com que acredita que todos serão capazes de se conectar mais facilmente e nega a si mesma a oportunidade de uma conexão autêntica com quem quer que seja.
Visualizando: *Num figurino cintilante que virou a noite produzindo, ela sapateia entusiasmada por horas, suando diante do prato vazio.*

PERFECCIONISTAS INTENSAS: Distúrbio interpessoal
Quando mais precisa de amor e apoio, ela afasta todo mundo com seu comportamento intratável e recolhimento social.
Visualizando: *Ela se aproxima das pessoas que mais a amam e, em vez de dizer "Podemos conversar?", puxa o pino da granada e vai embora.*

PERFECCIONISTAS CAÓTICAS: Desenvolvimento reprimido
Ela não permite que suas ideias (ou que ela mesma) floresçam, se desenvolvam e amadureçam, e acaba sendo forçada a assistir à morte dos seus sonhos.
Visualizando: *Ela rega com carinho mil fileiras de mudas na completa escuridão.*

A cara da punição mais genérica:

- Monólogo interno crítico e negativo. Por exemplo, permitir que a seguinte narrativa se desenrole na sua cabeça: "Como posso ter sido assim idiota? Sempre estrago tudo. É melhor parar de tentar. Sou péssima nisso".

- Autossabotar o que tem de bom na sua vida. Por exemplo,

você consegue uma entrevista para o emprego dos seus sonhos, mas na noite anterior sai para beber. A ressaca faz com que tenha um desempenho ruim na entrevista e você acaba não conseguindo o emprego.

- Retirar-se de toda uma dimensão da sua vida até ser capaz de se apresentar de certa maneira. Por exemplo: "Quando perder peso, vou viajar".

- Negar a si mesma espaço e tempo para desfrutar de prazeres simples. Por exemplo, não se permitir dar um tempo no trabalho e sair para caminhar, ou jogar conversa fora com uma amiga.

- Permitir-se sentir prazer só para se atormentar com isso o tempo todo. Por exemplo, você senta para relaxar e assistir a algo na TV mas não para de pensar: "Você não deveria estar vendo isso, tem tanta coisa pra fazer. Pare de enrolar".

Por que sentar para relaxar se você vai ficar se repreendendo o tempo todo? Para se punir. De novo, agir de maneira punitiva consigo mesma muitas vezes é algo inconsciente; isso só é registrado conscientemente como uma sensação de estar empacada.

Clientes dizem que estão empacadas com tanta frequência quanto terapeutas falam em limites. Às vezes, empacamos porque ficamos genuinamente confusas quanto ao que está acontecendo e o que fazer a respeito, mas esse tipo de confusão é raro. Nove em cada dez vezes, sabemos *exatamente* o que fazer para melhorar nossa vida, só que temos dificuldade em agir. E o que explica essa dificuldade é nosso envolvimento no ciclo da autopunição.

Quando continua usando a autopunição como estratégia para uma mudança positiva, você se põe numa espécie de purgatório psíquico, condenada a repetir os mesmos erros infinitas vezes e se odiar a cada uma delas. Você sabe que está empacada e quer obter resultados diferentes — na verdade está desesperada para obter resultados diferentes —; no entanto, continua fazendo as mesmas escolhas negativas. O ciclo descendente da autopunição é uma espiral dolorosa. Vou lhe dar um exemplo do que quero dizer com isso.

AVA

Eu costumava conduzir sessões de terapia em grupo num centro de reabilitação no Brooklyn. Meu grupo das noites de quinta se concentrava no estágio inicial da recuperação do abuso de álcool e se reunia até as nove da noite. Uma vez, já eram 20h58 e estávamos encerrando como de costume, com cada pessoa na roda repetindo uma frase curta que alguém disse durante a sessão e que lhe tocara, quando chegamos a Ava. Ela abandonou o exercício e, com algum grau de estoicismo, contou que tinha bebido antes do encontro, que estava bêbada e que planejava sair para beber mais depois.

Isso é o que chamamos no mundo da terapia de "bomba no último minuto". Às vezes, bem no finzinho da sessão, justamente porque estamos no finzinho da sessão, um cliente revela uma informação importante, urgente ou dramática. Em outras palavras, solta uma bomba. Isso é positivo porque demonstra uma qualidade de prontidão por parte do cliente — a pessoa está pronta para dizer algo que a aflige, mas não o bastante para fazer isso quando ainda há tempo de falar mais a respeito, o que é muito fácil de entender.

Como acontece com todo terapeuta experiente, eu poderia escrever outro livro só com bombas detonadas no último minuto no sofá do consultório. Para respeitar os limites da sessão, apesar da tentação, não dou continuidade. Em geral, respondo com algo como: "Você já ouviu falar na bomba no último minuto? Então... você acabou de soltar uma. Imagino que tenha sido difícil para você, e fico feliz que tenha feito isso. O que acabou de dizer é importante e merece muito mais tempo de sessão do que temos disponível. Falaremos a respeito na semana que vem. Agora precisamos encerrar".

As clientes costumam ficar aliviadas por poder ir embora *e* por saber que sou eu que vou ter que tocar no assunto delicado na semana seguinte. Seu trabalho está feito, elas estão livres! Não foi o que fiz com Ava, no entanto, porque fiquei preocupada com sua segurança. Liberei o restante do grupo e pedi que ela aguardasse um momento. Enquanto os outros se levantavam para sair, nós duas permanecemos sentadas. Quando a última pessoa fechou a porta, falei:

"Deve doer estar aqui de novo." O estoicismo de Ava se desfez. Ela fechou os olhos com força e assentiu, prendendo a respiração e chorando ao mesmo tempo.

Um pouco depois, perguntei o que ela faria se não tivesse bebido antes da reunião. Ava respondeu na mesma hora, em tom de desespero: "Eu entraria na banheira. Passei frio o dia todo. Só quero ir para casa e entrar na água quente".

Todo mundo que gosta de banheira tem um ritual. Perguntei qual era o dela. Ava disse que não seguia nenhum. "Você tem uma daquelas bandejinhas que ficam apoiadas na borda da banheira?", perguntei.

Ava não tinha. Ela me disse que acendia uma vela no canto. Contou que, desde pequena, gostava de afundar as orelhas e ficar ouvindo o barulho da água. Não lia, não ouvia música nem levava o celular; só ficava mergulhando e tirando as orelhas da água. Às vezes, ouvia os vizinhos do outro lado da parede indo de um lado para o outro, vozes abafadas, pratos batendo. "Não me importo. O barulho me relaxa", Ava falou. Tinha parado de chorar.

"Será que você os ouviria hoje se fosse para casa e entrasse na banheira?"

Um longo silêncio se seguiu. Pedi que ela imaginasse o que aconteceria aquela noite se já fizesse cinco anos que estava sóbria. Ava soltou um grunhido sarcástico e sorriu, como se duvidasse que aquilo fosse acontecer um dia. Sua resposta foi a mesma: "Eu iria para a banheira. Só quero um banho quente".

Ava estava presa no ciclo da autopunição. Ela sabia o que fazer (ir para casa e entrar na banheira quente para começar a se recuperar), mas, em vez disso, planejava se punir (bebendo mais e negando a si mesma a recuperação).

"Por que fiz isso?", começou a se lamentar. "Não sei o que estou fazendo. Por que fiz isso?"

Levantei para pegar a caixa de lenços de papel e puxei minha cadeira para perto dela antes de me sentar. Encolhida no seu lugar, Ava escondeu o rosto sob a gola do moletom de capuz. Então começou a soluçar. Lado a lado naquele círculo de cadeiras vazias, me inclinei para a frente ao seu lado e deixei que chorasse.

TEORIA AMPLIAR-E-CONSTRUIR

Havia muita coisa que eu queria dizer a Ava naquele momento, mas não era hora de falar. Na hora certa, num momento mais leve, eu lhe contaria sobre a dra. Barbara L. Fredrickson, a Jennifer Aniston do mundo da pesquisa em psicologia. Todo mundo ama Fredrickson, porque ano após ano seu trabalho faz com que a gente se sinta bem. Pioneira da psicologia positiva e uma das estudiosas mais citadas da sua área, ela é mais conhecida por sua teoria "ampliar-e--construir".

A teoria ampliar-e-construir afirma que, se você conseguir entrar num ciclo de mentalidade positiva, seu "repertório de pensamento-ação" se alarga. Quando você está num estado positivo, seus pensamentos sobre as ações que pode tomar se expandem; você se dá conta de que é possível fazer muitas coisas diferentes, e faz escolhas que promovem estados positivos futuros.

Por exemplo, se você está feliz, fica mais propensa a planejar uma caminhada com as amigas no próximo domingo de manhã. Porque gostou da caminhada, é mais provável que tenha uma noite agradável em casa. Energizada pelo bom humor, você decide cozinhar ouvindo música. Faz algo saudável para o jantar e vai para a cama cedo — decisões que vão fazer com que se sinta restaurada pela manhã.

Revigorada, você aparece para trabalhar com uma mentalidade positiva. Pepinos surgem, claro, mas, livre do peso da negatividade, fica mais fácil abordá-los da perspectiva da resolução de problemas. Como não se sente sobrecarregada, você consegue se divertir em vez de precisar se forçar a continuar. Energizada por se ver à altura do desafio do dia de trabalho, você manda uma mensagem para a pessoa com quem está saindo e sugere um encontro mais tarde, do qual desfruta. Sua positividade se alimenta de si mesma e se fortalece.

Como Fredrickson aponta, emoções positivas não são apenas "estados finais", que *sinalizam* funcionamento ótimo; emoções positivas *produzem* funcionamento ótimo. Em suas palavras: "Emoções positivas promovem a descoberta de ações, ideias e vínculos sociais criativos, que por sua vez aumentam os recursos pessoais do indivíduo; recursos que vão do físico ao intelectual, do social ao psicológico. É importante notar que esses recursos também funcionam como reservas a ser utilizadas posteriormente, para melhorar as chances de enfrentamento bem-sucedido e sobrevivência".[8]

Contraste momentos nos quais você se veja num estado emocional positivo e momentos em que se reconheça num estado emocional negativo, que estreita seu repertório de pensamento-ação. Com um repertório de pensamento-ação estreito, fica mais difícil ver algo além do problema.

Por exemplo, se você está se sentindo mal porque recebeu uma avaliação de desempenho ruim, provavelmente não terá vontade de sair à noite. Ficará mais propensa a pensar: "Bom, não me resta nada a fazer além de ir para casa, pedir comida e encerrar o dia". Você janta besteira, o que faz com que se sinta inchada e nojenta, depois passa três horas vendo TV antes de perceber que já é uma da manhã e detestar isso, porque seu plano era ir para a cama cedo. Sua negatividade vai se retroalimentando.

Você fica ansiosa porque se sente pior e não consegue dormir. Acorda cansada, depois de uma noite de sono péssima. Então, em vez de pensar "Como posso aproveitar o dia de hoje?", a pergunta vira: "Como posso sobreviver ao dia de hoje?".

Quando seu repertório de pensamento-ação se estreita, sua perspectiva se atrofia; você só consegue enxergar dez ou vinte minutos à frente. E como ampliar seu repertório de pensamento-ação? Com autocompaixão.

A autocompaixão expande seu repertório de pensamento-ação porque tira você da negatividade baseada no medo e leva a um sentimento maior de segurança, reafirmação e positividade.

Pesquisas demonstram uma associação positiva da autocompaixão com uma sensação aumentada de valor próprio e iniciativa pessoal,[9] maior resiliência em relação ao estresse, avaliação mais realista de pontos fracos e fortes, níveis mais baixos de depressão e ansiedade, taxas reduzidas de esgotamento, maior motivação para compensar erros anteriores e mais.[10] A autocompaixão alarga seu repertório de pensamento-ação, enquanto a punição o estreita.

Agora vamos voltar a Ava. Embora as pesquisas ajudem a pontuar nossa compreensão das fortes correlações entre autocompaixão, tomada de decisão construtiva e melhor qualidade de vida, não precisamos de estudos empíricos para saber o que Ava deve fazer a seguir. É óbvio para nós que, em vez de continuar bebendo, ela deve ir para casa e se recuperar. Mais do que nunca, ela precisa de generosidade emocional de si mesma. Precisa demonstrar compaixão consigo mesma.

Isso não apenas é óbvio para você e para mim agora como foi para Ava na hora também. Nenhuma parte do cérebro dela achava que sair para beber era a opção mais inteligente. Então por que ela não ia para casa e entrava na banheira? Se a autocompaixão é tão boa para nós e a punição é tão ruim, por que continuamos nos punindo?

TRÊS MOTIVOS PELOS QUAIS ESCOLHEMOS A PUNIÇÃO EM VEZ DA AUTOCOMPAIXÃO

1. RELACIONAMOS NOSSO VALOR AO NOSSO DESEMPENHO

Toda perfeccionista consegue se identificar com a crença de Ava de que, porque bebeu três doses antes de ir ao grupo, está tudo arruinado. Ava evitara beber todos os dias dos quatro meses anteriores, mas seu desempenho negativo naquele único dia contava muito mais para ela do que seu desempenho positivo nos mais de 120 dias antes.

Além de não beber, naqueles quatro meses Ava havia começado a se reconectar de maneira significativa com a família e entrado para uma equipe de corrida. Estava conhecendo gente nova, melhorando seus hábitos alimentares, substituindo habilidades de enfrentamento negativas por positivas e vinha construindo uma relação forte comigo. Ou seja, tinha feito muita coisa certa. Para Ava, aqueles quatro meses perderam todo o significado assim que ela cometeu um erro.

Mesmo em estado alterado, ela conseguiu ir à reunião, foi honesta quanto ao seu comportamento e pediu ajuda com a bomba no último minuto. No entanto, nenhuma dessas tentativas instantâneas de reparação importava. Tudo que Ava registrava era que havia consumido álcool, e portanto era um fracasso retumbante.

No capítulo anterior, vimos que perfeccionistas num espaço adaptativo baseiam seu valor próprio na sua existência, enquanto perfeccionistas num espaço desadaptativo baseiam seu valor próprio no desempenho. Ava estava num espaço desadaptativo. Ter um bom desempenho (ou seja, manter-

-se sóbria) significava que era boa e digna, que não merecia ser punida. No entanto, ela não estava mais sóbria, o que a tornava automaticamente uma pessoa má e indigna, que merecia ser punida.

Outra maneira de dizer que você é digna é acreditar que merece algo positivo. Outra maneira de dizer que você é indigna é acreditar que *não* merece algo positivo. Ava decidiu que não merecia compaixão, conforto ou segurança. Por isso, tomar um banho quente, por mais simples que fosse, era uma coisa genuinamente impossível aquela noite.

As condições que impomos ao nosso valor próprio e as punições que nos infligimos quando não as atendemos são inconscientes. Seguimos nossa rotina diária sem nos darmos conta de que estamos pondo nosso valor em jogo. Ava não pensou conscientemente: "Estou considerando meu valor condicional no momento, por isso vou me punir regredindo a comportamentos que sei que são prejudiciais e me negando o que sei que me ajudaria". Ninguém tem esse tipo de monólogo interno.

A ideia que o consciente de Ava registrava era unidimensional: "Estou me sentindo uma merda e mereço isso". Com seu repertório de pensamento-ação estreitado, o pensamento subsequente era: "Dá no mesmo continuar bebendo na rua".

2. NUNCA APRENDEMOS QUE A AUTOCOMPAIXÃO DEVE REINAR

Todas sofremos, e a maioria de nós simplesmente não sabe o que fazer com isso. Nossa principal estratégia é esconder a dor, porque acreditamos que ela nunca é saudável. Adotamos a visão higienizada do bem-estar emocional de que "pessoas saudáveis conseguem ignorar a dor" (também conhecida como "positividade tóxica") porque priorizamos a inteligência analítica em relação à inteligência emocional. Não enfatizamos a alfabetização emocional na escola, portanto não deveria ser um choque descobrir na vida adulta que somos emocionalmente analfabetos.

Qual é a diferença entre autoestima e valor próprio, entre assumir a responsabilidade e se punir, entre compaixão e pena, entre dignidade e respeito? O que são limites? Qual é a maneira saudável de responder à culpa? As respostas a essas perguntas não nos vêm de forma natural, assim como não sabemos naturalmente a diferença entre um ângulo agudo e um obtuso.

Apesar disso, é um pouco chocante quando percebemos que nosso vocabulário emocional básico é, na melhor das hipóteses, nebuloso. Mas chocados de verdade ficamos quando entendemos que vivenciar nossos sentimentos (o que também é conhecido como "regulação emocional") é algo que precisamos aprender a fazer.

A autocompaixão é a rainha da regulação emocional. Infelizmente, nunca aprendemos isso. Sendo honestas, nem sabemos direito o que é autocompaixão (mas vamos mergulhar fundo nisso no próximo capítulo). E, como não conhecemos muito a seu respeito, nós a subestimamos.

Pensamos na autocompaixão como algo legal que podemos fazer por nós mesmas enquanto passamos hidratante nas pernas, e não como uma fonte primária de poder. Pensamos na autocompaixão como algo opcional, quando não há nada de opcional nela. É impossível se curar ou crescer sem autocompaixão. Na ausência de autocompaixão, o melhor que conseguimos é estagnação.

Algumas de nós pensam em autocompaixão como uma indulgência — fazer um agrado emocional ao mesmo tempo que evitamos assumir a responsabilidade. Não nos damos conta de que é a autocompaixão que nos leva a assumir a responsabilidade de verdade.

3. CONFUNDIMOS PUNIR A SI MESMA COM ASSUMIR A RESPONSABILIDADE

Já abordamos as diferenças básicas entre se punir e assumir a responsabilidade, mas agora iremos um pouco mais a fundo. Também é importante traçar uma linha entre assumir a responsabilidade e outros tipos de responsabilização. Embora uma responsabilização externa possa ser imposta (ser considerada legal ou financeiramente responsável, por exemplo), ninguém pode "te obrigar" a assumir a responsabilidade além de você mesma. Assumir a responsabilidade é uma escolha pessoal.

Parece simples falar, mas é impossível assumir a responsabilidade se você não sabe como é fazer isso. Se não sabemos como assumir a responsabilidade, mas nos sentimos mal e queremos fazer *alguma coisa*, o padrão cultural entra em cena com as vestes da autopunição.

Você acredita que, punindo a si mesma, prova que está falando sério, que é disciplinada, que dessa vez vai, que está disposta a realizar o trabalho duro.

Em primeiro lugar, não é difícil criar dor e se obrigar a se sentir um lixo, de modo que você não prova nada com isso. Sabe com que facilidade eu poderia descarrilar minha vida toda? Daria para fazer isso em nove minutos, de olhos fechados e sem wi-fi.

Em segundo lugar, embora possa motivar a pessoa a assumir a responsabilidade, a dor não é um requisito para isso. Não é preciso estar sofrendo para confiarem que você vai fazer a coisa certa por vontade própria e corrigir erros cometidos e reconhecidos. Na verdade, ser punitiva em relação a si mesma só torna mais difícil assumir a responsabilidade.

Como a dra. Harriet Lerner explica, para assumir a responsabilidade "uma pessoa precisa de uma grande plataforma de autoestima sobre a qual se posicionar. Desse ponto de vista mais alto, ela pode ver seus erros como parte do quadro maior, mais complexo e em constante transformação de quem é como ser humano".

Para assumir a responsabilidade em relação a um deslize, é preciso conseguir reconhecer que, embora tenha cometido um erro (ou vários), você ainda é uma pessoa capaz, forte e boa, que tem o poder de aprender, crescer e melhorar.

Punir a si mesma em nome da disciplina e se negar compaixão em nome da responsabilização são esforços equivocados.

Posso te prometer uma coisa?

Todas já estamos sofrendo o bastante. Não precisamos inventar mais dor para nós mesmas através da autopunição. É exatamente isso que eu queria dizer a Ava enquanto ela chorava enrolada no moletom: "Não consegue ver que você já está sofrendo o bastante? Você não precisa de mais dor, e sim de mais compaixão".

OS CÚMPLICES DA AUTOPUNIÇÃO: ENTORPECIMENTO E ATRIBUIÇÃO DA CULPA

Como somos analfabetas emocionais e não sabemos responder à dor de maneira saudável e consciente, respondemos a ela de maneira inconsciente através dos hábitos nada saudáveis do entorpecimento e da atribuição da culpa.

Entorpecimento é o que você faz quando se envolve numa atividade que ajuda a ignorar o que não quer sentir. Ao contrário de se reservar um momento para a restauração, comportamentos entorpecentes são distrações com o propósito de reprimir suas emoções. Você deve se lembrar dos exemplos do início do capítulo: comer demais, gastar demais, trabalhar demais, envolver-se em dramas, abusar de substâncias, ver TV em excesso, perder tempo nas redes sociais etc.

Todas precisamos de pausas regulares e um pouco de escapismo. Então, como saber se você está se recuperando ou se entorpecendo? Atividades restaurativas ajudam a regular as emoções e a ter mais perspectiva — fazer uma caminhada para "clarear os pensamentos", por exemplo. A restauração regula, o entorpecimento reprime. Depois de restaurada, você se sente revigorada, recarregada. A restauração deixa uma sensação boa.

O entorpecimento não deixa uma sensação boa; na verdade, faz com que não sintamos nada. Quando ele passa, continuamos tendo que responder à nossa dor. E se o entorpecimento é a tentativa de enterrar a dor, a atribuição da culpa representa nosso esforço de jogar a dor no lixo.

Como a pesquisa da dra. Brené Brown demonstra: "Atribuir culpa é uma tentativa de descarregar sua dor".[11] Pensamos: "Se a culpa é sua e não minha, não preciso lidar com isso: é você quem precisa". Só que não é assim que funciona.

Culpar outra pessoa não faz nada para te absolver da sua dor. E é especialmente ineficaz para perfeccionistas, pois, como pessoas que buscam assumir a responsabilidade (mesmo quando não entendemos o que isso significa), adivinhe a quem costumam culpar?

Quando você está num espaço adaptativo, se concentra em assumir a responsabilidade em vez de pensar em atribuir a culpa. Quando está num espaço desadaptativo ou não sabe o que assumir a responsabilidade significa, culpar a si mesma parece a coisa certa a fazer.

Perfeccionistas caóticas se culpam por não conseguir avançar e culpam o mundo por ser burocrático demais. Perfeccionistas intensas culpam a si mesmas por não conseguir que os outros tenham um desempenho elevado o bastante e culpam os outros por serem medíocres. Perfeccionistas parisienses se culpam por se importar demais e culpam os outros por serem "alheios demais". Perfeccionistas clássicas culpam a si mesmas por não serem organizadas o bastante a ponto de conseguir gerenciar uma situação disfuncional ou incerta e culpam os outros por não terem consideração o bastante a ponto de seguir seu plano. Perfeccionistas procrastinadoras se culpam por não estar perfeitamente prontas e culpam os outros por serem presunçosos a ponto de começarem sem estar totalmente ou perfeitamente preparados ou qualificados.

O entorpecimento e a atribuição da culpa atrasam o progresso porque atrasam a autocompaixão. O monólogo interno negativo também atrasa a autocompaixão.

A AUTOPUNIÇÃO MAIS COMUM: O MONÓLOGO INTERNO NEGATIVO

É através do monólogo interno que falamos com nós mesmas sobre nós mesmas. E é através do monólogo interno negativo que falamos negativamente com nós mesmas sobre nós mesmas. "Sou tão idiota, não consigo acreditar que fiz isso, não é à toa que ninguém gosta de ficar comigo" e por aí vai.

O monólogo interno negativo é uma forma de autopunição extremamente insidiosa. Se você criar o hábito de se repreender, sentirá uma culpa crônica que resultará em vergonha.

A menos que interrompa a autopunição com autocompaixão, você acabará adotando uma identidade falsa e vergonhosa, de alguém incapaz, incompleto, preguiçoso, irritante, caótico — ou quaisquer que sejam os adjetivos maldosos que você usa para se descrever. Como acontece com toda punição, o monólogo interno negativo leva a ainda mais dor do que você já estava sofrendo.

Conforme a dor cresce, em algum momento seu objetivo principal deixa de ser o crescimento e passa a ser evitar a dor. Em vez de se sentir motivada a praticar hábitos que apoiem seus objetivos, você se sente motivada a praticar hábitos que apoiem o entorpecimento da dor.

Digamos que você faça uma apresentação ruim no trabalho. Praticando autocompaixão, você reconhece a necessidade de melhorar ao mesmo tempo que é carinhosa consigo mesma. Entende que a apresentação não foi boa, mas não permite que ela defina quem você é como ser humano.

Eis um exemplo de reação marcada pela autocompaixão: "É, as coisas não correram nada bem. Não me dei conta de como estava nervosa. Mas tudo bem ficar nervosa; fiquei nervosa porque aquilo era importante para mim. Acontece. Ainda odeio pensar a respeito, mas meus sentimentos não se resumem a isso. Estou orgulhosa de mim mesma por ter tentado algo que nunca havia feito, e agora estou curiosa para saber o que faz as pessoas se apresentarem melhor".

Quando você se sente bem, sua energia é renovada; quando se sente mal, ela é drenada. Como ter compaixão por si mesma ajuda a se sentir bem, você acaba tendo a energia necessária para pensar em quem poderia ajudar a melhorar a maneira como se apresenta. Você pergunta a alguém que faz boas apresentações qual é o segredo, e a pessoa menciona alguns vídeos do YouTube sobre o assunto. Antes da sua próxima apresentação, você vai assistir.

Também lhe ocorre que deve haver uma TED Talk sobre apresentação, pois sempre há uma TED Talk sobre o que quer que seja, e acaba assistindo a uma sobre linguagem corporal, o que também é útil. Na manhã da sua próxima apresentação, seguindo as dicas, você se certifica de não tomar café demais e faz alguns exercícios de respiração profunda. Embora seja um pouco esquisito, você acende uma vela no escritório, como um dos vídeos sugeria, para ajudar a relaxar. Se vai funcionar ou não, pelo menos é gostoso. Você dá uma segunda chance a se apresentar.

As coisas saem... razoavelmente bem. Você ainda precisa melhorar e é honesta consigo mesma nesse sentido. Mas sabe que avançou significativamente desde a última vez, e é honesta consigo mesma nesse sentido também.

Por outro lado, se depois de uma apresentação ruim você mergulha na autopunição através de um monólogo interno negativo, reconhecerá a necessidade de melhorar ao mesmo tempo que induz culpa: "A apresentação foi caótica. Estou levando a equipe ladeira abaixo comigo. Sempre soube que não me encaixava nessa empresa, e agora todo mundo vê isso".

Envergonhada, você acredita que quem você é não é boa. A culpa diz: "Sinto muito pelo que fiz". A vergonha diz: "Sinto muito por quem sou".

É difícil passar da vergonha para o desenvolvimento de habilidades. É fácil passar da vergonha ao entorpecimento.

Como você se obriga a se sentir pior, em vez de melhor fica com menos energia. Não tem vontade de assistir à TED Talk, que parece irritante. Você olha para uma vela e revira os olhos: "Não vou acender vela coisa nenhuma, seria uma idiotice". Depois mergulha num monólogo interno ainda mais negativo, de maneira consciente ou inconsciente.

Uma hora, o monólogo interno negativo é demais para você, que vai atrás de agentes entorpecentes. Você come três tigelas de cereal mesmo sem estar com fome; toma outra taça de vinho, embora nem sinta mais o gosto.

Em momentos de tranquilidade, você repassa mentalmente outros erros dolorosos que cometeu, erros maiores. Como não interrompeu a autopunição com autocompaixão, sua mente não consegue partir para outra, ficando presa ao tema "todos os erros dolorosos que já cometi".

Nesse ponto, você se convenceu de que é péssima, incorrigível. Continua fazendo escolhas negativas, porque pessoas péssimas não merecem se sentir bem. Pessoas péssimas merecem ser punidas, não é mesmo?

O cereal e o vinho não são o suficiente, então você começa a trabalhar mais também. Incapaz de se preparar de maneira adequada para a próxima apresentação porque ficou totalmente sobrecarregada de propósito, você a faz da forma mais rápida possível, odeia e sofre ao ter todas as suas inseguranças confirmadas. Mas não importa, porque você nem sente mais dor.

Sua vida profissional frenética a deixa tão exausta que você nem fica mais ansiosa quando precisa fazer uma apresentação. Na verdade, você não sente nada além de cansaço o tempo todo. Você está cansada o tempo todo ou está entorpecida?

Quanto mais dor alguém sente, de mais compaixão precisa. E ponto final.

Assim como alguém que acredita que merece coisas boas não tolera ser maltratado, alguém que *não* acredita que merece coisas boas não tolera ser bem tratado.

Até que consiga ter compaixão por si mesma, você vai rejeitar tudo de bom na sua vida. Não importa quão pequeno seja algo, você vai acreditar que não é merecedora daquilo.

Consegue entender agora por que tomar um banho quente parecia impossível para Ava? Ela sentia vergonha demais de si mesma para fazer isso. Entrar na banheira não se encaixava na narrativa de que ela era uma pessoa ruim e não merecia se sentir bem. Entrar na banheira era para quem estava sóbria havia cinco anos, não para quem foi bêbada à terapia de grupo. Na ausência de autocompaixão, escolher a opção mais saudável parece errado.

RECUPERANDO-SE

Um dos maiores presentes que minhas clientes me deram (e isso é dizer *muita* coisa) foi naquele centro de reabilitação. Lá, ficou claro para mim que as pessoas que realmente aprendiam a lição e se recuperavam não eram as que pensavam nas punições mais inteligentes. Na verdade, "punição inteligente" é algo paradoxal. As pessoas que se recuperavam eram as que respondiam aos seus erros com autocompaixão.

Todas precisamos de cura. Todas temos algo de que nos recuperar. E a recuperação, qualquer que seja o tipo, ocorre em relação direta com o quanto estamos dispostas a deixar a autopunição de lado.

Ao examinar as diferenças entre o perfeccionismo adaptativo e o desadaptativo, uma pesquisa demonstrou que não são os esforços perfeccionistas que fazem mal à nossa saúde mental: o que põe nosso bem-estar em perigo é o excesso de autocrítica.[12]

Preste atenção nas mulheres que se descrevem como "perfeccionistas em recuperação". Note que não são pessoas que baixaram seus padrões, aprenderam a querer menos ou pararam de perseguir o ideal. São pessoas que se comprometeram com a autocompaixão como a resposta-padrão emocional à dor. Aquela dor pulsante no seu cérebro não vem do perfeccionismo; vem da autopunição.

BRECHAS

"Tá, e serial killers?", Keisha me perguntou, de braços cruzados, me olhando com expectativa. Tentava me encurralar quanto ao seu ponto de que nem todos mereciam compaixão, especialmente não ela.

EU: Você está mesmo se comparando a um serial killer?
KEISHA: Só estou dizendo que uma pessoa pode sequestrar uma família fazendo um piquenique, trancar num quarto secreto à prova de som e esquartejar todos com uma serra elétrica enquanto ouve sua música preferida. No dia seguinte, quando acordar, essa pessoa ainda merece compaixão?

Expliquei a Keisha que sociopatas violentos não precisam de autocompaixão porque não sentem remorso, culpa ou desprezo por si mesmos. Na manhã seguinte a um ato hediondo, eles não acordavam com dificuldade em ser gentis consigo mesmos, e sim pensando se iam comer ovos mexidos ou cereal no café da manhã.

Se você estiver determinada a encontrar uma brecha que explique por que não merece sua própria empatia, vai encontrar. O motivo que escolher vai parecer uma justificativa excelente e irrefutável para seu não merecimento de compaixão, paciência, carinho, conexão e basicamente qualquer coisa boa. Ava, por exemplo, acreditava que havia uma razão irrefutável pela qual não era merecedora.

Você pode insistir em se punir, a escolha é sua. Os outros podem fazer objeção ou não à sua decisão; isso não vai te fazer mudar de ideia. A única pessoa capaz de te fazer mudar de ideia é você mesma.

Da mesma forma, se você decidir se amar, os outros poderão fazer objeção, explicando com sutileza ou de maneira aberta como você é indigna, ou ainda determinando o grau de alegria e liberdade que tem permissão para sentir; nada disso, no entanto, fará com que mude de ideia, a menos que você permita. Compreender que a permissão para ter compaixão por si mesma é algo que você concede quando quiser, que só *você* pode decidir no que vai acreditar, *esse* é o verdadeiro significado de ter poder. Você obtém poder através da consciência do que está escolhendo, dos motivos da sua escolha e do que está deixando de escolher.

A brecha mais comum que as pessoas usam como desculpa para não ter compaixão por si mesmas é a repetição.

QUANDO VOCÊ SABE MAS NÃO SE SAI MELHOR

A extraordinária, sábia e simplesmente maravilhosa dra. Maya Angelou resumiu a autocompaixão com a famosa frase: "Depois que sabe, você se sai melhor". Um convite imediato à gentileza e à compreensão, essas palavras reconhecem que tudo bem cometer erros, porque você não sabia. Agora você sabe.

Você aprendeu algo importante, portanto o erro nem conta como erro; é transformado numa lição valiosa. Não se preocupe; só se saia melhor da próxima vez e ficará tudo bem. *Depois que sabe, você se sai melhor.*

Amo essa frase. Ao mesmo tempo, tenho vontade de acrescentar uma nota de rodapé a ela.

A verdade é que muitas das escolhas negativas que fazemos se repetem. Sobretudo quando estamos presas a um padrão vicioso (a uma pessoa, à comida, ao álcool, ao trabalho etc.), *já sabemos*. E já sabemos que já sabemos.

Quando dizemos a alguém "Você já deveria saber", não estamos lhe informando nada de novo. É apenas uma maneira de fazer com que a pessoa se envergonhe de si mesma, a não ser que venha acompanhada de uma curiosidade genuína — "Você já deveria saber, então o que está acontecendo?", ou "Você já deveria saber, então o que precisa e não está conseguindo?".

Quando isolada, "Você já deveria saber" se transforma internamente em "No que você estava pensando?! Como pôde ter sido tão idiota? O que está fazendo com sua vida?!". Envergonhada, a última coisa que você vai fazer é procurar alguém que possa ajudar, porque sente que não merece isso. No momento em que mais precisa dela, você afasta toda a compaixão, como se espanasse até a última migalha de pão da mesa.

Se você não reage com compaixão a erros que se repetem, tudo vira punição. Regular compaixão fere não apenas você mas todos à sua volta.

Quando não tem compaixão por si mesma, seus dons e sua presença única ficam fora do alcance dos outros. Tentar se mostrar como é ao mesmo tempo que se pune é como tentar fazer massagem em alguém correndo. Não tem como dar certo. Você não consegue ser paciente, criativa, forte, amorosa ou confiável quando está se punindo — não consegue ser quem é.

Negar compaixão a si mesma reflete uma tentativa equivocada de assumir a responsabilidade e demonstrar que está arrependida. Deixe a vergonha de lado; a melhor maneira de pedir desculpas é mudando seu comportamento.

Crescer às vezes é como dar dois passos à frente e cinco passos atrás. A cura não é linear ou iterativa. É um processo, e não um evento, e no processo de cura e aprendizagem a repetição é importante. Diferentes formas da mesma lição aparecem repetidas vezes, e a cada uma delas você compreende um pouco mais. O aprendizado é assim mesmo.

O fato de que o processo de aprendizagem envolve muita repetição é frustrante. Odiamos repetição. Tomamos automaticamente a repetição como prova de que estamos fracassando, mas ela também pode significar que estamos aprendendo. Se a repetição não fosse necessária para nossa aprendizagem, seríamos robôs.

UMA MUDANÇA DE PARADIGMA

Seres humanos são bons criando regras, são melhores quebrando-as e melhores ainda punindo quem não as cumpriu. O domínio da autopunição pelas perfeccionistas é quase sempre garantido, uma espécie de marco de desenvolvimento, a versão psicológica de aprender a usar a colher.

Quando se trata de amor-próprio, por outro lado, parece que precisamos de anos de terapia, aulas de ioga e produtos de beleza específicos só para ter uma chance mínima. Mas e se não fosse assim? A escolha é nossa, afinal.

E se as perfeccionistas de toda parte decidissem ser boas em se amar em vez de se punir? E se simplesmente virássemos o paradigma de ponta-cabeça?

Essa mudança de paradigma envolveria centrar sua identidade nas suas possibilidades em vez de nas suas limitações. Envolveria você se lembrar não apenas de que todos cometemos erros, mas de que todos os repetimos, às vezes por anos. E o mais importante: essa mudança de paradigma começaria e terminaria com você tendo mais compaixão por si mesma. O próximo capítulo vai ensinar como fazer exatamente isso.

6. Você vai gostar da solução tanto quanto gosta de tirar a nota máxima

Desapegue, falhe e tenha compaixão por si mesma, não importa o que aconteça

> *Talvez sua vida dê certo. Provavelmente não vai dar a princípio, mas isso vai lhe render poesia.*
>
> Yrsa Daley-Ward

Terça-feira, 17h30.

Ao primeiro contato visual, Maya já me pareceu diferente. Ela veio devagar da sala de espera. No caminho até o sofá, passou por um quadro grande na parede do consultório. Fiquei olhando da poltrona enquanto passava os dedos pela parte de baixo da moldura dourada.

EU: Como você está?
MAYA: Estou... bem.
EU: Fale mais sobre isso.
MAYA: Bom, me atrasei para buscar Noa [sua filha] antes de vir para cá, mas isso acontece. Não me atrasei tanto assim, e ela ficou bem. Na verdade, a volta a pé para casa foi uma delícia.

Maya contou algumas coisas divertidas que a filha dissera e falou de como aquela caminhada tinha servido para se conectarem, embora a distância fosse apenas de alguns quarteirões.

EU: Da última vez que você se atrasou para pegar Noa, isso causou um grande tumulto no seu mundo interno. Você pegou bem pesado consigo mesma.
MAYA: Verdade.
EU: Mas isso não aconteceu hoje.
MAYA: Não.

Ficamos em silêncio por um momento. Havia algo diferente ali. Maya estava chapada? Alvoroçada? Fora do ar? Tinha encontrado a iluminação no trem a caminho do consultório?

EU: Estou com dificuldade de avaliar suas emoções hoje.
MAYA: Ah, eu estou *bem*, sabe?

Maya olhava para mim enquanto tentava encontrar as palavras certas para se expressar, então começou a passar a mão no sofá, quase como se acariciasse um gato imaginário. Ela baixou os olhos para a mão e pareceu se assustar, o que me assustou também.

MAYA: Esse sofá é verde. Espera aí. *Isso é veludo?!*
EU: Maya. Preciso que você me explique o que está acontecendo agora.
MAYA: Estou me sentando num sofá verde de veludo já faz um ano e só notei agora.

A constatação resultou num momento tanto incômodo quanto esperançoso. Ela vinha trabalhando fazia meses em substituir a autopunição pela autocompaixão, sem notar quaisquer mudanças. *Eu* havia notado mudanças nela e comentado, mas Maya não acreditara em mim: "Você precisa dizer isso, porque é minha terapeuta".

Agora as mudanças começavam a ficar visíveis para ela também. Quanto mais Maya se adaptava por dentro, mais a vida lhe estendia a mão, uma vida que vinha evoluindo do branco e preto para o colorido — naquele caso, verde--floresta.

Punir a si mesma consome uma quantidade de energia extraordinária. Quando você para de se punir, pode ficar surpresa com quanto espaço libera na sua mente, no seu coração e na sua alma. Quando a energia volta, a abertura que vem com ela pode ser desorientadora. Você começa a notar coisas que nunca notou; começa a ver os outros sob uma luz diferente.

Com a autopunição fora do caminho, você também descobre um novo problema, um problema maior (bem-vinda ao mundo do desenvolvimento pessoal). O problema nunca foi seu perfeccionismo, e agora não é mais a autopunição: o problema atual é que você não está sendo o seu verdadeiro eu.

Não sei exatamente do que você precisa para ser seu verdadeiro eu. Só você sabe. O que posso dizer é que, para ser quem você é, precisa parar de ser quem você não é. Precisa abrir mão do que não lhe serve mais, fracassar enquanto tenta descobrir o que é importante para você e ter compaixão por si mesma, não importa o que aconteça. Fazer essas três coisas exige foco na cura, em vez de concentração na mudança. Em todos os sentidos, o primeiro é mais difícil do que o segundo.

Quando você faz mudanças técnicas na vida, está apenas reenquadrando sua disfunção. Não está mais saindo com Nicole, a bartender emocionalmente indisponível, mas começa a sair com Arianna, a analista emocionalmente indisponível. Fez um bom trabalho controlando sua tendência ao entorpecimento através da comida, mas não fez um bom trabalho de modo geral, porque agora você se entorpece comprando compulsivamente. Mudanças técnicas são trocas que não valem a pena. A mudança nunca deve ser forçada; é um subproduto natural do processo de cura.

Você pode fazer mudanças sem se curar, mas não consegue se curar sem mudar. Quando se trata de estratégias de mudança, nada supera a estratégia da cura, porque a cura põe a mudança em movimento.

Perfeccionistas não gostam de se concentrar na culpa porque a cura não é um esforço prescritivo. Preferimos que haja algo de muito errado conosco (uma porção de problemas pequenos ou médios também serve), para podermos aniquilar sistematicamente todas as nossas inadequações de uma vez só e seguir em frente, começando do zero.

A cura não tem a ver com erradicar as partes de nós que mais detestamos, tampouco é algo a que se chega através de uma série de conquistas. Curar-se é se dar conta de que você está completa (perfeita) agora mesmo, tal como é. Nesse momento, você é digna de todo o amor, toda a alegria, liberdade, dignidade e conexão de que um ser humano poderia ser. Aceitar totalmente o caráter imutável do seu valor é a única cura necessária. Essa notícia é bastante perturbadora para nós que somos perfeccionistas, pois adoramos um projeto.

Perfeccionistas querem instruções e tabelas de horários. Queremos acrônimos úteis, seis princípios básicos, planos de trinta dias. Rotas diretas para a mudança levam à sensação passageira de que resolver seus problemas envolve apenas disciplina. Tudo que você precisa fazer é seguir ao pé da letra um conselho sobre como viver sua vida vindo de alguém que não é você e não te conhece. Você segue esse conselho específico à perfeição, e quando não dá certo (porque planos assim são impossíveis de executar) culpa a si mesma em vez de culpar a abordagem. Você sempre culpa a si mesma, porque assim pode se manter no controle: se tudo for culpa sua, você será capaz de resolver tudo quando finalmente entrar na linha e se tornar perfeita.

A cura do infomercial é tentadora, mas não funciona.

O que funciona é fazer o trabalho invisível de se afastar de quem você não é e se aproximar de quem você é. Esse não é um processo glamouroso e ninguém leva crédito por ele. Não há instruções ou linha de chegada, porque nunca se chega lá. Divirta-se.

DESAPEGANDO

A menos que tome a decisão consciente de que deseja se curar, você sempre vai escolher o familiar e conveniente em vez da surpresa e do esforço, pois isso é o que os seres humanos estão programados para fazer. A familiaridade e a conveniência nos oferecem controle, que por sua vez nos oferece previsibilidade. Se conseguirmos prever nosso ambiente, nossas chances de sobrevivência aumentam.

Para sobreviver, não é preciso se curar ou prosperar; só é preciso não morrer. Caso sua meta seja apenas sobreviver, você deve se fechar a qualquer risco. Se sua meta for transformar suas habilidades de sobrevivência em habilidades para prosperar, é importante aprender a correr riscos.

Riscos não são automaticamente perigosos; são automaticamente incertos. Para correr algum risco, é preciso abrir mão da previsibilidade. Desapegar da previsibilidade é uma tarefa ambiciosa por dois motivos: em primeiro lugar, faz com que você sinta que está perdendo o controle (porque você está mesmo, o que é uma coisa boa); em segundo lugar, é preciso um esforço contínuo para abrir mão do familiar e tentar algo novo. Pelo menos de início, isso faz com que seja preciso processar muito mais informações: "Gosto disso? É o que eu quero? É quem sou? Está funcionando para mim? Estou mais feliz agora? Eu deveria estar chorando? O que isso está fazendo com meus relacionamentos? Como afeta meu trabalho? Vale meu desconforto? Tem compensações? O que está acontecendo?".

No pano de fundo desse cálculo psicológico está o reflexo evolutivo de voltar ao familiar. Não precisar processar informações novas é um incentivo para se envolver numa dinâmica que já é conhecida para você. É como chegar ao destino do Uber sem ter de lidar com a questão do pagamento: a experiência atrai porque é simplificada.

Seu cérebro gosta de simplificações; portanto, você gravita em torno do familiar mesmo quando sabe que isso a prejudica. Seu cérebro se aferra à ideia de que é melhor manter as coisas como estão, ainda que ruins, do que passar pela incerteza.

A facilidade sedutora que acompanha o familiar é um ruído de fundo constante durante seu processo de cura. Você não quer voltar a como era antes, mas a familiaridade faz com que você se sinta em casa quando está num território novo e desconhecido. Essa sensação de estar em casa pode ser real, mas não quando o que é familiar também é o que vem prejudicando você.

Não é preciso abandonar tudo que te traz conforto para se curar. O que é preciso é saber diferenciar entre o "familiar bom" e o "familiar ruim", porque ambos são profundamente reconfortantes, e portanto irão atraí-la.

Quanto mais estressada você está, mais difícil é diferenciar o familiar bom e o familiar ruim; tudo que você registra é o conforto. Quando sua resposta ao estresse é ativada, a reação a qualquer coisa que pareça familiar é: "Pronto, era exatamente disso que eu estava precisando, graças a Deus".

É especialmente fácil para perfeccionistas justificar a gratificação imediata da familiaridade que não é saudável, porque fazer isso não parece uma forma de relaxar; parece que é um meio de dar ainda mais duro.

Perfeccionistas parisienses se esforçam mais pelos outros em detrimento das suas próprias necessidades. Perfeccionistas intensas aplicam força bruta ao trabalho, dedicando-se mais horas e descansando menos, ignorando a lei dos rendimentos decrescentes e o risco de esgotamento total. Perfeccionistas procrastinadoras planejam fazer um plano para aprender a melhor maneira de planejar. Perfeccionistas caóticas ficam trocando de prioridade o tempo todo, de um jeito que só pode terminar mal. Perfeccionistas clássicas estruturam cada espaço disponível que encontram, inclusive aqueles que deveriam ser um respiro.

Abrir mão da gratificação imediata associada à familiaridade ruim é apenas o começo. Também é preciso abrir mão do resultado dos seus esforços.

ESFORÇO BASEADO NO MEDO

Passamos a vida confrontando dois medos que se alternam:

Nunca vou conseguir o que eu quero.
Vou perder o que tenho.

O que esses medos têm em comum é o fato de se basearem num resultado futuro. Há inúmeros fatores agindo, fatores impossíveis de se prever, pois ninguém consegue ser bem-sucedido em manipular todos os resultados a seu favor. Em outras palavras, não se pode controlar o futuro. Quem não consegue abrir mão do apego ao resultado passa a vida alternando entre um medo e outro.

Operar num estado de medo crônico é inútil. Estilos de vida baseados no medo são uma luta perpétua, um ciclo estonteante, um círculo de fogo. Para sair desse ciclo, é preciso entrar no momento presente. E isso é feito abrindo mão do resultado futuro e se concentrando no que está fazendo *agora* — o que também é conhecido como *envolvimento com o processo*.

Para a maior parte das perfeccionistas, desapegar-se da ideia de ganhar ou perder para se concentrar "no processo" de início parece uma apatia repugnante. Não compreendemos as alternativas — então não devemos mais nos importar se atingimos ou não nossos objetivos? Então como exatamente vamos nos ocupar? Substituindo o desodorante por óleos essenciais e nos integrando à natureza? "Não, obrigada, prefiro o círculo de fogo", pensamos.

Abrir mão do resultado não significa parar de se importar com seus objetivos, pois é claro que nos importamos. Estabelecer metas não é o problema. O problema surge quando relacionamos nossa alegria a um resultado futuro: "Vou ser feliz quando conseguir isso", ou "Vou ser feliz se puder manter isso".

Você nunca vai viver o futuro; estará sempre no momento presente. Se esperar o futuro para ficar feliz, nunca ficará feliz.

Um motivo importante para resistirmos a abrir mão do resultado é o fato de não querermos fracassar. E não queremos fracassar porque não queremos ser um fracasso, mas há uma grande diferença entre dizer "Fracassei" e "Sou um fracasso". O primeiro descreve um evento, o último descreve uma identidade. É impossível controlar o resultado dos seus esforços, mas você tem o poder de escolher como dar valor ao fracasso.

FRACASSE ADIANTE

Quando permite que contratempos, rejeição, atraso ou o que quer que considere fracasso sirvam como uma explicação sobre quem você é, fica difícil avançar, porque você para de acreditar em si mesma. Você se tira da mentalidade de crescimento. Quando você está num espaço desadaptativo, o fracasso tem a palavra final quanto ao que é possível.

Quando você *não* permite que a rejeição, o atraso ou o fracasso sirvam como uma explicação sobre quem você é, fica fácil avançar, pois você ainda acredita em si mesma. Você passa por cima do fracasso como se fosse um cão dormindo e segue em frente. Quando está num espaço adaptativo, não dá nenhum poder ao fracasso. Não apenas ele não tem a palavra final como não tem direito a opinião.

Fracassar adiante significa permitir a si mesma crescer a partir de uma falha e tentar de novo a partir desse estado de expansão recém-descoberto. Você se envolve com o processo e desfruta e aprende com sua experiência, em vez de ficar esperando fazer isso com a glória de uma vitória futura.

Mas como?

Como fazer a escolha de alterar o foco do resultado para o processo?

Para se concentrar no processo, é preciso começar a honrá-lo. Isso pode ser dividido em duas partes: reconhecimento e celebração.

HONRANDO O PROCESSO ATRAVÉS DO RECONHECIMENTO

Há inúmeras maneiras através das quais as pessoas tentam nos ensinar que a jornada é o destino, mas não nos importamos, pois perfeccionistas querem vencer. Nós nos concentramos em conquistar resultados, porque achamos que isso vai nos fazer felizes. Quer ouvir a notícia ruim ou a péssima primeiro?

A notícia ruim é que chegar a um resultado específico (um prêmio, uma promoção, um relacionamento etc.) não vai te fazer feliz. O que nos faz felizes é a construção de sentido, não a aquisição momentânea. A notícia péssima é que passar pelo processo faz com que você se sinta pior por causa de toda a pressão que usa para atingir seus objetivos como sua única fonte de felicidade, e atingir o objetivo nunca poderá compensar o fato de que você não sentiu nenhuma alegria ou conexão durante todo o tempo em que o perseguiu.

Quando você se concentra no processo, o foco são as vitórias que estão acontecendo agora. O foco é o que está pronto para ser desfrutado agora. O reconhecimento dá poder porque alarga sua perspectiva, gera positividade e ajuda a ampliar e construir. Por exemplo, se fôssemos reconhecer o processo em que estamos no momento, seria mais ou menos assim:

Preocupar-se com se tornar seu eu mais autêntico e agir para isso são duas coisas diferentes. Ler este livro é prova de que você chegou ao cruzamento entre a preocupação e o envolvimento ativo, o que é um marco. Milhões de pessoas empacam tentando chegar ao lugar onde você está agora. É uma coisa importante. Todos os grandes processos começam e se sustentam com o que você está fazendo agora, que é dar um passo à frente.

Você trabalhou duro para chegar até aqui. Assumiu a difícil tarefa de ser honesta em relação ao que não está funcionando para você. Dizimou sua tolerância em relação às bobagens pelas quais esperava alegremente na fila. Foram muitos os desafios que teve de superar para conseguir chegar ao você que está aqui agora, lendo este livro. Você aprendeu algumas lições tão bem que até esqueceu que já teve dificuldade com elas. Reconhecer o processo exige que você dê crédito a si mesma pelo trabalho que realizou para chegar aonde está agora.

Pense em quem você era cinco anos atrás e no quanto cresceu desde então. Se pudesse voltar no tempo e transplantar seu cérebro e tudo que aprendeu para sua versão de cinco anos atrás, ela ficaria espantada. O que costumava ser seu teto agora é seu chão. Você boia em águas em que antes costumava se debater.

Consegue enxergar o quanto avançou? A experiência valiosa que adquiriu? Consegue valorizar o desconforto e a introspecção passados?

Compreende quanta força e coragem são necessárias para persistir contra tudo com o que teve de lidar para chegar ao lugar onde está agora? É possível que já esteja do outro lado do muro que ficou tanto tempo tentando descobrir como pular?

Há mais trabalho adiante? Sim. Não importa o que já fizeram, pessoas ambiciosas sempre vão ver à sua frente mais trabalho do que ficou para trás — é isso que as torna ambiciosas.

É impossível ser perfeccionista sem ser ambicioso. Essa noção que você carrega consigo em segredo, de que ainda há muito a fazer, de que nunca vai terminar, de que faz tanto tempo que você vem trabalhando no seu desenvolvimento mas continua sentindo que mal fez cosquinha, isso tudo é ambição, e não fracasso.

Num mundo onde nos ensinam a nos manter pequenas e sempre duvidar de nós mesmas, é notável que você esteja procurando maneiras de prosperar em vez de procurar maneiras de se destruir. Neste segundo mesmo, você está escolhendo ativamente se concentrar na possibilidade; por isso escolheu ler este livro em vez de fazer os dez milhões de outras coisas que poderia estar fazendo. Seu estado de consciência é uma vitória por si só, que ninguém mais poderia lhe conceder e que ninguém mais pode tirar de você. Abandone os pensamentos negativos a seu próprio respeito e ouse se impressionar com você tal como é, neste momento.

A celebração completa o ciclo de honrar o processo.

HONRANDO O PROCESSO ATRAVÉS DA CELEBRAÇÃO

É fácil pensar na celebração como um ato dispensável ou indulgente, mas, na ausência da celebração, algo importante se perde. Os microrrituais envolvidos na celebração (receber um convite, produzir-se, brindar, tirar fotos) servem como âncoras que nos conectam com a alegria e o ímpeto da vida. Sem âncoras, afundamos.

Na ausência de celebração, a sensação de alegria que nos faz atravessar as estações começa a esmaecer. Nossa habilidade de processar mudanças de modo individual e coletivo é interrompida. A pandemia entregou essa lição na porta de cada um de nós. Quando nossa capacidade de nos reunir em segurança foi perdida, lutamos instintivamente para celebrar, porque, no fundo, compreendemos como isso é importante. Sempre vou me lembrar das placas que as pessoas deixavam no jardim, dizendo: "Buzine para nosso formando do ensino médio! Turma de 2020".

Além de nos ajudar a processar emocionalmente a evolução da vida, celebrar também aumenta a gratidão, pois reconhecemos nossa alegria com o que está acontecendo. Todo mundo sabe que aumentar nossa gratidão nos deixa mais felizes, mas celebrar também contribui para a felicidade porque dá a oportunidade de reconhecermos todas as pessoas que nos ajudaram e continuam a ajudar ao longo do caminho. O reforço do apoio e da conexão é um componente significativo e muitas vezes negligenciado da celebração.

Formaturas, aniversários, open houses, casamentos — tudo isso ajuda a anunciar o quanto um marco (o começo ou o fim de um processo) significa pra nós. Mas e quanto aos pontos no meio do processo? Em geral, é justo quando mais precisamos de conexão, reconhecimento, apoio e incentivo.

Não existem cartões comemorativos para as metas pessoais em que você dedica tanto de si mesma. Quando você leva uma vida definida nos próprios termos, é preciso fincar uma estaca no chão e dizer: "Isso é importante. Isso é muito importante!".

O meio do processo é invisível, silencioso. Se você não faz um pouco de barulho e dá visibilidade a ele através da celebração, o processo passa despercebido. E não só despercebido pelos outros, mas por você também. Ninguém, por exemplo, vai parar na sua mesa no trabalho e dizer: "Ei! Você se saiu muito bem reduzindo seu gasto no cartão de crédito em 12% no ano passado! A gente devia sair e beber alguma coisa para comemorar seu compromisso minucioso e constante com a liberdade financeira".

É você mesma quem precisa iniciar a celebração do meio do processo. É como perfeccionistas adaptativas vivem — convidando a alegria, a conexão, o apoio e a gratidão para sua vida *durante* o processo, e não apenas depois da vitória.

Enquanto eu estava escrevendo este livro e ele existia apenas como um documento de Word não concluído, levei minha filha, Abigail, a uma loja de artigos para festas. Com as vacinas, o mundo estava voltando a se abrir. Eu disse a ela que íamos ter uma festança, "você, eu e o papai".

Sempre que deseja descrever a quantidade máxima do que quer que seja, Abigail diz: "Todos os números e letras". Ela tem três anos, tudo que sabe é que existem *muitos* números e letras. Abigail perguntou se a festa ia ter "todos os números e letras de diversão". Eu disse a ela: "Com certeza". Minha filha começou a pular, abraçada à minha perna. A festa estava marcada.

Eu disse que precisávamos de plaquinhas especiais, confete, bexigas — tudo de mais divertido. Alguns minutos depois, enquanto experimentávamos cartolas de plástico, ela me perguntou: "É meu aniversário, mamãe?".

"Não, não é seu aniversário", eu disse. "É seu aniversário? Ou o do papai?", insistiu. Eu me abaixei para olhar nos olhos dela, abri um sorrisão apesar da máscara que usava e disse: "Sabe por que vamos comemorar? Porque a mamãe está se esforçando muito para fazer uma coisa. Vamos fazer uma festa por esse esforço!". Ela se iluminou com aquela alegria pura de uma criança de três anos de idade e pegou um rolo de papel crepom cor-de-rosa.

Esforçar-se muito por alguma coisa é um excelente motivo para comemorar, não que você precise de um. Certa tarde, uma cliente que é uma perfeccionista clássica compartilhou numa sessão que faz um exercício similar a um que faço também — ambas mantemos uma lista de coisas que gostamos de ver. Sendo uma perfeccionista clássica, claro que ela deu o nome perfeito de "Lista do Coração".

Na minha Lista do Coração, em algum lugar entre galhos de árvore balançando e pessoas conversando com seus cachorros como se eles fossem humanos, aparece: "Bexigas dizendo 'porque sim'". Naqueles momentos de verdadeira confusão, quando você não sabe se está começando ou terminando algo, vencendo ou perdendo, ou o que a palavra "processo" significa, convide ativamente a alegria a entrar na sua vida. Peque pelo excesso de "porque sim".

Sem querer, uma celebração inunda o momento de gratidão e reconhecimento e desperta você para a alegria na sua vida. Quando se trata de convidar a alegria a entrar, vale tudo. Uma celebração não precisa ser uma festa, não exige dinheiro ou mesmo outra pessoa.

Você pode desfrutar de um momento de celebração tranquilo a sós preparando uma refeição nutritiva para si mesma. Pode sair para caminhar com uma amiga. Pode fazer um churrascão no quintal, nadar no mar, usar batom vermelho, ir ao cinema, vestir algo chique que estava guardando. Como dizem: "Não economize nada para uma ocasião especial; estar vivo é ocasião especial o bastante".

Levar uma vida definida nos seus próprios termos significa que você é quem decide o que é sucesso no seu caso, e você é quem decide como e quando celebrar esse sucesso.

Algumas pessoas não gostam de comemorar durante o processo porque não querem atrair o azar. Não querem estragar suas chances de atingir o resultado curtindo o momento "cedo demais".

Talvez seja o que mais esquecemos: nada é garantido na vida. Se celebrássemos apenas aquilo de que temos certeza, aquilo que sabemos que jamais vamos perder, nunca haveria motivo de celebração. Ninguém tem nada oficialmente.

Muitas vezes, escolhemos não comemorar "cedo demais" como maneira de nos proteger da dor. Você tenta controlar a alegria que sente agora para poder controlar a perda a ser absorvida mais tarde.

Nunca trabalhei com alguém que dissesse: "Bom, tinha essa coisa importante que eu queria muito, mas por sorte não me deixei levar pela animação, então agora não estou sofrendo. Não sei nem sobre o que falar hoje". A dor vem de qualquer maneira.

Não dá para controlar a dor tirando a alegria da sua vida. Simplesmente não dá para controlar a dor, e ponto final.

Abordar a dor de uma posição de poder é reconhecer que a alegria não precisa ser autenticada por um marcador externo antes que você tenha permissão de senti-la oficialmente. Os momentos positivos que estão acontecendo na sua vida agora são reais. Se vão permanecer ou passar, isso não os torna menos reais agora. Fora que os momentos positivos não precisam estar relacionados a conquistas; podem ser tão simples quanto o primeiro gole de uma bebida quente pela manhã. Qualquer coisa que esteja na sua Lista do Coração conta.

Tire da cabeça a ideia de que a única maneira de crescer é através do sofrimento. Você também pode crescer através da alegria. "Fazer o trabalho necessário" não envolve apenas aprender a reconhecer nossa tristeza, raiva e angústia e falar a respeito. Tem a ver na mesma medida (se não mais) com aprender a reconhecer nossa alegria, falar dela e celebrá-la. Com muita frequência, esse é um trabalho ainda mais desafiador, o que é especialmente verdade para perfeccionistas.

Comemorar é importante, você é importante, o que está fazendo é importante. Os projetos e relacionamentos em que vem trabalhando são importantes, não apenas porque levarão ao resultado desejado, mas porque você os considerou dignos do seu tempo e da sua energia, que são preciosos. É isso que significa levar uma vida definida nos seus próprios termos — compreender que seja o que for que escolher valorizar é valioso, e o que quer que decida que é importante é digno de importância.

Pense como sua vida seria se a vitória fosse sentida ao longo do processo, se as conquistas validadas externamente fossem apenas um símbolo sentimental, se o fracasso não existisse na sua mente.

CONTRATEMPOS IMPREVISTOS

Um processo pode envolver meses, anos, às vezes *décadas* de passos adiante para alcançarmos determinada visão. Em meio a qualquer processo, há sempre algo se quebrando e precisando de reparos.

Se você acha que o fato de algo estar sempre se quebrando e precisando de reparos tem alguma coisa a ver com você, precisa parar de pensar em si mesma — e digo isso com todo o amor. O mundo não gira à sua volta. Sem exceção, todo mundo passa por contratempos imprevistos, de maior e menor importância.

Incorporar seu poder, abrir mão, fracassar adiante e encarar o imprevisto exige que você aprimore seus instintos e esclareça suas intenções.

ACESSANDO SEU INSTINTO

Quando se trata de levar uma vida definida nos próprios termos, seu instinto é o maior guia. Às vezes, confundimos sentimentos e instinto, mas não se trata da mesma coisa e não deveríamos dar o mesmo peso a ambos no processo de tomada de decisões. Instinto e sentimentos devem ter voz ativa, mas apenas o instinto deve ter poder de veto.

Sentimentos são efêmeros e se deixam levar facilmente pelas circunstâncias externas mais básicas — um dia de chuva, estar com fome ou calor, receber uma amostra grátis. O instinto é incorruptível. Não muda com base no ambiente em que você estiver, no seu humor ou nível de energia.

Vamos dizer, por exemplo, que você sabe que precisa sair de um emprego tóxico por causa do ambiente incontrolavelmente estressante e disfuncional.* Então a empresa faz um dia de festa para os funcionários, oferecendo um almoço delicioso num restaurante novo seguido por um passeio divertido. Seus sentimentos começam a dizer: "Ei, não é um emprego tão ruim assim. Talvez eu possa ficar um pouco mais, estou gostando disso". Seu instinto, no entanto, não vai se deixar abalar.

Seu instinto nunca mente. Preste atenção às mensagens que não mudam; elas vêm do seu instinto.

Glamourizamos instintos quando imaginamos que eles só vêm num "sim ou não" claro. Às vezes, seu instinto lhe diz para esperar para ver, para ir devagar, para avançar alguns centímetros e conseguir olhar além da esquina. Quando seus instintos lhe dizem para se dar mais tempo antes de tomar uma decisão, pode parecer que você está sendo passiva. Paciência, no entanto, não é passividade.

Saber que você precisa fazer alguma coisa e saber o que exatamente tem de fazer são duas coisas diferentes; a consciência de ambos nos atinge ao mesmo tempo apenas nas circunstâncias mais desafortunadas. Seu instinto dizer que você não está pronta para se decidir é tão válido e vital quanto seu instinto transmitir um sim ou um não firmes.

Não se pode forçar clareza mental fazendo uma lista de prós e contras pela vigésima vez. Momentos de ambiguidade são um convite para confiar em si mesma. Se você está em contato constante consigo, vai saber quando a coisa certa a fazer se tornar clara. Como o poeta W. H. Auden escreveu: "A verdade, como o amor e o sono, se ressente de abordagens muito intensas".

---

*Um trabalho, uma pessoa ou uma situação não precisam ser tóxicos ou abusivos para que você vá embora. Às vezes, você simplesmente sabe que não são para você.

Outras vezes, seu instinto lhe diz do que você precisa se afastar, mas não parece interessado em lhe dar qualquer orientação quanto a em que direção deve seguir. É frustrante não ter um caminho claro à frente, mas mesmo nesses momentos o instinto ainda é útil. É possível saber uma coisa mesmo sem ser capaz de nomeá-la.

Por exemplo, talvez você não recorde o nome do restaurante italiano a que foi no mês passado, mas lembraria se alguém o mencionasse. Quando uma amiga pergunta: "Foi o Celeste?", você responde: "Não, foi outro...". "Foi o Brigante?", ela sugere. "Não, não foi esse também", você diz. Ter algo na ponta da língua não deixa de ser útil, porque lhe permite reconhecer de imediato a resposta errada.

Quando você não souber a resposta certa, use seu instinto para identificar as respostas erradas e se afastar delas. Afaste-se daquela pessoa que sempre a deixa com uma sensação desconfortável. Afaste-se de passar o tempo de maneiras que não façam sentido para você. Afaste-se de gastar sua energia sem reciprocidade.

Se concentrar naquilo de que precisa se afastar pode dar a impressão de que você está num espaço negativo, mas não devemos confundir honestidade com negatividade. Quanto mais você se distancia dos caminhos errados, mais provável fica que venha a topar com os certos.

Tudo bem descobrir o que é certo para você por acaso; é assim que muita gente descobre o que é certo para elas. Se você acha que as outras pessoas estão se saindo bem e voando graciosamente na noite sagrada alinhadas com a lua, está enganada. Quando se trata de encontrar a vida certa para nós, todo mundo tem dois pés esquerdos, até não ter mais.

Algumas pessoas estão sabendo quem são e seguindo nessa direção. Outras estão sabendo quem não são e se afastando disso. Muitas trabalhamos a vida toda com uma combinação dessas duas coisas.

Ouvir seu instinto quando ele fala baixinho com você sobre coisas pequenas é tão vital quanto ouvir quando ele grita com você sobre coisas importantes. Seu instinto não funciona de maneira hierárquica. Quanto mais você o honra, mais profundamente se cura.

Só você pode honrar seu instinto, porque só você pode ouvi-lo. Ter acesso ao seu instinto te torna a especialista mais qualificada no seu verdadeiro eu. Ninguém sabe o que você sabe; *precisa ser você*.

Abrir mão do controle e assumir seu poder é como trocar a pergunta "O que devo fazer?" por "O que meu instinto está me dizendo em relação a isso?".

ESCLAREÇA SUAS INTENÇÕES

As intenções moldam sua vida. Enquanto um objetivo representa uma demarcação clara de conquista quantificável, uma intenção é mais sofisticada. Intenções se expressam não através do que você faz, mas através de como faz, não se você faz, mas em por que faz. A intenção é a energia e o propósito por trás do seu esforço; o objetivo é aquilo pelo que você se esforça.

Intenções podem estar ou não relacionadas a objetivos, e vice-versa. Por exemplo, tornar-se uma atriz remunerada é um objetivo. Convidar os outros a aumentar sua capacidade de ser empáticos é uma intenção. É possível ser uma atriz remunerada sem intenção, apenas aceitando qualquer papel pago; você poderia passar o resto da vida fazendo comerciais de pasta de dente. É possível ser uma atriz remunerada com a intenção de convidar os outros a aumentar sua capacidade de ser empáticos concentrando-se em papéis em que procura incorporar a personagem de maneira que o público sinta o que ela sente.

Também é possível honrar sua intenção sem atingir seu objetivo — ou mesmo sem ter um objetivo — usando sua vida cotidiana para transmitir sua intenção. Por exemplo, talvez você nunca faça um enorme sucesso como atriz, mas encontre alegria no fato de ter descoberto uma maneira de honrar a intenção que a motivou a entrar nessa carreira.

Outra maneira de dizer que você está honrando sua intenção é dialogando consistentemente com seus valores. Se você tem a gentileza como valor, não é gentil apenas quando as pessoas estão olhando, e sim o tempo todo. Não é gentil para ser reconhecida por isso e não precisa de validação externa; você sabe que é gentil.

Se houvesse um prêmio exclusivo dado a uma única pessoa ao ano por sua gentileza e essa pessoa fosse você, isso seria ao mesmo tempo ótimo e nem um pouco importante para você. Quando se opera de um espaço intencional, a fonte primária da recompensa está em honrar a intenção, e não em receber crédito por ela.

Quando você define uma intenção, oferece a si mesma uma maneira de sentir sucesso, satisfação e prazer durante o processo, e não apenas depois que um objetivo for atingido.

Uma diferença-chave entre perfeccionistas adaptativas e desadaptativas (e alguns teóricos acreditam que essa seja *a* diferença-chave) é que as adaptativas encontram uma maneira de desfrutar do processo de empenho rumo a um objetivo, o que não é o caso das desadaptativas. Talvez isso aconteça porque as perfeccionistas adaptativas estabelecem intenções e metas, enquanto as desadaptativas só estabelecem objetivos.

Quando você só estabelece um objetivo, ganha num único dia: o dia em que o conquista. Quando você estabelece uma intenção, ganha desde o primeiro dia, porque sempre tem a oportunidade de honrar sua intenção.

Pessoas que não estabelecem intenções fazem qualquer coisa para atingir seus objetivos, depois definem seu comportamento como "ambicioso". Isso não acontece porque elas são terríveis, e sim porque estão desesperadas por validação. Seguir sua ambição e fugir do desespero não são a mesma coisa.

Se uma perfeccionista adaptativa não pode atingir o objetivo sem honrar a intenção, prefere não atingi-lo, porque não vale a pena. Abandonar um objetivo pode parecer uma derrota, mas pense melhor a respeito.

Ignoramos nosso instinto e deixamos de imbuir nossa vida de intenção muito antes de desistirmos de tentar atingir um objetivo que acabamos descobrindo que não pode ser atingido sem nos prejudicar. E para quê? Para que os outros não nos vejam como um fracasso, como alguém que desiste fácil?

Não há outra maneira de chegar à altura do seu potencial se não nos seus próprios termos. Abrir mão de um objetivo que não está alinhado com seus valores não é desistir por desistir, é uma desistência a partir de um lugar de poder. É como quando sua melhor amiga finalmente termina com o namorado péssimo que dormiu com a colega de quarto dela e roubou todos os seus móveis. Ela não está perdendo: está ganhando. Todo mundo fica feliz ao ouvir a notícia — o dia da glória chegou. Sim, ela abriu mão de algo que não tinha como fazer funcionar. Não, isso não é um fracasso.

Desistir a partir de um lugar de poder é importante. Se você nunca faz isso, é melhor pensar a respeito.

Para perfeccionistas adaptativas, o sucesso não é definido ganhando ou perdendo, ficando ou partindo, seguindo em frente ou desistindo. O sucesso é vivenciado como um estado interno. Quando determinam seu nível de sucesso, perfeccionistas desadaptativas perguntam: "Estou atingindo meus objetivos?". Perfeccionistas adaptativas perguntam: "Estou vivendo de acordo com minhas intenções?".

Quanto mais específica você conseguir ser em relação à intenção por trás das suas ações, maior a probabilidade de que viva de acordo com o sentido que impulsiona sua intenção. Note a diferença entre as seguintes intenções gerais e específicas:

A) "Vou para casa às seis da tarde para ficar com minha família."
B) "Vou para casa às seis da tarde para cultivar lembranças divertidas com meus filhos."

Sentidos não são atribuídos automaticamente; eles vêm quando compreendemos o que é importante para nós. É possível elaborar sua ideia de sucesso a partir do que é importante para você ou do que é importante para outras pessoas, que não têm acesso à sua mente, ao seu coração, à sua vida. O poder de honrar o que lhe dá sentido é seu.

TENHA COMPAIXÃO POR SI MESMA, INDEPENDENTE DE QUALQUER COISA

Todo mundo precisa de compaixão. Não dá para controlar se os outros sentem compaixão por você ou não, mas você tem o poder de sentir compaixão por si mesma. Exercer a autocompaixão é um dos nossos maiores poderes, e vai mudar sua vida. Quando você aprende a ter compaixão por si mesma independente de qualquer coisa, carrega segurança consigo aonde quer que vá.

Perfeccionistas consideram a ênfase na autocompaixão algo supérfluo, tipo "Tá, seja mais legal com você mesma, já entendi". Estamos prontas para a solução *de verdade*. Operamos inconscientemente sobre a falsa crença de que aprendemos mais através da punição e do sofrimento do que através da compaixão e da alegria, e não compreendemos que a autocompaixão é a solução *de verdade*.

Autocompaixão não é dizer a si mesma "Tudo bem, não tem problema" quando as coisas não estão bem e tem problema sim. Chamo esse tipo de tranquilização genérica de "agrado emocional". A sensação do agrado emocional não é boa, pois sabemos que não é a verdade. A autocompaixão é honesta. A autocompaixão traz alívio real.

A dra. Kristin Neff é para a autocompaixão o que a dra. Brené Brown é para a vulnerabilidade. Pioneira no seu campo, Neff escreveu um livro sobre autocompaixão (na verdade, vários) e foi a primeira a analisá-la de um ponto de vista empírico. Ela começa sua definição da autocompaixão assim: "Autocompaixão envolve ser calorosas e compreensivas conosco quando sofremos, fracassamos ou nos sentimos inadequadas, em vez de ignorar a dor ou nos autoflagelar com autocrítica".[1] De acordo com Neff, há três componentes críticos na autocompaixão: autobondade, humanidade comum e atenção plena.

AUTOBONDADE

Para praticar autobondade em vez de se julgar, se criticar ou sentir pena de si mesma, Neff diz que primeiro é preciso reconhecer que está sofrendo. Em vez de se concentrar no erro, é preciso reconhecer que a dor é o principal problema. Como Neff explica: "Não temos como ignorar a dor e sentir compaixão por ela ao mesmo tempo".[2]

Uma das tarefas mais básicas dos terapeutas envolve oferecer permissões simples:

Você tem o direito de ficar brava com isso.
Você tem o direito de ainda sentir falta deles.
Você tem o direito de não se importar mais.

A autocompaixão começa com você se dando permissão para ir ao encontro do que sente. Depois de reconhecer que está sofrendo, você precisa responder à dor com gentileza em vez de críticas.

Sim, suas escolhas podem ter contribuído para a dor que sente agora — talvez você tenha certeza de que, o que quer que esteja vivendo, é tudo culpa sua. Mas não importa de quem é a culpa. Atribuir culpa é uma distração nesse caso.

Como deve se lembrar do capítulo anterior, você procura um culpado porque luta contra algo que é difícil sentir e tenta se livrar da dor. Paradoxalmente, dar-se permissão para sentir dor é o que traz alívio dela.

"Compaixão" significa "sofrer com": a palavra vem da combinação da raiz latina *com* e *pati* (sofrer). Quando sentimos compaixão pela situação de uma pessoa, é porque nos identificamos com ela de alguma forma. Nós nos permitimos nos conectar com sua dor e a vemos como uma pessoa completa que, de muitas maneiras, é como nós. Ficamos motivadas a ajudar precisamente por causa dessa conexão — sofremos *com* a pessoa, e ajudá-la na verdade nos ajuda também.

Sentir-se mal pelas pessoas sem procurar compreendê-las ou se conectar com elas não é compaixão; a compaixão é ativa, enquanto a pena é passiva. Você tem pena de alguém quando vê a situação negativa em que se encontra e pensa: "Isso nunca vai acontecer comigo". A pena é o lado educado do julgamento. Ninguém quer ser alvo de pena, ninguém quer ser tratado dessa maneira, porque ninguém quer ser julgado como inferior.

A autocompaixão e a pena de si próprio funcionam da mesma maneira que a compaixão e a pena que sentimos pelos outros. A autocompaixão faz com que você se sinta compreendida e fortalecida; a pena de si própria faz com que se sinta impotente e patética.

A autocompaixão exige gentileza. Gentileza envolve agir com generosidade e sem segundas intenções. Gentileza não é: "Decidi ser boa com você, então é melhor estar com um humor melhor hoje à noite". Gentileza é apenas: "Decidi ser boa com você".

Gentileza é uma escolha poderosa, porque desarma nossos mecanismos de defesa e nos ajuda a ampliar e construir um caminho adiante. Pense na última vez que alguém foi gentil com você — não apenas educado, mas gentil. Pense em como essa gentileza fez algo dentro de você derreter. Você merece se sentir dessa maneira agora.

Pessoas emocionalmente maduras reconhecem que a maneira como se tratam é uma escolha e se responsabilizam por essa escolha. Se você não escolhe se tratar com gentileza, então o que está escolhendo?

HUMANIDADE COMUM

O segundo componente da autocompaixão, de acordo com Neff, é a humanidade comum, definida como "reconhecer que o sofrimento e a inadequação pessoal são parte da experiência humana compartilhada — algo pelo qual todos passamos, e não algo que acontece 'só comigo'".[3] Como a escritora Anne Lamott diz: "Todo mundo é ferrado, zoado, pegajoso e tem medo, mesmo as pessoas que parecem estar mais ou menos no controle. Elas são muito mais parecidas com você do que imagina".[4]

É fácil supor que algumas pessoas simplesmente não carregam "bagagem", ou, se fazem isso, não passa de uma malinha de mão. Todo mundo enfrenta dificuldades significativas. Ainda assim, quando somos nós que estamos assustadas, que somos pegajosas, que cometemos erros a cada instante, podemos nos sentir isoladas. Nossa dor não parece comum nesses momentos, e sim incomum.

As redes sociais exacerbam nossa percepção equivocada a ponto de chegar a um nível perigoso — todo mundo é feliz, bonita, está grávida, profissionalmente realizada, viaja o mundo e vive cercada por um monte de amigos. Não se vê nenhuma espinha, a irmã que convive com um transtorno bipolar não diagnosticado ou os casos que as pessoas têm para escapar de casamentos solitários. A violência doméstica é indetectável no Instagram, assim como um histórico de abuso sexual, pensamentos suicidas, infertilidade, ambivalência em relação a ser mãe ou pai, endividamento, convivência com doenças crônicas, ghosting, esgotamento do cuidador, qualquer tipo de vício, dificuldade de voltar a namorar depois de um divórcio, ódio do emprego — *a maior parte daquilo pelo que passamos é invisível.*

Abraçar nossa humanidade comum é compreender que todas convivemos com dor, todas ficamos perdidas, todas temos dramas familiares, todas temos muito acontecendo nos bastidores. Quanto mais você vê seus problemas como incomuns, isolados e pouco naturais, mais você se volta para a pena de si própria em vez da autocompaixão.

ATENÇÃO PLENA

O terceiro componente da autocompaixão é a atenção plena — sentir o que se está sentindo ao mesmo tempo que reconhece que você é mais do que sente. Como Neff explica: "A atenção plena exige que não nos identifiquemos em excesso com pensamentos e sentimentos, para não acabarmos presas e varridas pela reatividade negativa".[5]

Neff nos oferece a versão dos terapeutas para "viva, ria, ame": "Sentimentos não são fatos". Identificar-se de maneira insuficiente com suas emoções é problemático na mesma medida; reprimir o que sente em nome da atenção plena não leva à autocompaixão.

Pense na decepção, por exemplo, um sentimento muito familiar às perfeccionistas. Às vezes, parece que tudo e todos estão em falta. Isso porque às vezes tudo e todos estão em falta mesmo.

O que quer que você espere que a terapia, seus relacionamentos, uma frase motivacional, seus filhos, seu trabalho, seu carro, a família em que nasceu, a família que criou, suas férias ou mesmo os produtos que usa no cabelo lhe deem — o que quer que você deseja que essas partes grandes e pequenas da sua vida lhe deem —, em determinado momento não vai receber. Isso é inevitável. Você vai ficar decepcionada, insatisfeita e vai querer que a vida seja diferente do que é.

A decepção não vem porque você está fazendo algo errado; a decepção vem para todo mundo. A resposta com autocompaixão envolveria dar a si mesma permissão para se sentir decepcionada e reconhecer ao mesmo tempo que isso não é tudo que sente.

Nós perfeccionistas desperdiçamos muita energia tentando transformar a decepção em outra coisa. Insistimos em perguntar: "Como posso me livrar da minha decepção?", quando uma pergunta melhor seria: "O que mais estou sentindo?".

COMO PRATICAR AUTOCOMPAIXÃO SE VOCÊ NÃO SE TOLERA?

Todas precisamos de conexão. Vivenciar a desconexão é sofrer. Quando alguém sofre, a resposta compassiva universal é: "Você não está sozinho. Estou aqui". Note que a resposta não tem nada a ver com a pragmática de um problema. Uma resposta compassiva não é uma resposta que ofereça um plano ou enfatize uma forma de controlar a situação. Uma resposta compassiva é uma resposta que estabelece uma conexão.

Note também que uma resposta compassiva não tem a ver com amar ou gostar de alguém. Essa é uma distinção importante entre a autocompaixão e o amor-próprio.

Quando você estende sua compaixão a outra pessoa, não está declarando: "Eu te amo, gosto de você, te acho divertida, charmosa, seu cabelo fica bom assim, sinto o que você sente com você". Só está dizendo a última parte: "Sinto o que você sente com você". Uma resposta compassiva diz: "Estou com você".

Autocompaixão não significa se esforçar para gostar de

alguém nem mesmo amar uma pessoa. Autocompaixão é uma habilidade de resiliência que envolve reconhecer a dor, ter perspectiva e agir com gentileza. Mesmo que você se irrite profundamente, mesmo que não se tolere, ainda pode fazer essas três coisas.

Além disso, a autocompaixão não precisa envolver uma vistoria total da personalidade para ser efetiva. Quanta compaixão você oferece a si mesma não é proporcional ao nível de cura que será resultado disso. Oferecer um pouquinho só de empatia é como acender uma vela num quarto escuro — a chama diminuta percorre um longo caminho e ilumina todo o espaço. A autocompaixão pode envolver ser um pingo mais benevolente consigo mesma, por cinco segundos, sem nem precisar se levantar.

COMPAIXÃO INFORMADA PELO TRAUMA

O que as clientes cujo perfeccionismo se desenvolveu como um mecanismo de enfrentamento relacionado a um trauma de infância acabam reconhecendo é que, primeiro, a tática do controle (alto desempenho, agradar aos outros etc.), que lhes dava uma falsa sensação de poder quando crianças, é ilusória. Elas não tinham poder quando crianças; seu único recurso era sua imaginação fértil.

As crianças fingem ser onipotentes, invencíveis ou superficialmente perfeitas porque fingir é tudo que podem fazer.[6] Recolher-se à sua imaginação ou se dissociar de alguma forma é adaptativo em situações de impotência. No entanto, as mesmas respostas que eram adaptativas quando você era uma criança impotente se tornam desadaptativas mais adiante na vida, quando você passa a ter poder.

A segunda coisa que essas clientes acabam reconhecendo é que seu desejo nunca foi ser perfeita, e sim ser amada. Apenas ser vista, aceita e abraçada sem condições é a obsessão da criança, que agora é adulta — não a perfeição. Se você não se sentia emocionalmente segura ao crescer, desejava isso mais do que tudo. Mais do que qualquer brinquedo ou doce, mais do que uma casa grande ou roupas legais, o que inundava seus pensamentos, aquilo que você mais queria, era amor.

Você consegue aceitar essa realidade sem culpar ninguém por ela, incluindo seus pais? Incluindo a si mesma? Não estamos mais brincando de batata-quente com nossa dor, lembra? Não há agência na atribuição de culpa. Seu poder reside em praticar autocompaixão, depois se apropriar da sua vida neste momento.

As experiências pelas quais passou a tornaram hábil na desconexão, e não na conexão, e agora às vezes você tem dificuldade com isso. É compreensível. Não a torna ruim. Todo mundo tem algum tipo de dificuldade com alguma coisa. Não importa o que aconteceu, o que importa é o que você faz a respeito.

Passar de um modelo de desconexão a um modelo de conexão é como aprender um idioma novo. Se você se compromete com uma nova língua, ela se torna uma parte de quem você é; muda você e a maneira como vivencia o mundo. Aprender uma língua requer tempo.

É algo impossivelmente lento até a hora que não é mais. Pelo que parece ser uma eternidade, você vive a nova língua de fora para dentro. Caso continue comprometida, uma hora vai vivê-la de dentro para fora. Uma noite, vai sonhar nela; logo, estará contando piadas.

O compromisso com o idioma da conexão é mantido tanto praticando a autocompaixão quanto se cercando de pessoas fluentes nela.

E SE VOCÊ AINDA NÃO CONSEGUIR PRATICAR A AUTOCOMPAIXÃO MESMO DEPOIS DE SABER DE TUDO ISSO?

Vamos voltar a Ava. Conversamos por uns quinze minutos depois do grupo em que ela soltou a bomba no último minuto. Juntas, tentamos contato com quatro pessoas, na esperança de que alguém pudesse encontrá-la no centro de reabilitação, passar a noite com ela, ficar com ela ao telefone enquanto ia para casa, o que quer que fosse. Ninguém atendeu.

Passei-lhe o número de uma linha de apoio e conversamos sobre algumas comunidades na internet de pessoas em recuperação com que poderia se conectar imediatamente. Também disse que ia ligar para ver se estava tudo bem na manhã seguinte. Torcendo para que Ava visse as coisas da minha perspectiva aquela noite, fiz meu melhor para compartilhar minha visão honesta dela, que era bastante positiva. Ava disse que iria para casa, mas eu não tinha certeza daquilo. *Odiei* abrir a porta sem estar convencida de que ela ficaria bem.

Os outros membros do grupo estavam sentados no chão do corredor, esperando por Ava. Sem dizer uma palavra, transmitiam a mensagem de que estavam com ela. Essa demonstração visível de compaixão foi um momento muito poderoso para mim, que fez com que eu me sentisse melhor no mesmo instante. O momento também se provou poderoso para Ava, mas fazendo com que se sentisse pior no mesmo instante.

Envergonhada, Ava era incapaz de se abrir a qualquer compaixão. Vinda dela mesma, de mim, de quem quer que fosse. Já se sentia uma causa perdida. Agora, sentia que o grupo desperdiçava seu tempo com ela, o que exacerbava a ideia de que era um fardo para todo mundo. Exausta, ficou aflita e furiosa ao ver os companheiros no corredor. Sentia que agora lhes devia algo que era incapaz de entregar.

Ava não voltou para casa aquela noite se sentindo boa ou digna. Não entrou na banheira quente, tampouco bebeu mais. Pelo resto da noite e por muitos dias depois, permaneceu desconectada de si mesma. A autocompaixão parecia um luxo descabido, e Ava não a praticou. O que ela fez foi continuar escolhendo a conexão.

Ava escolheu a conexão quando optou por ir ao grupo, revelar seu consumo de álcool e ficar comigo depois que a reunião acabou. Muito embora tivesse ficado furiosa e permanecido em silêncio o caminho todo, Ava também escolheu a conexão ao permitir que alguém do grupo a acompanhasse até sua casa.

Na manhã seguinte, Ava escolheu a conexão outra vez (ainda que apenas brevemente) quando atendeu à minha ligação com um "Ainda me sinto péssima" e desligou na minha cara. Quando telefonei outra vez, ela atendeu de novo e permaneceu na linha.

Essa conexão toda não fez com que Ava se sentisse melhor na hora; na verdade, parecia superficial e inútil. Quando você não está conectada consigo mesma, pode parecer sem sentido se conectar com outros. Mas nunca é.

Ava superou a recaída permitindo a si mesma se conectar com os outros sem exigir que a conexão resultasse em mudança ou paz imediatas. Embora tivesse odiado na hora, ela agora considera o momento em que viu os companheiros do grupo no corredor como um dos gestos mais amorosos da sua vida. A conexão pode operar de maneira retroativa. Escolhas saudáveis que não a fazem sentir nada na hora podem ser as mesmas que a fazem se sentir segura, forte, alegre e grata depois.

Ter compaixão por si mesma não é uma chavinha que você pode simplesmente virar. Sei que pode ser difícil; às vezes, ter compaixão por si mesma parece impossível. Não dá para controlar quando esses momentos virão ou quanto vão durar, mas, como Ava, você pode escolher a conexão mesmo assim — você sempre tem o poder de escolher a conexão. Não é porque a conexão não surte efeito na hora que não vai funcionar retroativamente depois.

Procurar alguém não precisa ser algo muito dramático — pode ser apenas dizer: "Pode ficar comigo no telefone sem falar nada enquanto assistimos ao mesmo programa de TV?" ou "Pode me trazer comida?" ou "Pode me mandar um monte de memes bobos? Preciso dar uma aliviada no humor aqui". Com toda a certeza, você também pode ser mais explícita e dizer algo como "Está difícil, podemos conversar?", ou "Preciso de ajuda" ou "Acho que não devo ficar sozinha agora".

Você também pode se conectar de forma anônima ou menos direta, entrando para uma comunidade on-line, por exemplo. Relações parassociais são aquelas em que você se sente próxima de uma personagem ou figura pública que não conhece mas que lhe transmite um senso de conexão, apoio e conforto. Noticiários matinais e talk shows, por exemplo, precisam de apresentadores com quem seja fácil se conectar; essa conexão é parassocial.

Relações parassociais não substituem relacionamentos na vida real, mas ainda assim são conexões significativas. Quando você está se sentindo desconectada, pode acabar revendo programas a que já assistiu. Sempre recorro a *Fresh Prince of Bel-Air*, mas talvez você goste de *Friends*, *Grey's Anatomy*,

Saturday Night Live. Uma pesquisa demonstrou que somos atraídos por programas repetidos quando estamos para baixo porque assistir a eles aumenta a sensação de pertencimento e reduz a solidão; é a conexão parassocial nos reconfortando. Um estudo publicado no *Journal of Experimental Social Psychology* mostrou que assistir de novo ao seu programa preferido "protege contra abalos na autoestima e no humor e contra o aumento dos sentimentos de rejeição provocados por ameaças a relacionamentos próximos".[7] Outros exemplos de conexão parassocial incluem reler seu livro favorito, ouvir um podcast de alguém que você adore ou acessar o perfil no Instagram de uma figura pública que te inspira. Essa conexão conta. Há muitas oportunidades de conexão à sua volta.

Se não for possível de forma nenhuma entrar em contato com outra pessoa, atender à busca de alguém por conexão, conectar-se de maneira anônima ou indireta ou recorrer às relações parassociais, pare um momento.

Quero dizer duas coisas com isso. Em primeiro lugar, fique fisicamente parada por um momento. Quando explico isso para minhas clientes, o que costumo dizer é: "Às vezes, você só precisa parar o que está fazendo e se deitar no chão". Ou espalme as mãos sobre a mesa, a parede ou qualquer superfície plana. Ou ainda simplesmente endireite sua postura. Respire fundo e fique imóvel.

Em segundo lugar, perceba que você está num espaço liminar poderoso.

ESPAÇO LIMINAR

Liminar vem da raiz latina *limen*. (Eu sei, eu não deveria ter estudado latim.) Quando você se encontra num espaço liminar, encontra-se num estado de transição. Deixou um espaço e está perto da entrada do próximo, mas ainda não chegou lá.

Na arquitetura, um corredor é um espaço liminar. Na antropologia, a liminaridade é definida como "a qualidade de ambiguidade ou desorientação que ocorre no estágio intermediário de um rito de passagem, quando os participantes já não mantêm seu status pré-ritual mas ainda não começaram a transição para o status que terão quando o rito estiver completo".[8]

Na psicologia, espaços liminares dão a impressão de estarmos em dois lugares ao mesmo tempo, mas também em lugar nenhum. Com mais frequência, a segunda opção. Se você não sabe que espaços liminares existem, estar num deles pode fazer com que sinta que não pertence a lugar nenhum e fracassou. Não parece, mas você está à beira do precipício de uma versão mais consistentemente poderosa de si mesma.

O desafio principal num espaço liminar psicológico é se permitir se sentir vazia. Num espaço liminar, seu vazio e seu potencial são exatamente a mesma coisa. Quando você impede seu vazio de existir, você impede seu potencial de se desenvolver. A famosa frase de Lao-Tsé que reflete essa verdade serviu de título para meu primeiro blog: "A utilidade de uma panela vem do seu vazio". Está na cara que eu não entendia nada de otimização para mecanismos de busca.

É preciso ter trabalhado bastante o luto para se encontrar num espaço liminar. O luto é sempre o valor da entrada numa transição importante. É preciso abrir mão das partes suas que foram superadas, por isso o vazio.

Mas queremos nos sentir plenas, e não vazias.

O conceito de "comfort food", por exemplo, não é a comida que te dá mais energia e faz com que você se sinta mais leve e purificada; é a comida que te deixa cheia. O vazio não é reconfortante. Sentir-se vazia é anticlimático, monótono, silencioso. Na nossa vida de telas triplas, de Amazon Prime, somos compreensivelmente tão avessas a nos sentir vazias que fazemos praticamente qualquer coisa para nos encher, mesmo sabendo que isso nos prejudica.

Encontrar-se num espaço liminar é como estar numa sala de espera sem sinal de celular e sem nada pra fazer além de folhear revistas do ano passado. É relaxante por *no máximo* quatro minutos, depois você começa a ficar inquieta. A calma é incômoda. Você precisa de um toque de drama para "ocupar" sua atenção; quer que algo aconteça para "preencher" o tempo. O tédio é um ótimo sinal de que você se encontra num espaço liminar.

Espaços liminares são necessários para o crescimento pessoal. Quando você está num desses espaços, precisa se permitir existir entre as dicotomias, sem pôr pressão em si mesma para escolher um lado.

Para perfeccionistas que estão largando o controle e ganhando poder, isso é como se permitir estar no espaço de transição de não sentir mais que seu valor depende de validação externa *e ainda assim* não se sentir totalmente confiante de que é digna do amor, da alegria, liberdade e conexão que o mundo tem a oferecer.

Para acessar seu poder num espaço liminar, você precisa se lembrar de que não está se sentindo mal, vazia ou entediada sem motivo e de maneira passiva. Está escolhendo *ativamente* se manter firme no limiar de um eu mais autêntico e vasto. Não recue quando chegar ao espaço liminar. Ou, como dizem na reabilitação: "Não desista cinco minutos antes que o milagre aconteça".

Em resumo, não é porque você não consegue se convencer a entrar na banheira quente que precisa se destruir. Estenda a mão. Espere um momento. Como o poeta e filósofo Mark Nepo disse lindamente:

Viva inteiramente suas preocupações
e seu espírito despertará da sua febre
e você desejará o conforto da companhia.

Praticar a autocompaixão é a oportunidade de uma vida. E essa oportunidade está sempre à mão, porque a escolha é sempre sua. Tratar-se com compaixão em vez de se punir não é algo que você escolhe e pronto. A escolha precisa ser feita repetidamente, a vida inteira.

Às vezes, escolher a autocompaixão é tão fácil quanto se deitar depois de um dia exaustivo. Outras vezes, é tão difícil quanto se levantar depois de uma noite exaustiva. Em todas elas, a autocompaixão vale qualquer dificuldade ou facilidade que você encontrar.

7. Novos pensamentos para ajudar a não pensar demais
Dez perspectivas-chave para encontrar o sucesso que você está buscando na sua vida cotidiana

> *Estar no jogo é o prêmio.*
>
> RuPaul

O modo como você pensa se desenvolve por meio de hábitos cognitivos. Assim como hábitos comportamentais, hábitos cognitivos podem ser saudáveis, neutros ou prejudiciais. Se concentrar na solução de um problema, por exemplo, é um hábito cognitivo saudável.

Quem tem o hábito de resolver problemas concentra seus pensamentos em perguntas úteis quando se depara com um desafio — "Qual é exatamente o problema?", "Quem pode me ajudar a compreender minhas escolhas?" e "Qual é meu objetivo?".

Pensar demais, por outro lado, é um hábito cognitivo angustiante e prejudicial. Quem tem o hábito de pensar demais se concentra em pensamentos inúteis e circulares diante de um desafio. Coisas como: "Isso foi péssimo. Não consigo acreditar que fiz isso, de tão péssimo que foi. Queria que nunca tivesse acontecido".

Pensar demais não serve de nada. Prolonga eventos que já aconteceram e em relação aos quais não se pode fazer nada (o que também é conhecido como *ruminação*) ou faz com que nos preocupemos com coisas que sequer aconteceram, embora *teoricamente* possam vir a acontecer, sempre levando em consideração o pior cenário possível (o que também é conhecido como *catastrofização*).

Quando você rumina algo, confunde reviver com refletir. Quando catastrofiza, confunde preocupação com preparação.

Exercer o controle é tentar alterar seus pensamentos um a um; só que controlar seus pensamentos consome muita energia, porque você precisa monitorar e gerenciar cada um deles conforme surgem na sua mente. Exercer o poder é ampliar a perspectiva. Quando sua perspectiva se altera, você passa a ver as coisas de maneira diferente, e não consegue mais deixar de vê-las dessa forma. Mudanças de perspectiva transformam seus pensamentos de uma vez só.

Ampliar sua perspectiva não faz seus antigos modos de pensar desaparecerem, e nem precisa ser assim. Seus antigos modos de pensar podem coexistir com novos modos de pensar. O importante não é deixar que um tipo de pensamento domine o outro, e sim se manter aberta o bastante para compreender que sua perspectiva é uma escolha.

A mudança de perspectiva mais poderosa que você pode fazer é compreender que você já está completa e é perfeita. Embora às vezes precise de medicação, café, música, terapia ou algum outro tipo de ajuda, isso não significa que precise de conserto; só significa que você é um ser humano vivendo no mundo.

As dez perspectivas que irei apresentar representam as mudanças de maior impacto em que as perfeccionistas podem se concentrar. Seu trabalho neste capítulo é se manter aberta a elas, só isso. Manter-se aberta é um trabalho em período integral.

1. O PENSAMENTO CONTRAFACTUAL É UM REFLEXO COGNITIVO

O pensamento contrafactual acontece quando seu cérebro cria cenários alternativos para eventos que já se passaram. Por exemplo, vamos dizer que você está num cruzamento e outro carro passa no sinal vermelho e te acerta com tudo. Seu carro gira e outro carro bate nele. Dez segundos depois, o acidente chegou ao fim.

Você fica muito abalada, mas não se machucou gravemente, só teve alguns arranhões. O fato é: você se envolveu num acidente de carro e escapou ilesa. Um exemplo de pensamento contrafactual (um pensamento que vai contra o fato) é: *Eu poderia ter morrido.*

Quando o cenário alternativo que você cria é mais atraente do que a realidade, falamos em pensamento contrafactual ascendente — "Se eu tivesse saído mais cedo do trabalho, não teria me envolvido no acidente". Quando o cenário alternativo que você cria é menos atraente que a realidade, falamos em pensamento contrafactual descendente — "Eu poderia ter morrido no acidente". O pensamento contrafactual é algo que todo mundo apresenta; é um reflexo cognitivo.

De acordo com uma pesquisa, recorremos ao pensamento contrafactual como uma forma de nos prepararmos para o futuro e de regular o humor e nossos comportamentos.[1] Pensar em como as coisas poderiam ter sido piores, por exemplo, nos ajuda a ser mais gratas quanto à situação atual.

Essa gratidão recém-descoberta atende à importante função de reparação do humor depois de um evento negativo ("Eu poderia ter morrido, mas estou viva").[2] Somos capazes de nos sentir melhores depois de um evento desorientador porque nosso cérebro tem o poder cognitivo de processar os desdobramentos de uma realidade alternativa. Esse poder é pensamento contrafactual.

Em alguns casos, o pensamento contrafactual ascendente também melhora o humor e ajuda a regular nosso comportamento, sobretudo quando se trata de desempenho.[3] Por exemplo, vamos dizer que você perca uma partida de tênis depois de mandar a bolinha na rede. Então o seguinte pensamento contrafactual ascendente lhe ocorre: "Se eu tivesse estendido a trajetória da bola em vez de ser tão agressiva para definir logo a jogada, poderia ter ganhado". Esse pensamento aumenta sua motivação para tentar de novo, porque você enxerga seu erro (abusar de jogadas de risco para fechar logo a partida) e sabe como corrigi-lo (modificando seu comportamento ao estender a trajetória da bola). Embora tenha perdido, você quer voltar à quadra e jogar de maneira mais estratégica.

Pensamentos contrafactuais ascendentes são necessários para o progresso, pois se você não consegue imaginar um cenário que levaria a um resultado melhor não vai tentar melhorar. Pensamentos contrafactuais descendentes só trazem benefícios quando se concentram em alterações específicas (especificidades) que você tem o poder de fazer (agência pessoal) no contexto de uma dinâmica que provavelmente ocorrerá outra vez.[4]

Especificidade e agência pessoal são os fatores ligados a maior motivação, e não o pensamento contrafactual ascendente em si.[5]

Por exemplo, os seguintes pensamentos contrafactuais ascendentes não são benéficos:

"Eu poderia ter ganhado o jogo." Esse pensamento contrafactual ascendente não é benéfico porque não se concentra numa alteração específica, ou seja, falta especificidade a ele.

"Se eu tivesse saído do trabalho mais cedo, não teria me envolvido no acidente." Esse pensamento contrafactual ascendente não é benéfico porque, independente da hora que saia do trabalho, você não tem controle (ou seja, agência pessoal) sobre os outros carros, que podem bater no seu. Embora possa ser verdade que você não fosse se envolver num acidente de carro se tivesse saído do trabalho mais cedo naquele dia, a inferência causal que está pondo no seu grau de agência pessoal é incorreta. Você não causou o acidente porque saiu do trabalho àquela hora, tampouco poderia evitar acidentes futuros se saísse do trabalho mais cedo. Você está fingindo que tinha controle naquele momento para poder fingir que tem controle sobre o futuro. O acidente de carro foi um evento aleatório que dificilmente se repetirá, o que torna mais provável que o pensamento contrafactual ascendente faça mais mal do que bem nesse cenário.

Pensamentos contrafactuais também têm uma função preparatória.[6] Você vai fazer uma trilha e seus pés ficam gelados o tempo todo. "Se eu tivesse usado meias mais quentes", você pensa. E adivinha só quem estará com meias mais quentes da próxima vez.

Pensamentos contrafactuais podem ser baseados em problemas ou baseados em caráter:

BASEADOS EM PROBLEMAS: "Se eu tivesse mais opções de ajustar o custo de produção mais elevado, poderia ter mantido a margem de lucro".

BASEADOS EM CARÁTER: "Se eu não fosse tão idiota, poderia ter mantido a margem de lucro".

Pensamentos contrafactuais também podem ser aditivos (você pensa em acrescentar algo ao cenário para melhorá-lo) ou subtrativos (você pensa em tirar algo do cenário para melhorá-lo).[7]

Pensamentos subtrativos geram apenas uma solução, que é remover X. Pensamentos aditivos se baseiam na solução criativa de problemas, uma abordagem melhor, porque gera um número maior de soluções possíveis (aumentando tanto a agência pessoal quanto a motivação, que operam em conjunto).[8]

Note o pensamento contrafactual subtrativo destacado a seguir. Note também como o pensamento contrafactual pode estimular naturalmente o monólogo interior punitivo:

"Se eu não tivesse feito aquele comentário impulsivo na reunião, poderia ter sido designada líder do projeto. *Preciso parar de falar em reuniões*. Sempre digo a coisa errada. Quando vou aprender a calar a boca?"

E aqui um exemplo de pensamento contrafactual aditivo, também destacado, de uma reação com autocompaixão:

"Se eu não tivesse feito aquele comentário impulsivo na reunião, poderia ter sido designada líder do projeto. *De agora em diante, é melhor que eu vá às reuniões com uma pergunta ou um comentário específicos em mente, ou talvez man-*

dar minhas impressões por e-mail para a equipe depois, quando já tive tempo de processar se elas serão úteis. Nem sempre digo a coisa certa na hora certa, mas isso acontece com todo mundo. Ai, que vergonha; estou me sentindo péssima. O que posso fazer por mim mesma que ajudaria neste momento? Ah, vou mandar uma mensagem para a Lisa contando o que houve; ela sempre me faz rir. Talvez eu pare no mercado depois do trabalho e compre o que preciso para fazer minha comida preferida no jantar. Ouvir música também seria bom. Amanhã é um novo dia. Vai ficar tudo bem."

Uma pesquisa demonstrou que quanto mais fácil for para você imaginar o cenário contrafactual se desdobrando, mais influência o pensamento contrafactual terá sobre sua reatividade emocional numa ou noutra direção (negativa ou positiva).[9] Por exemplo, você se sente mais grata por estar viva depois que seu carro capota três vezes num acidente grave do que se bater no para-choque de alguém porque consegue imaginar com muito mais facilidade o primeiro cenário resultando em morte do que o segundo. Da mesma forma, você tem maior propensão a se sentir frustrada quando perde o ônibus porque chegou vinte segundos em vez de quinze minutos atrasada. O resultado é o mesmo em ambos os cenários (você vai ter que pegar o próximo ônibus), mas seu estado emocional não se baseia nisso, e sim na intensidade do pensamento contrafactual.[10]

Compreender o princípio psicológico do *efeito contraste* ajuda a esclarecer como o pensamento contrafactual impacta o nível de satisfação.[11] Esse termo se refere à maneira como sua percepção ou experiência muda com base na informação que se destaca para você no momento. Por exemplo, se tudo numa loja custa mais de cem dólares com exceção de uma echarpe, que custa trinta, o preço da echarpe parece razoável. Já uma echarpe pelo mesmo preço numa loja em que tudo custa um dólar parece cara. Se você está acostumada a segurar no colo uma criança de três anos de idade e pega um bebê de seis meses, esse bebê vai lhe parecer leve. Quando você sai com três homens desagradáveis e grosseiros na sequência, se o quarto mastigar com a boca fechada já vai parecer o Príncipe Encantado.

Num estudo notável dos anos 1990, pesquisadores examinaram o pensamento contrafactual e o efeito contraste em medalhistas de prata e bronze das Olímpiadas de 1992. O que descobriram foi que os que ficaram com a prata tendem a se sentir pior do que os que ficaram com o bronze, porque o pensamento contrafactual que se destaca para eles é: "Eu poderia ter ganhado o ouro"; por outro lado, o pensamento contrafactual que se destaca para os medalhistas de bronze é: "Quase fiquei fora do pódio". Como os pesquisadores apontaram: "Imaginar o que poderia ter acontecido leva aqueles que se saem melhor a se sentir pior do que os que superaram".[12]

No meu trabalho com perfeccionistas de alto desempenho, destaco com frequência esse estudo para gerar um sentimento de permissão (e consequentemente de autocompaixão) em relação à dolorosa experiência de chegar tão perto do objetivo e não o alcançar. Quem fica em segundo lugar e compartilha sua decepção com os outros muitas vezes é criticado pela sua frustração e honestidade. Comentários como "Você deveria estar feliz! Que maluquice! Ter conseguido o que conseguiu já é incrível!" não ajudam em nada nesses casos.

A dor da prata, como gosto de chamar, é real — ela machuca mesmo. É preciso reconhecer essa dor para ter compaixão por si mesma e seguir em frente. De outra maneira, a pessoa fica presa numa espiral punitiva ("Sei que me saí bem. Muita gente ficaria radiante com esse resultado, não deveria ser uma decepção para mim. Se não consigo ficar feliz agora, nunca conseguirei. Por que sou assim? Odeio isso. Eu me odeio").

Terapeutas muitas vezes incentivam seus clientes a prestar atenção no pensamento contrafactual, porque pensamentos contrafactuais informam tudo: nossa tomada de decisão, nosso nível de satisfação, nosso senso de agência pessoal, nossa motivação para tentar de novo, nosso senso de frustração, gratidão, arrependimento, amargura... e a lista poderia continuar. Pensamentos contrafactuais influenciam todos os aspectos da nossa vida.

Perfeccionistas que não têm consciência dos seus pensamentos contrafactuais dirigem na contramão. Como perfeccionistas em geral notam a distância entre o ideal e a realidade, acabam tendo que lidar com o pensamento contrafactual ao longo da maior parte da vida.

Os pensamentos contrafactuais não são necessariamente ruins. Estudos demonstram que pensamentos contrafactuais ascendentes aumentam a motivação das perfeccionistas adaptativas, cujos pensamentos contrafactuais são mais específicos e aditivos do que os das perfeccionistas desadaptativas.[13] Pensamentos contrafactuais se tornam prejudiciais quando não são reconhecidos como um reflexo cognitivo e quando a pessoa não compreende que tem o poder de fazê-los trabalhar a seu favor.

Perfeccionistas que não reconhecem que o pensamento contrafactual é um reflexo desperdiçam energia tentando se forçar a parar de pensar como poderia ter sido. Seu cérebro não consegue evitar se envolver com pensamento contrafactual da mesma forma que não consegue evitar ler uma palavra. Você não vê letras individuais lado a lado e depois decide se está com vontade de lê-las; você vê as palavras e as lê simultaneamente.

Eventos negativos e pensamentos contrafactuais se desenrolam em sequência. Na verdade, é mais provável que o pensamento contrafactual venha depois que você falha ou tem um contratempo do que em momentos em que as coisas estão caminhando bem e sem grandes incidentes.[14]

Embora não possa controlar o pensamento contrafactual, você tem o poder de explorá-lo para ajudar a aumentar seu nível de satisfação e motivação.

Pensamentos contrafactuais operam num contínuo que vai do automático ao elaborativo.[15] Pensamentos contrafactuais automáticos são reações reflexivas a um evento, enquanto pensamentos contrafactuais elaborativos são conscientemente dirigidos, com base em como você decide vivenciar uma situação.

Por exemplo, se você sente a dor da prata vez ou outra, pode escolher elaborar melhor o que chegou perto de conseguir, quão longe foi, as habilidades que desenvolveu, como se sentiu viva no processo, os relacionamentos que desenvolveu ao longo do caminho, a coragem que demonstrou ao trabalhar pelo seu objetivo etc.

O pensamento contrafactual é a maneira como seu cérebro organiza as informações. Dar sentido a essas informações cabe a você.

A verdade é que, a menos que você leve a vida como um peixe grande numa lagoa pequena (o que é um tédio), nunca será a melhor em tudo o tempo todo. Quando você tem a coragem de correr o risco de fracassar, encontra adversários de peso e perde. A derrota é prova de que você não se deixa intimidar pelo risco do resultado incerto, tem coragem de tentar e se permite fracassar. Sim, seus reflexos entrarão em ação; esse é o papel deles. Você não tem controle sobre suas reações inconscientes, mas tem o poder de escolher uma reação consciente.

Algumas perguntas que aumentam a consciência em relação aos seus padrões de pensamento contrafactual:

O pensamento é...

- ascendente ou descendente?
- genérico ou específico?
- baseado num evento aleatório que provavelmente não ocorrerá outra vez ou baseado numa dinâmica repetitiva sobre a qual você tem agência pessoal?
- aditivo ou subtrativo?
- baseado em problemas ou caráter?
- automático ou elaborativo?
- fácil ou difícil de imaginar que está acontecendo?
- capaz de estimular um monólogo interior com compaixão ou punitivo?

A maneira de interromper um padrão de comportamento contrafactual é escolhendo a alternativa de maneira consciente. Fazer isso não requer que você erradique os pensamentos e sentimentos negativos associados com o pensamento contrafactual mais disfuncional. A experiência pode ter mais tons. Você pode sentir decepção e orgulho. Pode ser curiosa quanto a como poderia ter sido e ser grata por como foi.

Como é verdade para qualquer construção mental baseada em pensamentos e sentimentos diametrais, quando se trata de pensamentos automáticos e elaborativos você pode escolher ambos.

2. O APOIO TEM DIFERENTES CARAS

De novo, Alicia começou a pegar no sono no meio das nossas sessões. Se você pega no sono numa sessão comigo, não é por minha causa, é por sua causa. Conversamos sobre o que estava acontecendo. Ela me disse que se sentia fisicamente exausta. Havia acabado de dar à luz o terceiro filho e voltara ao trabalho no mês anterior.

Suas frases tinham no máximo cinco palavras. "Não tem nenhum bebê aqui. Ninguém precisa de mim. Você tem chá." Ela fechou os olhos e recostou a cabeça. "Amo este sofá. Quero este sofá." Eu ri, mas Alicia, não. Manteve a cabeça apoiada e os olhos fechados. Notei suas mãos. Estavam abertas e paradas nas laterais do corpo, de um jeito que me dava vontade de cobri-la.

Ainda tínhamos vinte minutos. Falei: "Parece que o que você precisa mesmo é dormir. Ajudaria se eu fechasse a cortina, fosse para a sala de espera e voltasse daqui a meia hora para que você possa descansar? Sempre deixo um intervalo de quinze minutos entre as sessões. Posso fazer minhas anotações lá fora enquanto você fica aqui, para aproveitar ao máximo o tempo. Não deixo ninguém entrar".

Nem consigo descrever a expressão que tomou conta do rosto de Alicia.

"Sim, sim", ela disse. Levantei para fechar a cortina. Quando virei de volta, Alicia já estava deitada, com os olhos fechados. Por um segundo, considerei a possibilidade de pedir a ela num sussurro para tirar os sapatos do meu sofá, então respirei fundo e deixei para lá. Saí em silêncio e bati na porta da minha própria sala meia hora depois.

Na sessão seguinte, Alicia me apressou enquanto eu fazia minhas perguntas iniciais: "Estou ótima. Está tudo bem. Muito obrigada. Podemos fazer aquele negócio de dormir outra vez?". As duas sessões seguintes consistiram em Alicia entrando, respondendo às minhas perguntas rápido e tirando um cochilo depois.

Apesar dos meus sentimentos ambíguos em relação à ética e à eficácia de incentivar Alicia a usar a terapia para dormir, decidi que, no curto prazo, aquela era a melhor maneira de apoiá-la. É claro que falamos sobre ela precisar arranjar um tempo para descansar fora do meu consultório, mas naquele mês impossível: voltando ao trabalho, extraindo leite, ainda sangrando, cuidando dos outros dois filhos pequenos e lidando com a avalanche hormonal, ela simplesmente precisava dormir.

As sessões de sono, como nos referíamos a elas de forma carinhosa depois, me lembraram do trabalho de crise que eu costumava realizar. A maior parte das sessões era dedicada a conseguir moradia, fazer cadastro em bancos de alimentos, preparar currículos e coisas do tipo. O apoio abrangente à saúde mental é dinâmico, multifacetado e altamente individualizado.

Processar seus pensamentos e sentimentos é importante, claro; ao mesmo tempo, às vezes a melhor coisa que você pode fazer pela sua saúde mental não tem a cara que você esperaria.

Passei muitas sessões procurando emprego, ajudando pessoas a fazer seu perfil em aplicativos de namoro depois de um término difícil, revisando cartas de intenção, fazendo visitas domiciliares para ajudar a organizar espaços que de repente haviam se tornado caóticos porque a cliente estava precisando cuidar de um familiar mais velho. Inúmeras coisas acontecem na vida de cada uma de nós. Fazer terapia é uma forma de preservar a saúde mental, mas não é a única.

Dar atenção à sua saúde mental é como comer — algo que você precisa fazer diariamente. Assim como você não pode fazer uma refeição farta no domingo e esperar que ela a mantenha saciada a semana toda, não dá para fazer terapia uma vez por semana e esperar que aquela sessão de 45 minutos seja o suficiente para sua saúde mental.

Seis opções específicas de um apoio mais elástico à saúde mental:

Apoio tangível: Num episódio depressivo, tudo parece difícil. Responder a uma mensagem é difícil. Dormir é difícil. Acordar é difícil. Escovar os dentes é uma vitória e lavar o rosto é praticamente ostentar.

Muitas vezes, evitamos pedir ajuda aos outros nos momentos em que tudo parece difícil porque pensamos: "O que alguém poderia dizer que faria com que eu me sentisse melhor? Nada". E talvez isso seja verdade na hora; talvez não haja nada que alguém possa dizer que vá mudar o que quer que tenha (ou não tenha) acontecido ou a maneira como você se sente. Mas não é porque a pessoa não pode oferecer apoio emocional que ela não pode ir à sua casa dar um jeito na sua cozinha.

O apoio tangível é um auxílio prático. Assumir o compromisso de passar na sua casa duas vezes por semana para levar seu cachorro para passear. Deixar um jantar saudável toda quinta. Cuidar das crianças por três horas no sábado. Encontrar e chamar um encanador para ver o vazamento no banheiro do andar de cima. Esses são exemplos de apoio tangível que os outros podem oferecer a você.

As pessoas querem ajudar. Portanto, quando dizem "Me fale se houver alguma coisa que eu possa fazer", *fale*. O apoio tangível, sobretudo quando consistente e programado, pode fazer maravilhas para a sua saúde mental.

O apoio tangível se desdobra naturalmente quando você é parte de uma comunidade, mas nesse nosso mundo moderno uma comunidade pode parecer um luxo difícil de encontrar.

Se você não tem um círculo de pessoas na sua vida que a aborda de maneira proativa e pergunta se precisa de alguma coisa, saiba que não está sozinha. Tomar a iniciativa de pedir ajuda pode ser desconfortável, mas passar longos períodos de tempo nesta vida preciosa se sentindo desconectada e empacada é muito mais desconfortável, não acha?

Você pode depender da generosidade dos outros, mas também é possível pagar por apoio. Invista tanto dinheiro quanto puder no recrutamento consistente de apoio tangível. Contrate um serviço semanal de faxina, veja se algum jovem da vizinhança quer ajudar com seus animais de estimação, mande a roupa para uma lavanderia.

Nem tudo precisa girar em torno dos sentimentos o tempo todo. Às vezes, não consigo nem pensar em como estou me sentindo, muito menos lidar com meus sentimentos. Nessas horas, um jantar gostoso e lençóis limpos ajudam muito.

Apoio emocional: Fazer terapia ao vivo ou on-line, ter uma conversa sincera com uma amiga de confiança, usar uma linha direta — apoio emocional inclui qualquer opção através da qual você possa expressar seus sentimentos e receber validação, encorajamento e (idealmente) uma perspectiva diferente e informada. Se você acha que terapia é caro demais ou não tem tempo para isso, lembre-se de que profissionais dessa área são altamente motivados a ajudar. A maior parte dos terapeutas tem uma faixa ampla de valores e horários que se adaptam à jornada de trabalho. Não há problema nenhum em perguntar a alguém se pode fazer um valor mais acessível ou se conhece outra pessoa qualificada ou alguma instituição para indicar.

Apoio físico: Vou lhe dizer uma coisa que minha própria terapeuta me disse uma vez: "O movimento altera seu sistema nervoso". Na hora, falei: "Que tipo de movimento? Como tai chi chuan? Não entendi direito". "Qualquer movimento", ela respondeu. Sabe como às vezes os terapeutas só falam duas palavras e param, o que faz com que você sinta que acabaram de revelar a chave de todos os segredos da vida em menos de cinco segundos? Foi assim comigo.

É verdade que só alongamento já produz endorfina, e não vou nem começar a falar sobre a droga milagrosa que é a caminhada.*[16] O trabalho corporal, o trabalho respiratório,

---

* Se você tem algum tipo de deficiência que a impede de caminhar, ou se sua mobilidade está prejudicada no momento, saiba que qualquer atividade que acelere sua frequência cardíaca é benéfica para a saúde mental. O Centro Nacional para a Saúde, a Atividade Física e a Deficiência (NCHPAD, na sigla em inglês) criou uma playlist com os vídeos mais assistidos de exercícios para fazer dentro de casa, que pode ser acessada clicando num ícone em seu canal no YouTube. Essa playlist para adultos e crianças inclui opções para todas as habilidades com o intuito de ajudar a escolher exercícios que ao mesmo tempo funcionem e sejam agradáveis para você.

grupos de caminhada, grupos esportivos, ioga, ciclismo — a atividade física de modo geral é um ótimo apoio para a saúde mental. Também há atividades físicas pensadas especialmente para isso, como a técnica do "toque de apoio" da dra. Neff: "Uma forma simples de se cuidar e confortar a si mesmo quando estiver se sentindo mal é com o toque de apoio. O toque ativa o sistema de cuidado e o sistema nervoso parassimpático e transmite uma sensação de calma e segurança. A princípio, pode ser estranho ou constrangedor, mas seu corpo não sabe disso. [...] Nossa pele é um órgão incrivelmente sensível. Uma pesquisa indicou que o toque físico libera ocitocina, transmite sensação de segurança, acalma emoções angustiantes e o estresse cardiovascular. Então por que não tentar?".[17]

Há muitas técnicas de toque de apoio no site de Neff (self-compassion.org, em inglês). Aqui vão duas:

TÉCNICA DA MÃO NO CORAÇÃO: Leve a mão ao peito (ficando pele a pele se possível, sem o obstáculo da roupa). Respire profundamente. Continue respirando assim e sinta seu coração bater.

TÉCNICA DA MÃO NO BRAÇO: Leve sua mão dominante ao braço oposto, tocando-o entre o ombro e o cotovelo. Suba e desça a mão para sentir segurança física.

Apoio financeiro: Esse é um campo delicado, por várias razões. Às vezes, o que precisamos para superar uma crise e nos conectar com a estabilidade é dinheiro. Se a vergonha é como um fosso em torno de um castelo na hora de pedir ajuda, esse fosso se amplia exponencialmente quando se trata de pedir ajuda financeira.

Fora isso, há algo em apoiar oferecendo dinheiro que

faz com que sintamos que estamos pegando o caminho mais fácil. Podemos achar que não estamos oferecendo "ajuda de verdade" e que talvez estejamos até piorando as coisas ao permitir um comportamento disfuncional.

Oferecer ajuda financeira não é uma forma de apoio quando você sempre empresta dinheiro a alguém que continua demonstrando que seu dinheiro facilita a permanência do problema. Cada circunstância é diferente, mas há momentos na vida em que pedir dinheiro e receber apoio financeiro é uma das coisas mais saudáveis e potentes a fazer. Da mesma forma, garanto que oferecer ajuda financeira não é se isentar de oferecer "ajuda de verdade"; é uma maneira generosa e imediata de oferecer apoio.

Além do básico, todos precisamos de uma camisa nova de vez em quando, talvez um vaso de planta para alegrar a casa, sair uma noite com uma amiga. Esses são gastos de primeira necessidade? Não. Estou sugerindo aumentar nosso consumo para preservar a saúde mental? Não.

O que estou dizendo é que *todas precisamos* dessas coisinhas a mais que dão a qualquer pessoa numa posição de privilégio econômico a sensação de uma folga. Há algo de muito essencial nessas coisinhas a mais.

Problemas financeiros e saúde mental estão intimamente ligados. Por mais irritação que a palavra "normalizar" provoque no momento, vamos normalizar tanto pedir dinheiro quanto oferecer dinheiro (dentro de certos limites, claro) como uma forma maravilhosa de apoio à saúde mental, seja a nossa ou a dos outros. E não apenas para itens essenciais à sobrevivência, como a parcela do financiamento do carro e absorventes, mas também para itens "essenciais à prosperidade".

Isso não aparece em nenhum livro, mas a verdade é

que, às vezes (por exemplo, quando sua vida inteira está se desfazendo), fazer as unhas excede em muito a eficácia de medidas de apoio mais convencionais.

Uma forma de facilitar que os outros nos apoiem é ser específica em relação à quantia que nos ajudaria a gerenciar o estresse. Lembre-se de que você tem todo o direito de pedir, assim como a outra pessoa tem todo o direito de dizer não.

Apoio da comunidade: A sensação de pertencimento é fundamental para o bem-estar mental. Precisamos de uma comunidade e ponto final. Não precisa ser nada extravagante ou mesmo chamado assim oficialmente, não precisa haver uma missão definida nem nada do tipo.

Comunidades começam com uma pessoa e um convite à conexão. Uma comunidade é qualquer espaço em que você pode dar e receber regularmente, de maneiras significativas para você: um grupo de mensagens com três pessoas, uma newsletter com a qual você se identifica, frequentadores de um parque para cachorros, um perfil ativo no Instagram.

Há vantagens em comunidades mais formais, como igrejas e clubes de mães recentes? Claro. Mas também é bom se conectar com comunidades de alta flexibilidade, sem compromisso, anônimas ou pouco tradicionais em qualquer outro sentido. A existência de múltiplas opções não obriga a escolher entre elas — você pode se envolver com quantas comunidades quiser.

Comunidades abrem mundos inteiros — mesmo que vocês "só" se conectem verdadeiramente uma vez ao ano, isso importa. Você entra em contato com uma comunidade inteira, cheia de gente, informações, lugares para explorar, recomendações de boa comida e livros transformadores, maneiras alternativas de encarar uma situação. E, principalmente, sente conexão. Envolver-se com o apoio e a interdependência comunitária é uma das melhores maneiras de cuidar da saúde mental.

Apoio informativo: Isso inclui tanto se conectar com pessoas que tenham passado por algo pelo qual você está prestes a viver quanto com quem possa oferecer clareza com base em informações sobre uma situação específica. O apoio informativo também pode vir do estudo independente, por exemplo, lendo sobre um assunto ou fazendo um curso na internet. Quando as fontes de informação com que você se conecta são pessoas, há menor ênfase na necessidade de essas pessoas servirem de apoio emocional. Alguns exemplos:

- Você está pensando em congelar seus óvulos e gostaria de saber mais sobre o que o processo envolve, por isso marca uma consulta com um especialista em fertilidade. Você também pede a uma amiga que a ponha em contato com duas mulheres do trabalho dela que congelaram os óvulos no ano passado.

- Você anda pensando em se divorciar e marca uma reunião com um advogado ou mediador para avaliar suas opções e as implicações associadas.

- Você está interessada em mudar de carreira e se tornar professora, por isso manda um e-mail para seus conhecidos pedindo que alguém a ponha em contato com alguém da área.

- Você gostaria de ser mais assertiva, por isso compra um livro que se propõe a ensinar técnicas de assertividade.

Se você faz terapia, é claro que pode falar com quem a atende sobre o congelamento de óvulos, o divórcio ou uma mudança de carreira, mas talvez essa pessoa não tenha conhecimento direto dos processos e, mesmo que tenha, vai ser uma perspectiva particular a respeito do assunto.

Se você está enfrentando problemas de saúde mental, não conclua que é porque há algo de errado com você; conclua que é porque você não tem o apoio de que precisa. Fazer terapia nunca vai atender a todas as suas necessidades. Uma única coisa, qualquer que seja ela, nunca vai atender a todas as suas necessidades.
Lembre-se de que o apoio tem diferentes caras. Identifique que tipo de apoio você precisa e faça o seu melhor para consegui-lo.
Nem sempre é possível conseguir exatamente o que precisamos, ou mesmo metade do apoio necessário, mas isso não significa que você não deve tentar conseguir o que for. Não é uma soma simples, é uma operação em etapas: aceite o apoio que estiver disponível e depois avance dali.
Não resista a buscar apoio porque sente que já deveria ter resolvido o problema a essa altura. Você pode ser ótima numa coisa, adorar fazê-la, saber tudo a respeito e ainda assim encontrará dificuldade em algumas partes.
Seres humanos precisam de apoio e conexão a vida toda. *Inclusive* quando as coisas estão indo bem. *Inclusive* quando já sabemos o que fazer. Conseguir apoio quando você está se saindo bem ajuda a sustentar seu progresso. Mesmo deixando o progresso e o crescimento de lado, você não precisa de um motivo para se conectar, tanto quanto não precisa de um motivo para ficar batendo o pé no chão quando está sentada.

Dizem que a flexibilidade é a pedra angular da saúde mental; é apropriado, portanto, demonstrar alguma flexibilidade no tipo de apoio à saúde mental que buscamos e oferecemos.

3. A MANUTENÇÃO É UMA VITÓRIA

A maior parte das pessoas opera da suposição disfuncional de que a mudança é um processo de um único passo e se realiza quando você para de fazer alguma coisa ou começa a fazer. Por exemplo, se você quer se exercitar de maneira regular, só precisa fazer isso. Se quer parar de fumar, só precisa parar.

Reduzir a mudança a um processo de um único passo faz com que ela pareça mais fácil do que é, o que ajuda no curto prazo (a suposição de um sucesso futuro nos motiva a tentar) e nos sabota no longo prazo (não conseguimos entender por que é tão difícil fazer algo tão simples).

Nos anos 1970, depois de estudar o que fazia alguns fumantes pararem de fumar quando outros não conseguiam, o dr. James Prochaska e o dr. Carlo DiClemente criaram um modelo de mudança em cinco estágios.[18] Adquirir novos hábitos e abandonar os antigos era o quarto estágio da mudança, e não o único.*[19]

O modelo em cinco estágios de Prochaska e DiClemente revela um dos segredos mais bem guardados do mundo da

---

* Mais tarde, um sexto estágio foi adicionado ao modelo: o "término", quando a pessoa não tem mais nenhum desejo de voltar a comportamentos negativos e não precisa mais se esforçar pela manutenção da mudança. É um estágio controverso, sobretudo quando se trata de enfrentamento de vícios, portanto algumas vezes fica de fora.

saúde mental: apenas *pensar* no que você quer mudar, mesmo sem fazer nada a respeito, já é um estágio da mudança.[20]

A ideia de que simplesmente pensar no que você quer mudar é um estágio legítimo e crítico da mudança parece muito racional e óbvia depois de ser defendida (é claro que você precisa pensar a respeito do que gostaria de mudar e de como gostaria de mudar antes de promover a mudança). No entanto, quando vamos avaliar nosso processo, muitas de nós se deparam com o seguinte sentimento: "Tudo que faço é pensar em mudar X e falar em mudar X, mas nunca mudo".

Como você deve imaginar, essa afirmação não estende o tapete vermelho para que uma resposta cheia de autocompaixão lhe venha à mente.

Aqui vai uma revelação para todo mundo (mas especialmente para as perfeccionistas procrastinadoras) que se tortura pensando por que não começou a mudar o que mais deseja: você não apenas já deu o primeiro passo como provavelmente já está pronta para o terceiro estágio.

Os cinco estágios do modelo de mudança de Prochaska e DiClemente são:

1. PRÉ-CONTEMPLAÇÃO: Você ainda não está pensando na mudança. Está apenas vivendo e coletando experiências.

2. CONTEMPLAÇÃO: Você começa a perceber pensamentos e sentimentos que se repetem em relação àquela pequena coleção de experiências. Algumas coisas estão funcionando para você; outras não. Você começa a pensar se quer uma mudança, como e quando gostaria que fosse, no porquê etc.

3. PREPARAÇÃO: A essa altura, você já decidiu que quer mudar e se prepara para isso. Talvez pergunte como outras

pessoas realizaram mudanças similares. Talvez comece a comprar livros ou a assistir a palestras. Talvez adquira coisas que venham a permitir a mudança (como pesos). Talvez comece a anunciar para os amigos que está prestes a fazer uma mudança.

4. AÇÃO: Esse estágio é marcado por mudanças comportamentais e o mais associado à mudança, porque é o mais visível. Chegar a ele consome muito tempo, energia mental, reflexão e trabalho, e envolve um risco emocional. Não importa o que aconteça depois, você tem muito do que se orgulhar.

5. MANUTENÇÃO: É um estágio crucial, mas muitas vezes negligenciado. Você pode demorar para decidir o que gostaria de mudar. Depois de decidir, você precisa se preparar para a mudança. Depois de se preparar, você precisa promover a mudança. Quando chega à parte em que de fato faz o que disse que ia fazer, é fácil pensar que a parte mais difícil ficou para trás e entrar no piloto automático. Ironicamente, é no estágio da manutenção que você mais precisa de apoio. A regressão é uma parte natural do processo de crescimento. Você vai regredir, e quando isso acontecer precisará que seus pontos de apoio a lembrem de que regressão e fracasso não são a mesma coisa. Quando não temos apoio, voltar aos trilhos depois de uma regressão parece com começar do zero (embora não seja). Mudanças temporárias são fáceis; o verdadeiro desafio é sustentar uma mudança.

Fora a pré-contemplação, cada estágio da mudança exige uma boa dose de trabalho, atenção, tempo e energia. A reflexão está incluída nesse trabalho.

É desafiador encontrar pensamentos conflitantes quanto ao que você quer enquanto pesa esses pensamentos em relação aos seus valores e objetivos. Nossa identidade, nossa responsabilidade, nosso papel e nossos desejos são fluidos e exigem calibragem constante (ou seja, reflexão constante). Essas calibragens exigem tempo.

Sempre pergunto às minhas clientes: "Quando ouve alguém dizer 'Essas coisas levam tempo', o que isso significa para você?". A resposta costuma girar em torno da ideia de que a mudança não é um processo instantâneo. "Eu sei, Roma não foi construída em um dia" ou "Uma mudança não acontece de um dia para o outro". Em geral, eu digo em seguida: "Ok, mas se não acontece de um dia para o outro acontece em quanto tempo?".

Quero saber se a cliente está pensando em dias, semanas, meses, estações ou anos. Para perfeccionistas na cidade de Nova York, em geral se uma coisa não acontece de um dia para o outro, acontecerá no próximo dia útil. Ou, se estivermos sendo especialmente generosas, em três dias úteis.

Quando você reconhece que a mudança não acontece de um dia para o outro, que unidade de tempo considera um ponto de referência justo? Independente de qual seja o período que tenha como padrão, se ele passar sem que tenha chegado ao último estágio você vai sentir que está fracassando, mesmo que esteja fazendo tudo certo.

Você pode passar anos em qualquer estágio da mudança. O tempo gasto no envolvimento consciente com qualquer que seja o estágio em que se encontra não é um instrumento de medição da sua ineficiência. O tempo gasto se condenando pelo tempo que passou em cada estágio é que é um desperdício.

Uma pessoa que passou oito anos no estágio um, por

exemplo, pode ficar meses obcecada por este pensamento inútil: "Não consigo acreditar que precisei de oito anos para perceber que não gosto do meu trabalho". Todas queremos ser eficientemente iluminadas.

Como perfeccionista, você sempre vai se deparar com uma versão da pergunta "Estou fazendo o suficiente?". Além de usá-la como um lembrete de que seu valor não está ligado ao que faz, procure recordar que o importante nem sempre são as metas que você conquistou; às vezes, são as antigas metas que conseguiu sustentar — os relacionamentos que continuam sendo bons, as partes do trabalho que você continua a executar bem, quaisquer escolhas de estilo de vida saudáveis com que você continua comprometida.

Independente do que a palavra "sucesso" significa para você, ter sucesso e continuar tendo são duas coisas muito diferentes. Incluo na minha resposta à pergunta "Estou fazendo o bastante?" um mantra pessoal que nasceu do modelo de mudança em cinco estágios: *a manutenção é uma vitória*.

4. TROQUE "MELHOR OU PIOR"
POR "DIFERENTE"

Todo verão, minha família passa algum tempo numa pequena praia no litoral da Carolina do Norte, a Carolina Beach. Na maior parte das manhãs, com café gelado e suco de maçã na mão, minha filha e eu caminhamos pelo calçadão cheio de areia antes que fique quente demais para nossos pés descalços. Há uma loja de artigos de surf que abre bem cedo que gostamos de visitar.

Assim que entramos, o cara no caixa, Clint, faz um aceno de cabeça na direção de uma tigela azul gigante em formato de onda, que vive cheia de balas. "Sirvam-se. Sei que é por isso que estão aqui", ele diz. As balas já derreteram e voltaram ao estado sólido várias vezes, por isso nunca conseguimos tirar toda a embalagem. Mas comemos mesmo assim.

Passamos uns bons dez minutos de bobeira na loja, sacudindo globos de neve com Papais Noéis de chinelo e sem camisa ou experimentando bonés. Nos fundos, Clint mantém um santuário de caranguejos-eremitas.

Aparentemente, caranguejos-eremitas são criaturas que exigem muita manutenção. Clint os salva de pessoas que achavam que seriam bichos de estimação que dariam pouco trabalho. Ele faz moveizinhos de madeira para os animais (sofás em miniatura, otomanas minúsculas!).

Numa caligrafia que claramente busca ser rebuscada, está escrito no vidro de um dos aquários: "Imobiliária para Caranguejos-Eremitas". Clint faz sempre a mesma piada sobre não conseguir entender por que o mercado imobiliário para caranguejos-eremitas não anda bom. Ele ri com vontade das próprias piadas, o que na minha opinião é uma excelente qualidade. Carolina Beach está cheia de pessoas com excelentes qualidades.

Há um parque de diversões saindo do calçadão — pequeno, mas bom. O almoço costuma ser peixe fresco, temperado e grelhado à perfeição pelo meu marido. À noite, temos a areia só para nós, porque ninguém mais vai à praia. A única companhia é a da lua, refletida na água escura enquanto ouvimos o som maravilhoso das ondas quebrando.

A semana toda exalamos uma combinação de protetor solar com cheirinho de coco, fumaça de fogueira e mar. Não há nenhum lugar no mundo onde eu preferiria passar minhas férias; o litoral da Carolina do Norte é perfeito.

Mas por que estou te contando isso?

Porque Carolina Beach não é um dos melhores destinos de viagem do mundo, mas para mim é.

Muitas pessoas se apressarão em dizer que o litoral da Carolina do Norte não se compara a uma cidade como Paris, e provavelmente estarão certas. O que esquecemos é que Paris tampouco se compara a Carolina Beach.

Fazemos comparações rápidas que nossa mente hierarquiza automaticamente: de primeira classe, de segunda classe, melhor, pior etc. Procure parar de pensar em termos de melhor e pior e começar a pensar em termos de "diferente".

Paris não é melhor do que Carolina Beach, é diferente. Carolina Beach não é melhor do que Paris, é diferente.

Comparar-se aos outros é um desperdício desadaptativo de energia. Você é um mundo de cidades por si só. É tão dinâmica que não poderia começar a se medir em relação a outra pessoa, e se presta um desserviço sempre que tenta. Você não é para todo mundo, o que não significa que precisa mudar.

Ficamos tão restritas pelo que achamos que não somos que nos comparamos de uma forma que nos diminui: "Não sou tão inteligente quanto ela, então nunca poderia fazer o que ela faz. Não sou tão bonita quanto essas mulheres, então não posso andar com elas. Não sou tão divertida quanto as outras pessoas que sobem no palco, então nunca vou poder subir".

Limites autoimpostos quanto ao que você pode e não pode fazer e a quem você pode ou não pode ser são uma tática de controle. Você está tentando controlar sua vulnerabilidade a se machucar.

Manter seu mundo pequeno é um mecanismo de proteção executado pela parte de você que não compreende que, quando está conectada ao seu valor inerente, já tem um sistema de proteção embutido. Sim, haverá quedas, e sim, você vai senti-las. Mas, como sabe seu valor, a queda não a definirá.

Há muita subjetividade em ser escolhida ou não, ser vista como "a melhor" ou não, ser considerada "boa" ou não. É tudo uma tolice; não significa nada.

O que importa é que você leva uma vida de acordo com os seus valores. Não há motivo para se comparar aos outros, porque, para começar, você não sabe o que acontece no mundo particular deles. E, para terminar, ninguém tem o mesmíssimo conjunto de valores que você.

Exercer seu poder é como dizer com compaixão o seguinte à parte de você que quer manter seu mundo pequeno: "Não poder ser eu mesma plenamente me machuca mais do que cair".

O que quer que decida fazer, saia e faça. Você não vai fazer da mesma maneira que outra pessoa; nisso está o valor do que você faz. Não é uma pena que Paris não seja Carolina Beach. Paris é Paris. Tampouco é uma pena que Carolina Beach não seja Paris. Carolina Beach é Carolina Beach. Mas seria uma pena se uma cidade tentasse ser mais como a outra, porque então seria menos ela mesma.

5. A FELICIDADE É VIVIDA EM TRÊS ESTÁGIOS, ASSIM COMO O ESTRESSE

Não tenho ideia de qual é a sua rotina matinal. Você toma café? Chá? Fica desligando o despertador várias vezes? Não come nada, que nem eu? Mas de uma coisa tenho certeza: em algum momento depois de acordar você se envolve na atividade psicológica da "previsão afetiva".

Previsão afetiva é bancar a vidente e prever suas emoções futuras, algo que fazemos todos os dias.[21] Por exemplo, no sábado pela manhã, você prevê que vai passar a maior parte do dia relaxada. No dia de uma apresentação importante, você prevê que vai se sentir aliviada depois que a terminar.

O que importa é que a previsão afetiva se estende além do dia atual e contamina sua percepção de eventos futuros.

Se você vai tirar férias daqui a dois meses, por exemplo, prevê que ficará feliz. Muito embora esteja sentada na sua mesa sem sentir nada particularmente agradável, a previsão emocional do seu estado futuro gera sentimentos felizes na mesma hora. No mundo da pesquisa, a felicidade baseada na previsão de um resultado positivo para um evento futuro é conhecida como "prazer antecipatório", ou "alegria antecipatória".[22]

De modo inverso, se você prevê que sentirá emoções negativas num evento futuro (um discurso que deverá fazer, por exemplo), isso levará a um estresse imediato, ainda que não esteja envolvida ativamente numa tarefa estressante. Estressar-se com base em previsões é conhecido como "ansiedade antecipatória".[23]

A alegria e a ansiedade antecipatórias são poderosas. Foi demonstrado que a direção afetiva da sua antecipação impacta a memória, a motivação, a ansiedade social, o planejamento e os estados emocionais correspondentes, além de interferir na maneira como seus mecanismos neurais operam. A dra. Silvia Bellezza e o dr. Manel Baucells descrevem o poder da antecipação de maneira sucinta: "A antecipação é uma fonte importante de prazer e dor".[24]

Ao examinar o poder da antecipação, Bellezza e Baucells notam que não apenas a antecipação mas o evento em si (as férias ou o discurso) e a recordação dele compõem em conjunto a "utilidade total" de uma experiência. Em outras palavras, a felicidade é vivida em três estágios: antecipação, evento e recordação — o modelo AER de Bellezza e Baucells.

Tendemos a pensar na felicidade como existindo primariamente no evento em si, mas podemos vivenciá-la antecipando e recordando o evento.

A antecipação é um elemento crítico para o bem-estar porque passamos muito mais tempo antecipando os eventos da vida do que envolvidos com eles.

Você passa cinco dias pensando num encontro que só dura três horas. Passa meses pensando numa viagem de uma semana. Filmes, refeições, um beijo, um bônus no trabalho, encontrar amigos, manhãs de sábado — se a habilidade de antecipar de maneira prazerosa esses eventos fosse tirada de você, como isso alteraria sua qualidade de vida?

Na sua TED Talk de 2010 intitulada "The Riddle of Experience and Memory" [O enigma da experiência e da memória], o dr. Daniel Kahneman, famoso psicólogo e economista comportamental, pergunta ao público: "Que tipo de férias você planejaria se não fosse ter nenhuma lembrança delas?".

Sua capacidade de relembrar quando quiser os eventos que a deixaram feliz também é um aspecto proeminente do seu bem-estar. Podemos deixar pistas para a memória (fotos em porta-retratos, lembrancinhas nas estantes), falar de momentos agradáveis com outras pessoas ou relembrar sozinhas — o evento não precisa perdurar para que continue lhe trazendo felicidade.

O modelo AER funciona da mesma maneira em relação ao estresse. Muitas vezes, justificamos aceitar fazer coisas que não queremos supervalorizando o aspecto do evento do modelo AER e minimizando o impacto dos outros dois estágios.

Por exemplo, justificamos aceitar tomar café com alguém que na verdade não queremos ver dizendo algo como: "Vai ser só meia horinha". Não. Vai ser uma semana de ansiedade antecipatória, a meia horinha em si e a recordação negativa de como você se arrependeu assim que se sentou porque não queria estar ali, e de como ficou irritada com o que a pessoa disse, porque ela sempre faz isso, e esse é o motivo pelo qual você não gosta de se encontrar com ela.

Quando se trata de concordar em ir a eventos de que não queremos participar, um drinque rápido, um telefonema rápido ou uma reunião rápida não são nem um pouco rápidos.

A antecipação de um evento negativo pode ser tão proeminente que a dra. Ramani Durvasula, autora e psicóloga, aponta: "Muitas vezes, a ameaça de sair ferido e sair de fato ferido são vivenciados da mesma forma".[25] Não há nada acontecendo, mas você se abala mesmo assim.

Por meio do planejamento intencional e da rememoração intencional, você tem o poder de explorar o modelo AER para estender o prazer de eventos positivos. Por meio de uma atenção ampliada e da implementação de limites, o modelo AER também pode ser explorado para minimizar e até evitar a angústia associada a eventos negativos.

6. UMA PENA A MAIS PESA MUITO

Sempre que tenho uma cliente (e eu mesma já fui essa cliente) que chega à terapia anunciando uma grande mudança, que já se sente muito mais leve, que a mudança de mentalidade foi fácil, que não consegue acreditar que simplesmente superou algo, que nunca mais vai consumir açúcar, que nunca mais vai "se permitir" entrar em depressão e por aí vai, aliso a saia com as mãos e respiro fundo.

Estratégias sustentáveis de crescimento são marcadas por sutileza, e não agressão. O incrementalismo — a ideia de que mudanças graduais fielmente realizadas se somam num progresso significativo — é um exemplo de uma abordagem sutil do crescimento.

A sutileza é poderosa.

Quanto mais perto a sutileza chega de ser indetectável, mais poderosa é. Como a sutileza eficaz, a cura eficaz se dá sem detecção. A cura é com mais frequência minuciosa e silenciosa do que grandiosa e ousada. Olhando para trás, você consegue ver que havia sinais de progresso. Em tempo real, a cura parece lenta demais para contar como um crescimento legítimo.

A cura é uma série de evoluções minúsculas, nascidas de escolhas ostensivamente insignificantes, realizadas dia após dia; se expressa com maior frequência em momentos em que você é a única testemunha. É nesses momentos de "nada", invisíveis, que a magia acontece.

A cura é um reconhecimento sincero que se dá em silêncio na mente — "Estou solitária, estou pronta, estou assustada". A cura é deixar o celular de lado para descansar em vez de pegar no sono com ele na mão. A cura é se dar permissão de não sorrir quando não tem vontade. A cura é beber meio copo de água em vez de não beber nada. A cura é vivenciar seus sentimentos por dez minutos em vez de se entorpecer por três dias. A cura é lavar a louça empilhada na pia. A cura é se permitir chorar num filme. A cura é qualquer coisa que você faça agindo em benefício do seu eu mais autêntico.

A cura exige um trabalho intenso, mas não exige que essa intensidade seja vivenciada de maneira consolidada. Motivação, controle dos impulsos, apoio, vulnerabilidade, autocompaixão — nada disso precisa ser entregue na sua porta antes que você esteja pronta para se curar.

Sentir o peso de uma pena de maneira mais consistente, não perfeita, é tudo de que você precisa para se curar. Quando se trata de cura, uma pena a mais pesa muito.

O incrementalismo se opõe à tendência radical que atualmente satura o espaço do bem-estar: o amor-próprio radical, o perdão radical, o autocuidado radical, tudo radical. Uma abordagem radical é uma abordagem extrema. Embora abordagens radicais da cura possam parecer ideais a perfeccionistas, que costumam ser atraídas pelos extremos, muitas vezes se provam o oposto.

A noção de cura radical é precária para as perfeccionistas, que tendem a relacionar uma expectativa imediata de "resultados radicais" ao conceito. Se resultados positivos não vêm de maneira linear e proporcional ao investimento (e nunca vêm, porque a cura não é um processo linear), as perfeccionistas acabam se sentindo fracassos radicais.

Embora abordagens radicais sejam úteis para muita gente, tenha em mente que representam apenas uma de um número infinito de maneiras de se curar.

Qualquer coisa radical parece ousada e sexy, aquilo que os descolados fazem. O incrementalismo, por outro lado, não é sexy, não é empolgante, não está na moda, não rende uma ótima história para contar às pessoas ("Ontem à noite bebi meio copo d'água antes de ir para a cama") — na maior parte do tempo, não é nem visível.

Incrementalismo é uma questão de pouco a pouco, centímetro a centímetro, devagar e sempre, sem cerimônia. É difícil de vender, mas é extremamente eficaz.

A cura às vezes é entediante, e isso ninguém conta. Em meio ao tédio, procuramos um atalho, mas nunca vi os atalhos funcionarem na vida real quando se trata de cura. Você já viu? Como dizem, fazer o trabalho necessário é o único atalho.

7. O QUE DIFERENCIA DIFICULDADE DE DESAFIO É A CONEXÃO

A diferença entre aquilo com que temos dificuldade e aquilo que nos desafia está não na tarefa em si, mas na quantidade de apoio que buscamos durante nosso envolvimento com a tarefa. Quando estamos lidando com algo que não sabemos como fazer mas sentimos que somos guiadas e que alguém nos entende, vemos como um desafio. Quando lidamos com algo que não sabemos como fazer e sentimos que não estamos sendo guiadas e que ninguém nos compreende, é uma dificuldade.

Desafios são energizantes pois, ainda que estejamos fazendo algo difícil, nos sentimos conectadas. Conexão gera energia. Dificuldades são exaustivas porque passamos por elas isoladamente. E o isolamento drena energia.

Ficar isolada, que não é a mesma coisa que estar sozinha, é perigoso. Ficar sozinha pode ser saudável — como uma forma de incubação intelectual, criativa, física, espiritual ou emocional da qual emergimos restauradas e energizadas. Ficar isolada, por outro lado, nunca faz bem.

Quando você está isolada, quer saiba disso ou não, não se sente segura. Muitas vezes as clientes discordam disso com uma variação de "Não, eu *me sinto* segura quando estou isolada sim. Se estou sozinha, ninguém pode me machucar".

Sentir-se "menos em perigo" não é a mesma coisa que se sentir segura.

Segurança exige conexão. Quando você está isolada e não se sente segura, toma todas as suas decisões a partir de uma postura defensiva. Assim, suas decisões (e sua vida) se tornam um reflexo do medo, em vez de um reflexo do seu eu verdadeiro, seguro, pleno e perfeito.

Quero deixar claro que a dificuldade em si e por si só não é algo que leva à virtude. Sempre me encolho diante da expressão "O que não te mata te deixa mais forte". Não é verdade.

O que não te mata pode te traumatizar a ponto de fazer sua lembrança se desintegrar. O que não te mata pode te levar ao vício. O que não te mata pode te tornar suicida ou parassuicida. O que não te mata pode fazer com que você abuse física ou emocionalmente dos seus filhos porque você não sabe como lidar com a natureza sufocante das dificuldades.

Dificuldades não garantem resiliência. Uma expressão mais adequada seria "O que não te mata te deixa numa posição em que precisa escolher entre conexão e isolamento, e escolher a conexão te deixa mais forte". (Não funcionaria muito bem como frase de efeito, mas seria uma expressão mais adequada.)

Não foram as coisas terríveis que te aconteceram que te deixaram mais forte; foi a resiliência que você desenvolveu para processar essas coisas terríveis. O que não te mata *pode* te deixar mais forte, mas só se você lidar com seus sentimentos, processar sua experiência (ou seja, descobrir o que ela significa para você) e se valer de fatores protetores — principalmente o poder da conexão.

Apoio não é só uma troca de informações ou auxílio; apoio é uma troca de conexão.

Cruze os dedos das mãos, os dedos dos pés, o que for —

o campo da psicologia vai continuar interessado em como prosperamos como comunidades interdependentes em vez de se voltar para o sofrimento independente de pessoas com supostas patologias. Nessa guinada coletiva rumo ao sol, em vez de perguntar "Qual é o problema com você?", a psicologia vai perguntar "Como podemos nos conectar melhor?". Isso porque, embora as dificuldades não ponham a resiliência para funcionar, a conexão põe.

Como Oprah e o dr. Bruce D. Perry, psiquiatra, apontam em *O que aconteceu com você? Uma visão sobre trauma, resiliência e cura*, livro altamente informativo e inspirador, é a conexão que desenvolve a resiliência, e não o sofrimento. A conexão carrega aquilo a que o dr. Perry se refere como "capacidade de amortecimento" do trauma e do estresse.

Uma das descobertas mais significativas da pesquisa de Perry é que a "saúde relacional" tem mais capacidade preditiva sobre sua saúde mental do que qualquer adversidade que você encontre. Perry define a saúde relacional assim: "Essencialmente, conectividade — ou seja, a natureza, a qualidade e a quantidade de conexão com a família, a comunidade e a cultura".[26]

O que Perry está dizendo é que não é o grau de problemas que aconteceram no seu passado que define sua habilidade de sentir alegria e prosperar, e sim a qualidade das conexões que você constrói na sua vida agora.

A conexão é a maior juíza do bem-estar mental. Quando está desconectada, você é incapaz de se curar ou crescer; só consegue se entorpecer e definhar. Conexão não é algo que acontece com você; é algo que você realiza.

Você enfrentará desafios ao longo de toda a vida, tanto inesperados quanto escolhidos. Como uma perfeccionista de orientação eudaimônica, você não aceitaria que fosse de outra forma. Embora os desafios sejam inevitáveis (e bem-vindos), as dificuldades não são.

Outra expressão diante da qual me encolho é: "Deus não nos dá mais do que podemos suportar". E se esse lugar-comum não for verdade? Deus, a vida, o universo, uma inteligência maior — pode chamar como quiser, isso não importa.

Talvez a vida nos dê mais do que podemos suportar para que não tenhamos escolha a não ser nos conectar uns com os outros. De outra maneira, talvez só nos conectássemos quando fosse fácil ou bom na mesma hora. Talvez Deus nunca nos dê mais do que podemos suportar *juntos*.

8. SIMPLES NÃO É FÁCIL

Os seres humanos têm um talento especial para complicar o que é simples. Fazemos um espetáculo com o simples; somos assim. Ouvir, por exemplo, é um ato simples. Em inglês, ouvir, *listen*, é um anagrama de *silent*, ficar em silêncio. Mas muitas pessoas são incapazes de parar de falar.

Não comer quando você não sente fome também parece bem simples, não é? Quinze em cada dez melhores amigas concordam que é incrivelmente simples não responder ao "oi sumida" mandado pelo seu ex preguiçoso/bêbado/péssimo tarde da noite. É muito simples escolher um programa para ver; não temos como transformar o ato prazeroso de assistir à TV num evento estressante, certo? Ah, temos sim.

Todas sabemos o que precisamos fazer para viver melhor, não é nenhum grande mistério: ir para a cama cedo, comer cinco porções de frutas e legumes por dia, se relacionar com gente bacana em vez de pessoas terríveis, usar a escada em vez do elevador. Todas poderíamos mudar nossa vida de maneira dramática se "simplesmente" começássemos a fazer algumas coisas de forma regular, e temos essa consciência. No entanto, não fazemos.

O fato de que fazer a coisa certa é simples e ao mesmo tempo difícil vale para todas. Qualquer que seja a coisa simples que você gostaria de fazer mas não consegue, tudo bem. Todo mundo tem uma pilha de coisas simples que considera difíceis. Simples não significa fácil.

Perfeccionistas podem almejar objetivos complicados e ambiciosos, mas todas temos de nos dedicar a objetivos muito, muito simples também. Se você esquece que simples nem sempre é fácil ou se nunca aprendeu isso, não deve entender por que está tendo dificuldades. Espera conseguir fazer coisas simples sem esforço.

Quando você confunde simples e fácil, não tem paciência consigo mesma ou qualquer autocompaixão ao abordar tarefas simples. Outros exemplos de tarefas simples incluem desligar a TV quando você precisa dormir, não gritar, respirar profundamente, deixar o celular de lado ao brincar com os filhos e minha obsessão preferida: beber água.

Sem paciência e autocompaixão, você responde à dificuldade das tarefas simples punindo a si mesma: "Por que sou assim?! Não dá para acreditar que não consigo fazer algo tão simples. Sou péssima. Qual é meu problema?!".

Como você está num espaço punitivo, seu repertório de pensamento-ação se estreita e sua negatividade aumenta.

Como isso não te deixa feliz, você mergulha num pensamento contrafactual disfuncional quanto a como poderia ter sido.

Como poderia ter sido bem melhor, você começa a se sentir um fracasso.

Como você se sente um fracasso, também sente que tem razão para autossabotar qualquer coisa boa para a qual já tenha se aberto, pois coisas boas não parecem se encaixar numa vida ruim e fracassada.

Está tudo na sua cabeça.

Quando você supõe que simples *deveria* ser fácil, tampouco se dá crédito pelas coisas simples que são mesmo fáceis para você. Honrar a ideia de que o simples não é fácil não apenas te ajuda a sentir mais compaixão por si mesma mas também a enxergar seus pontos fortes.

Uma das minhas melhores amigas é ótima fazendo crianças pequenas comerem alimentos saudáveis. Por um longo tempo, essa amiga não reconheceu o valor dessa habilidade porque sua abordagem é ao mesmo tempo simples e fácil para ela — apelar para as sensações e a imaginação em vez de se concentrar no pensamento lógico infantil, certificar-se de que as crianças estejam com fome antes de se sentarem para comer, deixar que ajudem a preparar a comida e que se divirtam.

Foi só quando os vizinhos começaram a implorar que essa amiga os ajudasse a fazer com que os filhos comessem melhor que ela percebeu: "Ah, isso que é tão simples e fácil para mim pode ser muito complicado para os outros".

Em vez de aproveitar seus pontos fortes, as perfeccionistas costumam se concentrar em melhorar seus pontos fracos. Pensam: "Assim que eu transformar todos os meus pontos fracos em pontos fortes, serei perfeita/melhor/imparável/digna/estarei pronta".

Seres humanos sempre terão fraquezas e limitações. Bem-estar não tem a ver com descobrir como se livrar das suas fraquezas; tem a ver com aceitá-las para poder usar sua energia maximizando seus pontos fortes.

Fomos treinadas para ver a saúde mental através das lentes da patologia e da falta: "O que há de errado comigo, como posso consertar isso?". Esse tipo de pensamento precisa acabar. Daqui a trinta anos, a terapia vai se concentrar em explorar o que está indo bem e por quê. Não espere até o campo se alinhar a modelos baseados em pontos fortes para responder às seguintes perguntas:

O que você anda acertando sem dificuldade?
Que habilidades isso envolve?
O que aconteceria se você aplicasse essas habilidades em outras áreas da sua vida?

Sempre há algo que está dando certo. Ninguém acerta tudo o tempo todo, e ninguém erra tudo o tempo todo, o que é mais importante. Concentre sua atenção nos seus pontos fortes.

Mas e quanto a ter mais discernimento e autoconsciência? Como posso atingir todo o meu potencial se abandonar meus esforços para melhorar meus pontos fracos?

O desenvolvimento pessoal produtivo trabalha com a lei dos rendimentos decrescentes. Quando se trata de compreender suas fraquezas, um discernimento básico é suficiente. Não é necessário ou útil mergulhar nas nuances de por que você não é boa em algo. Não é necessário escrever um livro de poesia sobre como suas fraquezas nasceram numa manhã orvalhada de abril e sempre amarão o cheiro da grama fria.

Gerencie seus pontos fracos com limites e apoio enquanto se concentra em maximizar seus pontos fortes.

Ter uma paixão verdadeira por algo em que você não é boa não é o mesmo que um ponto fraco; só significa que ainda é uma iniciante. Tentar melhorar em algo pelo qual se é apaixonada não é um desperdício de energia, pois você está sendo puxada, e não empurrada, o que é muito diferente.

Refine os pontos fortes que você já possui. Apoiar-se fortemente nos seus dons é o que faz seu potencial explodir. Ignorar seus dons enquanto tenta fazer a triagem das suas deficiências só atrasa a explosão desse potencial.

Seus dons são aquilo que é ao mesmo tempo simples e fácil para você. Subestimamos o valor dos nossos dons porque não precisamos nos esforçar por eles. Uma das primeiras perguntas que faço a mim mesma em silêncio quando conheço uma nova cliente é: "O que essa pessoa faz bem, tão naturalmente e com tanta facilidade que ela nem percebe que se trata de um dom?". Nunca conheci ninguém que não tivesse um dom.

Ter compaixão por si mesma em relação às coisas simples que são difíceis para você é uma escolha que está em seu poder fazer. Reconhecer os dons relacionados às coisas simples que são fáceis para você também é uma escolha que está em seu poder fazer.

9. É MELHOR GERENCIAR ENERGIA DO QUE GERENCIAR TEMPO

Muitos anos atrás, li um artigo que mudou minha vida na *Harvard Business Review*: "Manage Your Energy, Not Your Time" [Gerencie sua energia, não seu tempo], de Catherine McCarthy e Tony Schwartz. O artigo discutia como tratamos o gerenciamento de tempo como a chave da eficiência e negligenciamos a saúde e o bem-estar, de modo que nossa energia é drenada. O que McCarthy e Schwartz apontavam era que o segredo da prosperidade não é gerenciar nosso tempo, e sim gerenciar nossa energia.

Falta de tempo é uma das nossas principais queixas; todas dizemos que precisamos de mais tempo. Então poderíamos ver mais nossos amigos e familiares, fazer atividade física regularmente, planejar viagens, escrever livros, preparar refeições saudáveis, botar o sono em dia, mudar de emprego ou começar a namorar.

Tratar unidades específicas de tempo como condutores primários da sua tomada de decisões é um eco mental coletivo da Revolução Industrial. Por acaso você está puxando uma alavanca de uma máquina a vapor neste momento? Não. Está usando um vestido de lona que mais parece um avental? Não. Vai jantar carneiro e mingau de aveia na sexta à noite? Não. A Revolução Industrial acabou.

Você não está precisando desesperadamente de quinze minutos de sobra se passou uma hora vendo qualquer coisa na TV ontem à noite antes de revirar todo o Instagram. O que te falta não é tempo, é energia.

Como o economista Sendhil Mullainathan explica numa conversa com a também economista Katy Milkman: "As pessoas que dizem que estão sem tempo acreditam que se trata de uma questão de gerenciamento de tempo, mas na verdade se trata de uma questão de gerenciamento de largura de banda. A largura de banda opera de acordo com regras diferentes do tempo".[27]

Mullainathan aponta que diferentes atividades exigem diferentes graus de envolvimento mental e que "a largura de banda não funciona como o tempo. Você deve pensar em rearranjar seu tempo como distribuiria quadros na parede. 'Isso faz sentido ao lado disso?', em vez de 'Isso cabe aqui?'".[28]

Quantas vezes há tempo de fazer algo e a mera ideia de

começar te deixa com uma sensação de "não consigo"? Você é derrotada porque sua energia acabou, e não seu tempo.

É verdade que às vezes não temos mesmo tempo, mas, como o celebrado empreendedor Seth Godin diz: "Se não é uma razão para todo mundo na sua situação, então é uma desculpa".

Psicólogos sabem há muito que a procrastinação não é uma questão de gerenciamento de tempo, e sim de regulação emocional. Quando não nos concentramos no gerenciamento de energia, atravessamos o dia sem limites e sem períodos de recuperação. Chegamos em casa tão atoladas de sentimentos não processados e questões mentais menores de todos os tipos que nem conseguimos pensar em *começar* a desemaranhar as coisas.

Achamos que o melhor a fazer é dedicar um tempo a nós mesmas, o que acaba se mostrando estranhamente semelhante a entorpecimento e evitação (porque consiste em entorpecimento e evitação). Padrões de entorpecimento e evitação não fazem ninguém se sentir produtiva, muito menos perfeccionista. Isso é, numa única palavra, problemático.

Perfeccionistas adoram ser produtivas. Juramos que não vamos mais nos importar com a produtividade ou pelo menos que esse não será mais nosso foco ao mesmo tempo que nos importamos e damos ênfase a ela. Nossa produtividade é o placar para o qual olhamos na hora de determinar se ganhamos ou perdemos aquele dia.

Como mudamos isso? Não mudamos.

Produtividade está rapidamente (e injustamente) se tornado a palavra proibida no mundo do bem-estar. De maneira irônica, transformar a produtividade no vilão é um desperdício de tempo e energia. Não há nada de errado em ser produtiva. A sensação de ser produtiva é maravilhosa quando o que você faz está alinhado aos seus valores.

Concentrar-se na produtividade passa a ser disfuncional quando você busca objetivos com que não se importa ou de uma forma que viola sua integridade. Também causa problemas quando você posiciona "tempo" no eixo x e "conclusão da tarefa" no eixo y como o único instrumento para medir o quanto é produtiva.

Qualquer coisa que você faça para proteger, economizar, restaurar e aumentar sua energia é produtiva. Atividades produtivas incluem, ainda que não sejam só: dormir, ouvir música, visitar uma livraria, tomar banho, lavar o carro, concluir uma tarefa do trabalho, ter uma boa conversa, cozinhar, redecorar, ver um filme, fazer a unha, jogar basquete, ler, caminhar e cantar no chuveiro.

Qualquer coisa que te ajude a operar com energia premium é produtiva. Com energia premium, você pode acessar todas as suas habilidades de uma forma com que seu eu esgotado nunca poderia competir. Uma hora de energia premium é mais útil do que dez horas de envolvimento numa tarefa se sentindo pressionada, ressentida, desconectada ou exausta. Fazer um trabalho meia boca para ter o dobro do tempo não é fazer um trabalho bem-feito.

Manter a energia premium é o que lhe dá forças para a tarefa interminável de atingir seu máximo potencial. É ótimo que pense tanto assim em produtividade; agora você pode desfrutar de ser produtiva de maneira dinâmica em vez de reduzir a produtividade a uma corrida para concluir uma tarefa.

Você não está aqui para concluir tarefas e então morrer. Você não é um gráfico de resultados. É um ser humano. Tem desejos, curiosidades, dons, necessidades e, sim, trabalho a realizar. Trabalho que fica feliz em realizar. Você tem muito a dar e muito a receber. Dar e receber é o que mantém sua energia, assim como inspirar e expirar é o que a mantém respirando.

Se você se concentra apenas no resultado e não se permite receber nada, vai acabar esgotada. Seria como apenas expirar e achar que isso é respiração. Você estaria ignorando metade do ciclo. É preciso inspirar também, claro. As mulheres em especial precisam se permitir receber (isso é menos óbvio por causa da questão cultural, mas mesmo assim).

Receber é metade do trabalho. Receber é produtivo.

Não se preocupe com a possibilidade de se perder no lazer e nunca voltar ao trabalho. Você é uma perfeccionista; seu ímpeto de sobressair é uma compulsão, portanto você não vai conseguir evitar o retorno ao trabalho.

Desfrute do fato de que aquilo que costuma ser de início difícil no perfeccionismo é a mesma qualidade que torna tão bom ser perfeccionista depois. Você não é do tipo que vai relaxar e fazer o mínimo. Imagine a pessoa mais legal que conhece se esforçando ao máximo para ser má. Ela vai continuar tendo consideração pelos outros mesmo assim, não é?

Dormir, produzir arte, trabalhar, fazer sexo, andar no parque durante o outono — produtividade é qualquer coisa que te energize sem te prejudicar. O que te energiza sem te prejudicar? Como sua vida mudaria se você fizesse mais disso?

10. O FECHAMENTO É UMA FANTASIA

"Só quero um fechamento." Ouvi essas palavras inúmeras vezes, e sempre fiz a mesma pergunta em seguida: "O que seria um fechamento para você?". Cada resposta que recebi foi diferente, mas algo em comum as liga: o desejo de fechar revela uma fantasia.

O fechamento é uma fantasia na qual se pode dar fim à confusão remanescente escorando tudo com tijolos de lógica de modo que faça perfeito sentido. O fechamento é uma fantasia em que toda a dor pode ser justificada e todo o sofrimento existe por um motivo justo. O fechamento é a fantasia de poder escolher que sentimentos estão ligados a quais lembranças. O fechamento é a fantasia de que se pode catalogar a dor, deixá-la na versão emocional da ordem alfabética e mantê-la organizada. O fechamento é a fantasia de que sempre se pode polir a superfície áspera de uma experiência para revelar seu cerne reconfortantemente puro e cintilante.

O fechamento também tem a ver com a fantasia de não poder mais ser atingido pela dor, de não precisar mais lidar com alguma coisa, de terem carimbado CURADO em vermelho na sua papelada.

Quando dizemos que queremos um fechamento, o que realmente queremos é controle. Compreensivelmente, queremos guardar nosso passado, nossas conexões, nossos traumas, nossas lembranças e todas as emoções associadas nos nossos próprios termos. Se formos um pouco mais além, quando dizemos que queremos um fechamento, o que estamos mesmo dizendo é que estamos de luto.

Luto não é algo relacionado exclusivamente à morte física de uma pessoa. Você vivencia o luto sempre que precisa abrir mão de uma coisa sem estar pronta para isso.

A exigência de um fechamento é uma expressão de perfeccionismo cognitivo. Procurar uma lista completa de motivos é uma abordagem analítica do luto. Não se pode aplicar analítica ao luto. É impossível compreendê-lo perfeitamente.

Antes de começar a trabalhar como terapeuta, eu acreditava que tudo acontecia por um motivo. Hoje não acredito mais. Às vezes, não apenas não há uma resposta perfeita para "por quê?" como não há resposta nenhuma.

Manter o foco na necessidade de fechamento é uma maneira de retardar e processar uma perda. Outra maneira de processar a perda é passar pela parte em que você tenta controlar a dor e entrar na parte em que acessa seu poder.

O poder no luto envolve permitir que estados diametrais existam. Nossos desejos e experiências como seres humanos são com frequência diametrais. Queremos liberdade e segurança, indulgência e moderação, espontaneidade e rotina. Queremos que todo mundo seja tratado igual, mas também queremos status. Queremos nos conectar profundamente com aqueles à nossa volta, mas também queremos que nos deixem em paz para poder ficar vendo bobagem no celular.

Nossas experiências relacionais também são diametrais. Os pais podem nos negligenciar e nos amar. Podemos ver uma colega com apreço e desconfiança. Podemos nos sentir aliviadas ao terminar um relacionamento e ainda assim sentir saudade da outra pessoa. Não se trata de experiências contraditórias, e sim de experiências integrais.

Não gosto quando as pessoas dizem coisas como "Sua liberdade está do outro lado do seu medo". Não há outro lado. A saúde mental não é uma porta pela qual passamos; não é uma escada, uma lista de tarefas ou algo criado para ser concluído.

Experiências acontecem em esferas. Quando você estabelece pontos intermediários e linhas de chegada na cura, transforma isso numa corrida e em algo que termina. A cura não é uma coisa nem outra. Esferas não têm lados.

Querer um fechamento é querer pegar toda uma experiência e reduzi-la a uma parte estática. Uma história que não muda. Um tema predominante. Um sentimento geral.

A ideia de que se curar significa otimizar seu mundo interno de maneira a deixar tudo às claras e justificável é um mito que todas compartilhamos.

A cura tem menos a ver com estabelecer uma resolução e mais a ver com ser capaz de se centrar nas partes da sua vida que permanecem sem ser resolvidas. Sim, às vezes você pode pegar algo quebrado e transformar num mosaico ainda mais bonito do que a peça original. Quando você conseguir fazer isso, parecerá que está vivendo arte pura.

Ao mesmo tempo, nem tudo é um momento "com o qual podemos aprender".

Alguns momentos são devastadores, nauseantes, abomináveis, horríveis. E ponto final. Não precisamos transformar cada emoção desconfortável em algo reluzente e útil.

Estamos chegando desesperadamente perto de operar sob a noção de que passar mais de algumas horas chateada não é saudável. Fico até surpresa que ainda não tenhamos transformado o choro num transtorno.

Existem eventos na vida que simplesmente não conseguimos fechar. É importante deixar que as pessoas se magoem, não apenas em situações especialmente difíceis, mas também na vida cotidiana.

Além dos eventos externos, há a experiência que nunca se fecha de navegar pelo mundo *interno* complexo e sempre em mutação das nossas identidades, nossos desejos, nossas percepções e paixões — sendo que tudo isso deveria girar em torno de fazer sabe-se lá o que por sabe-se lá quanto tempo.

Pressionamos a nós mesmas para saber exatamente quem somos e o que queremos a todo momento; tudo bem se algumas coisas permanecerem nebulosas. Pessoas que se identificam como tendo "muitas questões" com frequência só não tiveram um fechamento imediato ou perfeito quanto à experiência sempre em evolução de ser humano.

Você acha que tem "questões" porque lhe disseram que só deve sofrer o luto em determinadas ocasiões da sua vida. Na verdade, o luto nos acompanha o tempo todo. Atingir seu potencial é um exercício de desapego perpétuo, um abrir mão constante.

Todas estamos de luto por alguma coisa a cada momento.

É natural querer um fechamento perfeito; também é natural não conseguir isso. Se você está obcecada com essa questão, é porque está sofrendo. Acha que um fechamento seria capaz de acabar com a dor, mas é a autocompaixão que vai se provar sua boia salva-vidas. Dê a si mesma permissão para sofrer.

Dar espaço a experiências difíceis e provavelmente diametrais é como permitir que emoções dolorosas existam sem tentar deixá-las em forma de coração ou estrela. A dor não é uma coisa bonitinha.

Sua dor não precisa ser maquiada; precisa de permissão para se manter como é. Devemos permitir que emoções difíceis sejam deixadas em paz. São apenas sentimentos, não definem quem você é.

Você pode querer um fechamento e ainda assim escolher o poder. Poder em meio a um desejo de fechamento é reconhecer que você não precisa que algo se feche, e sim que se abra. Você precisa de abertura.

As pessoas que se curam não são especiais, não descobriram como amarrar todas as pontas soltas; são pessoas que puxaram uma ponta que levava a algo novo.

Sua curiosidade sabe para o que você precisa se abrir. A curiosidade é a heroína esquecida da saúde mental. Ela é forte e capaz de tirar você do que quer que seja.

Mesmo quando não consegue transformar a dor em algo lindo, mesmo quando apenas dói, você pode ter aquela sensação de que está "vivendo pura arte" caso se lembre de que o objetivo da arte não é ser bonita, mas despertar uma conexão com a pessoa que entra em contato com ela.

O objetivo da arte é comover. Ser comovido pela arte é ficar parado e perceber que seu mundo interno está muito mais vivo do que você achava antes de entrar em contato com a obra de arte em questão.

A arte deve ser vivenciada. Qualquer descrição de uma obra de arte é uma redução imediata dela; é isso que a torna arte. O luto funciona da mesma maneira. Ninguém entende a arte ou o luto totalmente porque nenhum dos dois admite um fechamento perfeito.

A arte é uma experiência sem fechamento, e amamos isso nela. Amamos não conseguir determinar o que exatamente há numa pincelada, num filme, numa melodia que nos atrai. Não há maneira de explicar como a arte parece se alterar toda vez que pensamos nela, muito embora tenha permanecido fisicamente intocada.

O luto também é uma experiência sem fechamento, e odiamos isso nele. Odiamos não conseguir determinar o que exatamente na nossa dor continua nos puxando. Tampouco conseguimos explicar como o luto parece se alterar toda vez que pensamos nele — num momento é uma suave lembrança, noutro um susto amargo.

A impossibilidade de fechamento na arte é a qualidade que faz com que ela seja inestimável. Se você acha que estou prestes a dizer que tanto a arte quanto o luto são experiências que não têm preço com as quais decoramos nossa vida, saiba que não vou fazer isso. Não sou esse tipo de terapeuta e isso não é uma sessão de terapia, é um livro.

Se estou relacionando a arte e o luto é para puxar um fio, para oferecer uma entrada a algo novo. Para permitir que você explore sem um destino determinado.

A exploração não precisa terminar numa certeza em relação ao que quer que seja. Pensamentos e sentimentos não precisam seguir um roteiro. Tudo bem conviver com uma coisa por um longo tempo, olhar para ela, virá-la, senti-la, pensar a respeito, virá-la outra vez, falar a respeito, escrever a respeito, então erguer os olhos e dizer: "Não sei". Tudo bem não haver fechamento.

Parte do motivo pelo qual adoramos filmes com um "final hollywoodiano" é que eles nos encantam com a fantasia do fechamento. É a gratificação imediata do fechamento que leva filmes água com açúcar a fazer com que nos sintamos bem.

A gratificação imediata é agradável, mas basta dar uma olhada na lista dos indicados ao Oscar do ano passado para perceber que o que mais valorizamos numa história não é um fechamento perfeito, e sim seu sentido. O sentido transforma o entretenimento que nos agrada na arte que amamos. O mesmo vale para as histórias da nossa própria vida. Não é descobrir o fechamento perfeito que nos realiza, e sim descobrir sentidos.

Depois que se conecta com seu poder, que se encontra no reino autodefinido da conexão e do sentido, você pode se surpreender com quão pouco se importa com um fechamento. Talvez um fechamento se torne algo que simplesmente não importa mais, um desejo superficial que pode ser satisfeito assistindo a uma comédia romântica.

Não importa o que os outros fazem ou deixam de fazer, não importa o que acontece ou não acontece, é você quem tem o poder de decidir o que vai se abrir em seguida.

Quando uma pessoa se conecta ao seu poder, não precisa de um fechamento. Não precisa que uma conversa pós-término "real oficial" resolva tudo com o ex, não se ressente mais de quem vive livremente, não deseja mais conseguir parar de pensar em alguém que morreu — ela abre mão de tentar controlar o passado. Quando você compreende que o fechamento é uma fantasia, já tem todo o fechamento de que poderia precisar.

Sempre que puder, lembre:
O pensamento contrafactual é um reflexo cognitivo.
O apoio tem diferentes caras.
A manutenção é uma vitória.
Troque "melhor ou pior" por "diferente".
A felicidade é vivida em três estágios, assim como o estresse.
Uma pena a mais pesa muito.
O que diferencia dificuldade de desafio é a conexão.
Simples não é fácil.
É melhor gerenciar energia que gerenciar tempo.
O fechamento é uma fantasia.

8. Coisas novas a fazer para ajudar a parar de fazer demais

Oito estratégias comportamentais para que cada tipo de perfeccionista crie hábitos restauradores que permitam o crescimento no longo prazo

> *Como podemos esperar que uma pessoa abra mão de uma maneira de ver e compreender o mundo que a manteve viva, em termos físicos, cognitivos e emocionais? Nenhum de nós é capaz de abandonar nossas estratégias de sobrevivência sem apoio significativo e o cultivo de estratégias substitutivas.*
>
> Dra. Brené Brown

Eu estava esperando Kait para uma sessão presencial, mas ela me ligou pelo FaceTime. "Oi! Tudo bem fazermos atendimento virtual hoje? Meu dia está bem cheio."

O rosto de Kait estava amassado e emoldurado pelo que parecia ser o apoio de cabeça de uma cadeira de massagem. "Kait? Você está fazendo uma massagem?"

KAIT: Sim, você está no viva-voz.
EU: Estou confusa.

KAIT: Fiquei pensando no que você disse, sobre priorizar a restauração. E achei que seria mais eficiente assim. Unindo a restauração física à mental.
EU: Não estou nada confortável com isso.

Não é que perfeccionistas sejam ruins em restauração; elas são péssimas. Restauração é a oitava maravilha do mundo para perfeccionistas, um paradoxo fascinante repleto de muito mais perguntas que respostas: "Como saber se eu preciso de restauração? Como me restauro? Quanto restauro? Quando devo restaurar? Que medida posso usar para saber se minha restauração está indo bem? O que deveria acontecer depois que eu me restaurar? E se o que deveria acontecer não acontece, o que acontece?".

A restauração apresenta um conjunto único de desafios às perfeccionistas. Um momento inofensivo de inatividade, por exemplo, não parece inofensivo para as perfeccionistas — parece um risco envolto em pressão: "Tá, vou dar uma caminhada na rua durante o horário do almoço e vou voltar relaxada. É melhor que funcione". Sei que é uma blasfêmia uma terapeuta dizer isso, mas você não deveria se sentir assim.

Perfeccionistas têm dois problemas com restauração. Em primeiro lugar: precisar de restauração de início parece um fracasso para nós. Interpretamos a experiência do cansaço como se tivéssemos feito algo de errado que precisasse ser corrigido.

Se você quer deixar uma perfeccionista sem fala, informe a ela que o CDC recomenda passar cerca de um terço do dia dormindo. Essa é uma verdade que as perfeccionistas têm dificuldade em aceitar: uma quantidade significativa de descanso *todo santo dia* é necessária para que os seres humanos funcionem — não conseguimos acreditar nisso e não conseguimos superar isso.

Em segundo lugar: restauração exige descompressão. E isso envolve deixar a pressão de lado em vez de aumentá-la, pois é exatamente isso que a palavra significa — uma redução na pressão. Perfeccionistas são péssimas em descomprimir porque são ótimas sob pressão.

Se você não consegue relaxar enquanto vê TV, por exemplo, é porque está secretamente medindo a relação entre o tempo que investe nessa atividade e quão restaurada se sente. Se não estiver funcionando rápido o bastante, você fica com a sensação de que está perdendo tempo e sendo improdutiva, e começa a se sentir mais frustrada do que antes de começar a "relaxar".

Pôr pressão em atividades supostamente prazerosas faz com que elas não sejam prazerosas. Então como se restaurar se isso exige descompressão e você prospera sob pressão?

Pense em descompressão como "relaxamento passivo". Quando você descomprime, está relaxando, está abrindo mão, está esvaziando. Alguns exemplos de relaxamento passivo podem incluir ver TV, dar uma olhada no Instagram, tirar um cochilo, esse tipo de coisa. Perfeccionistas ficam nervosos durante o relaxamento passivo *a menos que* consigam incorporar a brincadeira na sua vida.

Sim, a brincadeira.

Brincadeira é outra palavra que é melhor descrever em vez de definir. Minha descrição preferida é do grande teórico do assunto, o dr. Brian Sutton-Smith, que disse que o oposto de brincar não é trabalhar, e sim depressão.

Se você é como a maioria das minhas clientes não deve gostar da ideia de "brincar", então vamos concordar em usar a expressão "relaxamento ativo".

Quando você relaxa ativamente, você se enche; você se renova através de uma atividade que tenha significado aos seus olhos. Alguns exemplos de relaxamento ativo são remar, caminhar, cozinhar, se dedicar a sua parte preferida do trabalho, ir a uma festa, pintar, dançar, escrever, fazer uma lista, ver uma palestra, fazer jardinagem, organizar e se arrumar.

Descompressão = relaxamento passivo = se esvaziar
Brincar = relaxamento ativo = se encher
Restauração = relaxamento passivo + relaxamento ativo

A restauração é um processo de duas fases. Você se esvazia e volta a se encher. Não é diretamente iterativo, mas não dá para pular uma fase. Sem se permitir ciclos de descompressão durante os quais se esvazia, não sobra espaço para aquilo de que está tentando se encher e a restauração não ocorre.

Se você só descomprime, acaba se sentindo preguiçosa, um pouco repulsiva e vazia por dentro. Se só relaxa ativamente, acaba sentindo que seus esforços para se restaurar só lhe causam mais estresse.

A combinação de descompressão e relaxamento ativo é essencial para as perfeccionistas (na verdade é essencial para todas, mas as outras pessoas não relacionam relaxamento passivo e fracasso da maneira como perfeccionistas num espaço desadaptativo fazem, por isso a restauração não é tão complicada para elas).

Exemplos de relaxamento ativo para cada tipo de perfeccionista:

PERFECCIONISTAS INTENSAS: Expressar agressão de maneira saudável como praticar esportes ou se exercitando.

PERFECCIONISTAS CLÁSSICAS: Prestar atenção aos detalhes, como levar uma hora para arrumar uma única prateleira da estante.

PERFECCIONISTAS PARISIENSES: Fazer algo que as ajuda a se sentirem conectadas consigo mesmas e com os outros, como montar uma cesta de presente ou sair para caminhar e refletir.

PERFECCIONISTAS CAÓTICAS E PROCRASTINADORAS: Se envolver em buscas que podem começar, continuar e terminar rápido, como cozinhar o almoço ou a gloriosa trifeta que é escrever um cartão de agradecimento, endereçá-lo e levá-lo ao correio no mesmo dia.

Perfeccionistas também resistem à restauração porque acham que ela é definida exclusivamente pelo descanso físico (por exemplo, dormindo ou "não fazendo nada"). Perfeccionistas não gostam de "não fazer nada". Independente do que o mundo do bem-estar lhe diga, você não precisa aprender a gostar de fazer nada para ser saudável.

Tudo bem se você considera não fazer nada entediante. Assim como há diferentes iterações de apoio *além* do apoio emocional, há diferentes iterações de descanso *além* do descanso físico.

Por um longo tempo, por exemplo, fiquei confusa quanto a por que gostava tanto de filmes de ação ruins. Para começar, sou uma romântica incorrigível. E gostar de filmes de ação cheios de homens e sem nenhuma integridade artística não corresponde à minha afinidade com histórias elaboradas. As nuances, as histórias por trás das nuances, os detalhes que você nota sem notar que está notando, as idiossincrasias da narrativa — é disso que eu gosto e é isso que eu quero. Eu poderia passar o dia ouvindo histórias. Então percebi:

"Ah, eu já ouço histórias o dia todo, e por mais que adore meu trabalho preciso de um descanso disso".

Filmes de ação me oferecem descanso emocional do trabalho emocional que envolve ser uma psicoterapeuta. Para esvaziar e descomprimir, não preciso de mais histórias: preciso assistir a objetos inanimados explodindo sem que ninguém fale comigo. Os personagens não precisam ser bem desenvolvidos. O diálogo é opcional. Para mim, uma hora e meia de explosões e perseguições de carro é como ir a um spa.

Precisamos de todos os tipos de descanso e nos restauramos por todo tipo de razão além de estarmos fisicamente cansados. Diferentes tipos de descanso nos ajudam a restaurar nossa criatividade, integridade, empatia, clareza, humildade, espiritualidade, motivação, confiança, senso de humor e mais.

Descanso não é uma palavra de oito letras (perfeccionistas clássicas, por favor, não me venham com "bom, tecnicamente..."). Descanso não é uma opção ou uma preferência. Descanso é uma necessidade, que nem água.

Nossos modelos categóricos de doença mental induzem a falsa noção de "saudável" como um prêmio a se ganhar para depois ser exibido, como um troféu numa prateleira. Ser saudável não é uma coordenada estática no espaço, na qual você aterrissa, finca uma bandeira e conquista. A energia sustentada necessária para cuidar da sua vida de maneira consistentemente consciente (o modo como perfeccionistas adaptativas operam) é um tipo de atletismo.

Restauração é um requisito recorrente para vivermos de forma consciente. Você pode fazer algum progresso sem restauração, mas não conseguirá sustentá-lo. Quando perfeccionistas se comprometem com a restauração, os dividendos são infinitos.

O que acontece quando cada tipo de perfeccionista dedica tempo à restauração?

Perfeccionistas parisienses restauradas chegam à conclusão de que não é que queiram ser amadas por todos o tempo todo, e sim que têm uma forte compreensão do poder da conexão. São as conexões que nos validam.

Precisar de validação dos outros é patologizado no mundo da psicologia pop. A verdade é que os seres humanos precisam ser vistos, ouvidos e compreendidos uns pelos outros. A validação se torna especialmente crítica quando você é parte de um grupo marginalizado ou foi separado do seu grupo e ativamente invalidado.

Precisar de validação não é um reflexo de insegurança; é um modo central de conexão. Pessoas saudáveis precisam de validação. Todo mundo precisa de validação. Tudo bem precisar de validação; o que não se deve fazer é acreditar que a validação externa define seu valor próprio.

Quando não estão restauradas, as perfeccionistas parisienses tentam agradar aos outros como um atalho para a conexão. No entanto, isso não funciona, pois faz com que você se desconecte de si mesma. Você pode chegar à outra pessoa, mas deixa seu verdadeiro eu do outro lado da ponte.

Ser "a garota legal" é um eufemismo para uma mulher que reprime sua raiva tanto não a sentindo quanto não a expressando. Quando você se restaura, lembra mais facilmente que a raiva e a frustração são saudáveis, naturais e informativas. Você aceita melhor o conflito. Concentra-se em desfrutar de pessoas, projetos e comunidades receptivos, com os quais não tem dificuldade de se conectar.

Conexões saudáveis não exigem sublimação — quando está restaurada, você se lembra disso. Conexões que exigem performance deixam de parecer atraentes.

Você ainda procura validação, mas faz isso de maneira saudável, desfrutando de experiências que a validam como quem *você* decidiu que quer ser. Você também se esforça para validar os outros de maneira saudável. E valida a si mesma, o que talvez seja o mais importante.

Você se apropria do seu senso de pertencimento antes que alguém precise reforçá-lo. Quando entra pela porta sem saber se é digna, a validação externa diz: "Você está tendo um bom desempenho no momento, então pode ficar um pouco aqui". Quando você entra pela porta sabendo que é digna, a validação externa diz: "Bem-vinda ao lar". Desde que você não precise dela para entrar pela porta e saber que pertence, não há nada de errado em desfrutar de uma recepção calorosa.

Em vez de tentar se condicionar a não se importar com o que os outros pensam, você reconhece que se importar é uma qualidade maravilhosa e dirige essa sua qualidade brilhante a pessoas, lugares e projetos que retribuem a conexão de alto nível que você oferece.

Você deixa de desperdiçar energia com aqueles que não têm a capacidade ou a disposição de se conectar com você. Você para de tentar ser popular e se concentra em agradar a si mesma.

Perfeccionistas caóticas restauradas passam a compreender que não é que sejam desorganizadas demais para seguir em frente ou que precisem que o meio do processo seja perfeito, e sim que estão tentando evitar a perda.

Cada escolha que fazemos envolve perdas. Ninguém pode viver em todas as cidades, casar com todas as pessoas, aceitar todas as ofertas, dar vida a todas as ideias.

Aceitar o custo de oportunidade que vem com a escolha é doloroso. O atalho que você pega quando não está restaurada é fingir que pode ignorar a dor, agindo como se seu entusiasmo pudesse compensar o tédio e substituir o compromisso.

O trabalho que você faz melhor quando está restaurada é usar seu entusiasmo para recrutar o apoio de que precisa. Você aprende o que são limites e como implementá-los. Faz um inventário dos seus valores e decide com o que quer se comprometer e com o que não quer. Você compreende que, como a perda é um gatilho para as perdas do passado, o trabalho de buscar seu potencial pesa mais do que você imaginou que pesaria.

De um lugar restaurado, você acessa a largura de banda necessária para ter compaixão por si mesma em relação àquilo de que está abrindo mão. Você para de fingir que pode estar em 26 lugares ao mesmo tempo, depois para de fingir que pode estar em quinze lugares ao mesmo tempo, depois sete, depois dois.

Quando você para de queimar seus recursos internos tentando resistir à perda, é capaz de redirecionar toda aquela sua energia para um caminho claro. Você colhe todos os benefícios do comprometimento com aquilo pelo que tem paixão, principalmente a alegria de observar o que ama tomar forma, se expandir e mudá-la para melhor.

Perfeccionistas procrastinadoras restauradas passam a entender que não é que queiram que o começo seja perfeito, e sim que querem acreditar que tudo vai ficar bem mesmo se fracassarem. Como as perfeccionistas caóticas, as procrastinadoras também vivenciam uma sensação de perda; a perda só as atinge num estágio diferente do processo e por um motivo diferente.

A perda para a perfeccionista procrastinadora não tem a ver com luto pelo custo de oportunidade, como no caso das caóticas. Para as procrastinadoras, a perda é antecipatória: "E se isso que eu quero não der certo? Quem serei? O que terei?".

O atalho que você pega quando não está restaurada é aplacar seu medo correndo na direção da falsa segurança do resultado garantido. Você entra no modo de escassez e tenta evitar a perda. Pensa: "Vou aceitar esse emprego que não quero muito porque pelo menos fico segura de que terei X".

Quer seja ao se candidatar a um emprego, ao encontrar um companheiro, ao tentar engravidar ou mesmo mudanças em escala menor, como redecorar o quarto ou fazer uma viagem, é difícil quando uma visão existe em estado perfeito na sua mente porque ao introduzir esse sonho no mundo real parece que você o põe em perigo, como se apontasse um taco de beisebol para algo que ama.

De um lugar restaurado, consegue ver que sua visão não entra em colapso quando você permite que entre no mundo real, tampouco fracassa só porque não parece com o modo como você achou que seria. A visão muda porque cresce, e cresce porque você lhe dá vida.

Perfeccionistas procrastinadoras restauradas aprendem a agir não porque têm a segurança de que tudo vai dar certo para elas, mas porque compreendem que estar pronta e estar no controle são duas coisas diferentes. Compreender que tem pouco ou nenhum controle sobre o mundo à sua volta é libertador; isso abre você para entrar na sua nova vida agora mesmo, em vez de esperar até que tenha mais controle.

Agir intencionalmente e então ceder espaço para o que quer que aconteça poder se desdobrar é transformador, ainda mais se você não estiver acostumada a fazer isso. Ao viver seus desejos em tempo real, as perfeccionistas procrastinadoras restauradas se tornam muito mais elas mesmas; sentem-se vitalizadas, empolgadas, presentes no que há de bom na sua vida. Elas ainda se deparam com o mesmíssimo medo, mas, com energia para encará-lo, não se intimidam mais tão facilmente.

Perfeccionistas clássicas restauradas passam a entender que não é que precisem de ordem ou organização perfeitas, e sim que reverenciam a função e a beleza. O problema dessa reverência é que você gostaria de poder acabar com a disfunção. Você gostaria de poder apagar todas as coisas no mundo que ameaçam a beleza. De um lugar restaurado, você tem uma compreensão maior do seu perfeccionismo, assim como dos desejos ideais que o impulsionam.

O atalho que você toma quando não está restaurada é pegando tudo que pareça caótico ou disfuncional e sufocando com estrutura.

Caos não é o mesmo que disfunção; a disfunção é inevitável, mas o caos não é. De um lugar restaurado, é possível enxergar a diferença. Você aceita e talvez mesmo abrace que certo grau de caos é natural e até bom.

Você se dispensa da responsabilidade de compensar a disfunção externa sobre a qual não tem controle, e assim ganha energia para encontrar seu mundo interno. Você se permite vivenciar a tristeza ou quaisquer sentimentos indesejáveis que antes tentava encobrir com organização e aperfeiçoamento. Você se dá conta de quanta empatia tem.

Você dá atenção às partes de si que precisam do seu cuidado amoroso. Abre espaço para o caos que a vida traz. Abre espaço para o caos dentro de si.

Continua adorando planejamento, organização, deixar tudo lindo — mas faz isso porque quer, e não porque caso contrário tudo ruirá. Você age a partir de um poço de desejo, e não de um poço de desespero.

Sua vida pode parecer ou não parecer igual por fora, mas

por dentro muita coisa mudou. Você para de trabalhar na curadoria de experiências programadas. Você se permite acesso livre a tudo que pensa e sente. Você se permite ser livre.

Perfeccionistas intensas restauradas passam a compreender que não é que precisem que o resultado seja perfeito; só que querem ser importantes — para os outros, para o mundo, para si mesmas. Você se concentra em ser humana, em vez de em ser "valor agregado".

O atalho que pega quando não está restaurada é usar a conquista de objetivos como prova de "valor agregado" — para o mundo, os filhos, os amigos, o trabalho. "Veja só o que fiz. Veja só tudo que faço. Me diga que eu sou importante."

Você extingue a expressão "valor agregado" do seu vocabulário.

Quando não está restaurada, quanto mais você conquista, mais pressão sente de conquistar mais, para que seu "valor agregado" não expire. Como não consegue fazer isso rápido o bastante para atender à necessidade insaciável de validação externa, você se concentra na eficiência de uma forma que não apenas acaba sendo *ineficiente* como também isola você.

A necessidade falsa de conquistar se torna urgente, tanto que você abandona sua necessidade real de conexão. Você aborda perpetuamente sua vida a partir de um estado futuro: "Vou me conectar com meus filhos depois que terminar X. Vou começar a sair depois que terminar X. Vou me concentrar na minha saúde depois que terminar X".

Quando está restaurada, é forte o bastante para compreender que você é importante agora e que sua vida é agora. Você continua a trabalhar duro ao mesmo tempo que prioriza conexões significativas — com os outros, sim, mas com você mesma ainda mais.

Você se dá permissão para receber apoio.

Você se permite ser flexível, pois quando está descansada fica mais fácil lembrar que seu jeito não é o único jeito. Você reúne a energia para ter compaixão por si mesma até nos momentos em que grita, fervilha por dentro ou recorre à agressão porque tem compaixão pela parte sua que quer muito se sentir importante, a parte sua que não sabe que você já é importante.

A regressão a padrões negativos continua acontecendo quando você está restaurada, só que com menos frequência. Você percebe mais rápido e tem energia para tentativas de reparação significativas.

A restauração não a protege totalmente de cometer erros. Nada protege alguém totalmente de cometer erros. Velhos erros, novos erros, alguma versão híbrida e criativa de velhos e novos erros — não importa quão adaptativos ou saudáveis nos tornemos, todos continuaremos a cometer erros.

O trabalho com que *toda* perfeccionista tem energia para se envolver quando está restaurada é encontrar a força para definir o sucesso nos seus próprios termos — de acordo com seus próprios horários, honrando seus próprios valores, seguindo sua própria métrica para a conquista. O perfeccionismo representa o impulso natural, inato e saudável de se alinhar com nosso eu completo e íntegro. Uma perfeccionista restaurada compreende que não é que queira que algo externo ou ela mesma seja perfeita: é que ela quer se sentir completa e ajudar outros a se sentirem também.

Priorizar sua restauração é essencial para gerenciar seu perfeccionismo. Como falamos, toda perfeccionista é ao mesmo tempo desadaptativa e adaptativa. É preciso ter uma rotação pesada de habilidades de enfrentamento positivas e estratégias de restauração à sua disposição, porque você já tem uma rotação pesada de habilidades de enfrentamento negativas e estratégias de esgotamento à sua disposição.

Conforme cresce, suas necessidades mudarão, e você precisará ajustar suas soluções para acomodar essas mudanças. O que funcionou há seis meses pode começar a falhar; e tudo bem. Tudo bem uma solução parar de funcionar. Às vezes as soluções se extinguem, tanto quanto os problemas.

Soluções param de funcionar porque você está mudando e o ambiente à sua volta também, o que é esperado que aconteça. Você não está fazendo nada de errado. Nada está ruindo. A mudança é natural. Tudo muda o tempo todo. Estamos sempre sendo convocadas a abrir mão de alguma coisa, por isso o luto é como o protetor de tela do ser humano.

O importante a lembrar é que sempre há múltiplas soluções para qualquer problema.

Este capítulo foi pensado para ajudá-la a incorporar a restauração na sua rotina diária por meio de oito ferramentas específicas. Se você apertar todos os botões ao mesmo tempo, seu sistema não vai dar conta. Fazer uma blitz de restauração não vai ajudar.

Ofereço múltiplas maneiras de abordar a restauração porque a cura não é uma situação em que o que se aplica a uma se aplica a todas, e como dizem: nada que funciona funciona o tempo todo. A ideia é escolher a ferramenta que tem mais a ver com você, aquela que parecer mais agradável, e começar daí.

Preste atenção no seu instinto enquanto lê as estratégias. Note aquilo que desperta sua curiosidade. Se alguém lhe estender a mão, estenda a sua também.

Saiba que você pode não escolher nenhuma e partir para o segundo estágio da mudança. Não estamos em um programa do tipo "você melhor em trinta dias". Não é isso que estamos fazendo aqui.

Tudo bem passar um tempo só pensando a respeito, sem fazer nada em termos de comportamento; é assim que o desenvolvimento pessoal começa.

Processar conscientemente sua experiência interna é tão produtivo quanto representações tangíveis de produtividade. Você está aqui para trabalhar de maneira mais inteligente, e não mais duro. Você é uma perfeccionista, o que significa que já trabalha duro o bastante.

Por último, a restauração é um processo altamente individualizado. Só você sabe do que precisa, do quanto precisa e de quando precisa. É possível que esteja acertando no ponto. Caso se sinta energizada e restaurada, preste atenção no que possibilita isso e considere continuar a fazer o que está fazendo sem mudar nada.

Você tem o poder de incorporar as oito ferramentas de restauração na sua rotina a qualquer momento, em qualquer grau que escolher. A primeira estratégia é o reenquadramento.

1. REENQUADRE

Minha mãe conta que minha primeira palavra foi "pássaro", mas estou convencida de que foi "reenquadramento" e ela não estava lá quando eu falei. O reenquadramento é o melhor amigo de todo terapeuta; é tão certo que vamos usar essa ferramenta quanto os clientes vão ficar mexendo no celular na sala de espera.

Conhecido clinicamente como "reavaliação cognitiva", reenquadramento é quando você altera a linguagem envolvendo um conceito ou um evento para permitir uma perspectiva mais útil.

Por exemplo:

Muitas de nós (de maneira consciente ou inconsciente) interpretam pedir ajuda como um sinal de que não conseguimos realizar algo sozinhas, o que faz com que nos sintamos inadequadas, tenhamos medo e fiquemos menos propensas a pedir ajuda.

Eis um reenquadramento disso: *Pedir ajuda é se recusar a desistir.*

Pensar em pedir ajuda como uma recusa a desistir faz com que nos sintamos fortes, determinadas, empoderadas e *mais* propensas a pedir ajuda.

Reenquadramentos são poderosos porque uma das melhores maneiras de mudar como pensamos é mudar como falamos. Por exemplo, substituir a palavra "tempo" pela palavra "energia" ajuda a reenquadrar o modo como você conceitualiza sua agenda ao reforçar a noção de Mullainathan de gerenciamento de largura de banda, que vimos no capítulo anterior.

EM VEZ DE: Como está minha programação amanhã? Vou ter tempo de me encontrar com ela?

TENTE: Como está minha programação amanhã? Vou ter energia para me encontrar com ela?

Ao falar sobre a saúde mental dos veteranos de guerra, o príncipe Harry apontou que prefere o termo "lesão por estresse pós-traumático" a "transtorno do estresse pós-traumático" (TEPT).[1] Como o ex-capitão do Exército explicou, conceitualizar o TEPT como uma lesão em vez de um transtorno nos ajuda a compreender que, assim como quando sofremos uma lesão física e tomamos medidas para curar nosso corpo, podemos sofrer uma lesão psicológica e tomar medidas para curar nossa mente. Reenquadramentos que reconhecem a fluidez da saúde mental fazem qualquer campo avançar na direção certa.

Reenquadramentos não ajudam apenas a mudar a maneira como você vê sua vida; também ajudam a mudar a maneira como vê a vida dos outros. Por exemplo, em inglês, muitas pessoas usam o termo "sem filhos" para descrever mulheres que não têm filhos. Quando "sem" é usado antes de uma palavra, implica que há algo faltando: *sem* dinheiro, *sem*-teto, *sem* direção, *sem* sentido.

Mulheres que escolheram não ter filhos não estão em déficit. Não apenas algumas mulheres não querem filhos mas também se realizam plenamente não tendo filhos. Elas não estão evitando uma vida completa, não estão "perdendo" nada, não sofrem em segredo, não vão se arrepender. Considere a mudança de perspectiva que implicaria descrever mulheres que não querem filhos como "livres de filhos".

Vamos ver outros exemplos de reenquadramento relacionados à saúde mental:

EM VEZ DE: comportamentos que buscam chamar a atenção.
TENTE: comportamentos que buscam conexão.

EM VEZ DE: mecanismos de defesa ("Affe, eles estão totalmente na defensiva").
TENTE: mecanismos de proteção ("Ah, eles estão tentando se proteger para não se machucar").

em vez de: Não sei o que quero.
tente: Estou reimaginando minhas possibilidades.

em vez de: Nunca me saí bem na escola.
tente: A sala de aula não é onde aprendo melhor.

em vez de: Vou fingir até convencer.
tente: Vou me dar permissão para priorizar as melhores partes de mim mesma.

em vez de: Tenho ansiedade.
tente: Tenho excesso de ansiedade.

em vez de: Tenho bagagem demais.
tente: Tenho um rico histórico de experiências.

em vez de: Preciso...
tente: Tenho a chance de...

em vez de: Estou passando por um término doloroso.
tente: Estou passando por um avanço doloroso.

em vez de: transtorno.
tente: reação/síndrome.

em vez de: Desculpa, estou péssima.
tente: Obrigada por ter paciência comigo.

em vez de: gerenciamento de sintomas.
tente: cura.

EM VEZ DE: Sou bipolar.
TENTE: Estou lidando com um transtorno bipolar. (Você não é seu transtorno de saúde mental.)

EM VEZ DE: Ela é bipolar.
TENTE: Ela está lidando com um transtorno bipolar. (Outras pessoas não são o transtorno de saúde mental delas.)

EM VEZ DE: paciente.
TENTE: cliente.

EM VEZ DE: Preciso de um conselho.
TENTE: Preciso de aconselhamento.

EM VEZ DE: Do que preciso? O que estou sentindo?
TENTE: Do que [seu nome aqui] precisa? O que [seu nome aqui] está sentindo? (Uma pesquisa apoiou a ideia de que, ainda que pareça bobo, falar de si mesma na terceira pessoa cria uma mudança de perspectiva que permite regular melhor as emoções e se concentrar nas suas necessidades. A prática de refletir sobre sua situação na terceira pessoa, chamada clinicamente de autodistanciamento, é útil porque gera uma distância psicológica entre você e sua experiência. Sabe como é fácil saber exatamente o que sua melhor amiga deveria fazer em relação aos problemas dela enquanto os seus parecem complicados e insolúveis? O distanciamento psicológico entre você e a experiência da sua melhor amiga é que facilita isso.)[2]

EM VEZ DE: Sou tão perfeccionista. É irritante, eu sei!
TENTE: Tenho uma visão forte e clara.

EM VEZ DE: Sou uma perfeccionista em recuperação.
TENTE: Aprendi a tornar a autocompaixão minha resposta-padrão emocional. Ou: Assumi meu poder. Ou: Agora compreendo que tentar encontrar equilíbrio é como tentar encontrar uma agulha num palheiro onde nem há uma agulha.

Agora vamos falar sobre como reenquadrar "Não sei o que fazer".

Fui treinada para responder a essa frase, repetida com frequência pelas minhas clientes, com uma pergunta simples e genuína: "Isso é verdade?".

Na maior parte do tempo, sabemos, sim, o que fazer; só não nos imaginamos fazendo. Quando uma cliente diz "Não sei o que fazer" e está sendo sincera, o que ouço é que ela está aberta a tentar uma nova estratégia.

Reconhecer que uma nova estratégia é necessária é difícil. É preciso coragem para reconhecer que algo não está funcionando em vez de fingir que vai funcionar caso você se esforce ou force mesmo, ou que tudo vai se consertar magicamente se ignorarmos.

Para evitar a dificuldade de iniciar uma nova abordagem, as pessoas apelam à estratégia passiva do "esperar para ver" até que a disfunção culmine numa crise, quando elas passam a se ocupar com a urgência da triagem.[*3] Depois que a crise é contida, ainda é preciso desenvolver uma estratégia melhor.

Reconhecer que você não sabe o que fazer é um sinal de consciência, no entanto "Não sei o que fazer" é com frequência visto como um pensamento inútil. Considere reenquadrá-

---

[*] O trauma também nos faz adiar a atenção conscienciosa a uma disfunção.

-lo como um dos pensamentos mais poderosos que alguém poderia ter.

"Não sei o que fazer" precede ações em busca de apoio, assim como outros pensamentos úteis, como "Talvez eu fosse me beneficiar de uma perspectiva diferente... A quem posso pedir ajuda? Quero falar com alguém que já esteve na minha posição... O que meu instinto me diz?".

"Não sei o que fazer" também é um sinal de abertura, humildade e flexibilidade. Quanto mais fortes as tendências narcísicas de uma pessoa, por exemplo, menor a probabilidade de que você a ouça dizendo "Não sei o que fazer".[4]

EM VEZ DE: Não sei o que fazer.
TENTE: Estou pronta para uma nova estratégia.

Reenquadramentos dão novo significado à repreensão: "Olha como fala". Veja como reenquadrar sua linguagem reenquadra sua perspectiva.

Não se trata de uma negação ou minimização da dificuldade associada ao que quer que você esteja reconceitualizando. O reenquadramento reconhece sua perspectiva inicial ao mesmo tempo que entende que ela é só uma das muitas perspectivas que existem.

Num estudo tripartite do perfeccionismo (que comparava perfeccionistas adaptativas, desadaptativas e não perfeccionistas), as perfeccionistas adaptativas foram as que mais demonstraram capacidade de reenquadramento. As desadaptativas foram as que mais tentaram suprimir e controlar emoções negativas.[5]

O reenquadramento é uma habilidade, e habilidades podem ser aprendidas. Para começar a praticar a habilidade do reenquadramento, faça a si mesma a seguinte pergunta:

"De que outra maneira posso enxergar isso?". Se não consegue pensar em nenhuma, pergunte a alguém.

O reenquadramento mais clássico é notar que um copo meio vazio também é um copo meio cheio. Outro muito bom é notar que não importa quão cheio o copo esteja se você sabe abrir a torneira. Sempre há múltiplas perspectivas, e sempre há múltiplas soluções.

2. EXPLIQUE E EXPRESSE

Terapeutas são treinados para ouvir o que *não* está sendo dito tanto quanto são treinados para ouvir o que é de fato dito. Como ouvir o que alguém não está dizendo? Há muitas maneiras, e uma delas é atentando à distinção entre explicar e expressar.

Explicar é dizer a alguém o que aconteceu, o que está acontecendo ou o que você acha que vai acontecer.

Expressar é dizer a alguém como você se sente em relação ao que aconteceu, como se sente em relação ao que está acontecendo ou como se sente em relação ao que acha que vai acontecer.

Por exemplo, quando você diz "Vou me mudar em três semanas", está explicando; quando diz "Estou com medo", está expressando; e quando diz "Estou com medo porque vou me mudar em três semanas", está explicando e expressando ao mesmo tempo.

Se você explica demais e expressa de menos, não se conecta com a totalidade da sua experiência. Se intelectualiza muito, rodeia a questão mas não chega a entrar nela.

Restringir-se a explicar faz com que as pessoas se sintam desconectadas de si mesmas. Você pode saber o que aconteceu mas não compreende como se sente a respeito ou o que significa para você, o que dificulta saber o que fazer a seguir.

O outro lado da moeda da comunicação é que, se você expressa demais e explica de menos, não dá espaço para que suas emoções evoluam para revelações. Você fica andando em círculos, falando sobre como se sente, mas, sem ancorar seus sentimentos explicando "quem, o quê, quando, onde e porquê", fica impossível formar uma história.

Quando não há marcos logísticos na sua experiência emocional, você se sente desorientada. Pode saber como se sente, mas não entende o motivo. Sem explicação, não dá para encontrar padrões ou gatilhos, não dá para desenvolver soluções sustentáveis. Você fica só nadando de um lado para o outro numa piscina de sentimentos.

Construímos sentido falando sobre o que aconteceu *e* sobre como nos sentimos a respeito. É a explicar e expressar que os terapeutas estão se referindo quando dizem: "Precisamos processar isso".

Perfeccionistas clássicas e intensas tendem a explicar demais e expressar de menos, ou apenas se expressam de maneira unidimensional (uma perfeccionista intensa que só expressa raiva, por exemplo, ou uma perfeccionista clássica que só expressa paciência).

Esse modo de comunicação abreviado faz com que os outros se sintam desconectados de ambos os tipos de perfeccionistas. Embora possam compreender o que perfeccionistas intensas e clássicas querem ou não querem que aconteça, talvez tenham dificuldade em se conectar num nível que não se baseie em logística.

Quem se relaciona com perfeccionistas intensas ou clássicas que não se expressam sente que sabe muitos fatos sobre a pessoa mas nada sobre quem ela realmente é.

Por outro lado, perfeccionistas parisienses e caóticas tendem a expressar demais e explicar de menos. Os outros podem compreender como esses dois tipos de perfeccionistas se sentem e ainda ter uma forte sensação de que sabem quem são lá no fundo, mas não fica claro o que querem, precisam ou pensam.

Minha amiga Pippa me contou uma história divertida sobre uma antiga chefe. Perfeccionista parisiense da cabeça aos pés, a chefe teve que demitir uma colega de Pippa, Lee (é claro que essa não é a parte divertida).

Lee já estava intuindo que seria demitida, por isso, quando foi chamada à sala da chefe, pensou: "Tá, é agora". Mas Lee saiu da reunião... confusa.

A chefe se concentrou em expressar um carinho genuíno por Lee; recordou quando haviam viajado juntas a trabalho, reconheceu os muitos pontos fortes da colega e até a convidou para um jantar. O problema era que a chefe se esqueceu de *explicar* a Lee que ela estava sendo demitida.

Quando Lee voltou à mesa, Pippa, ansiosa, perguntou-lhe o que havia acontecido. A resposta da colega foi: "Acho que acabei de ser demitida, mas não tenho certeza. Só sei que vamos jantar na sexta-feira".

Ninguém acerta no equilíbrio entre explicar e expressar perfeitamente o tempo todo, nem é preciso. O importante é ficar mais alerta a como seu estilo de comunicação está sendo percebido, e não só pelos outros, mas por você mesma.

No seu monólogo interno, você tem explicado muito mais do que expressado? Ou o contrário: você tem expressado muito mais do que explicado? Para ser mais clara na comunicação, considere adotar esses roteiros quando fala consigo mesma ou com os outros.

Para perfeccionistas caóticas e parisienses:

- O que eu gostaria que tivesse acontecido é [nomeie a ação].
- Preciso que você [nomeie a ação].
- Quero que você pare de [nomeie a ação].
- O que vai acontecer agora é [nomeie a ação].
- Preciso que me ajude com [nomeie a ação] no/a próximo/a [identifique o momento].

Para perfeccionistas clássicas e intensas:

- Tenho me sentido cada vez menos [nomeie a emoção] ultimamente.
- Gosto de me sentir [nomeie o sentimento positivo em questão], e quando [nomeie a ação] acontece, sinto mais [repita o sentimento positivo].
- Não gosto de sentir [nomeie a emoção indesejada], e quando [identifique o evento] acontece, sinto mais/menos [repita a emoção indesejada].
- Tenho saudade de sentir [nomeie a emoção] e estou tentando recuperar esse sentimento.
- Quero sentir mais [nomeie a emoção] e menos [nomeie a emoção].
- Isso importa para mim porque [explique por quê].

Perfeccionistas procrastinadoras podem estar em qualquer lugar desse espectro (como é verdade para qualquer pessoa). Se você não sabe bem se deveria explicar mais ou expressar mais, repasse as duas listas e identifique qual lhe parece mais difícil — essa é a lista que você deveria treinar mais.

Transforme as afirmações anteriores em perguntas quando notar que uma pessoa está explicando/expressando demais/de menos caso queira compreender melhor a experiência dela.

3. TENHA OPINIÕES, MAS NÃO JULGUE

O julgamento catalisa a punição. Quando você se julga "ruim", acredita que merece coisas ruins (como um castigo). Mas como não julgar a si mesma se você fez algo que sabe que já deveria ter aprendido a não fazer, ou se fez algo que estava na cara que não era o mais inteligente?

Uma boa maneira de evitar o julgamento é tendo apenas opiniões.

A diferença entre uma opinião e um julgamento é que a opinião reflete seus pensamentos e sua perspectiva, enquanto o julgamento reflete seus pensamentos, sua perspectiva e uma análise do seu valor em comparação com o dos outros. Por exemplo:

> OPINIÃO: Consumir alimentos com xarope de milho com alto teor de frutose causa inflamação, prejudica o metabolismo, tem impactos negativos no humor e não envolve nenhum benefício nutricional. Quero evitar todas essas consequências negativas, por isso vou evitar consumir alimentos com xarope de milho com alto teor de frutose. *Evitar xarope de milho com alto teor de frutose é melhor do que consumi-lo.*

JULGAMENTO: Consumir alimentos com xarope de milho com alto teor de frutose causa inflamação, prejudica o metabolismo, tem impactos negativos no humor e não envolve nenhum benefício nutricional. Quero evitar todas essas consequências negativas, por isso vou evitar consumir alimentos com xarope de milho com alto teor de frutose. *Evitar xarope de milho com alto teor de frutose é melhor do que consumi-lo, o que me torna uma pessoa melhor que você, que consome alimentos com xarope de milho com alto teor de frutose.*

Associamos ser críticos demais a nos sentir superiores aos outros, mas a forma mais comum de crítica envolve se sentir *inferior* aos outros.

Ser crítica demais é uma via de duas mãos.

Você pode identificar pessoas que considera mais inteligentes, mais bonitas, mais pacientes, mais divertidas, mais saudáveis e mais bem-sucedidas do que você. Transformando sua opinião num comentário sobre o valor da outra pessoa, você concluiu, de maneira consciente ou inconsciente, que ela é um ser humano melhor; portanto, merece coisas melhores do que você. Quando faz isso, está sendo crítica demais.

Por exemplo, você considera uma colega mais atraente e inteligente que você, e acha que por isso faz sentido que esteja num relacionamento feliz e saudável. Você pensa: "Claro que ela encontrou o amor". O que está implícito é: "Ela merece ser amada". O que está implícito nesse pensamento implícito é: "Eu não mereço tanto quanto ela".

Sempre que julgamos os outros, criamos uma separação entre nós e "eles". Sempre que nos julgamos, criamos uma separação entre as partes de nós que acreditamos que merecem coisas boas e as partes de nós que acreditamos que não merecem.

Quando nos julgamos num sentido ou noutro (como melhores ou piores do que), tornamos nosso valor condicional e sentimos vergonha. Quanto mais você se relaciona com pessoas que não têm o costume de julgar, mais adquire essa atitude e vice-versa.

Um dos componentes que tornam a terapia tão útil é a perspectiva sem julgamentos do terapeuta. Um profissional de qualidade consegue entrar na sua cabeça e ver exatamente a mesma situação sem os julgamentos e as avaliações de valor próprio que você faz.

A subtração do julgamento altera tudo na maneira como a situação é percebida, incluindo qual é o problema, que soluções estão disponíveis e o que você merece.

Sempre gosto de ver o nome de antigas clientes na minha caixa de e-mails e receber notícias delas. Muitas vezes, escrevem algo como "Ouço sua voz na minha cabeça nos dias ruins". Sempre que reconheço padrões no meu trabalho, fico curiosa. Por um tempo, isso me levou a perguntar: "Posso saber o que eu disse que te marcou?".

De vez em quando, elas mencionavam alguma declaração minha, mas no geral a verdade era que haviam aprendido a abordar a vida e os erros sem julgamento. O que as clientes ouviam não era algo que eu tinha dito, e sim sua própria perspectiva, mas renovada pela ausência de julgamento. Elas só me escolhiam para fazer o trabalho de locução.

4. AJA QUANDO AS COISAS ESTIVEREM BOAS

O dr. Irvin Yalom, estimado psiquiatra e escritor, queria que todos os terapeutas e clientes lessem seu livro *The Gift of Therapy: An Open Letter to a New Generation of Therapists and Their*

Patients [O dom da terapia: carta aberta a uma nova geração de terapeutas e seus pacientes]. Compartilho desse desejo.

Uma pérola cintilante que viaja para além do processo terapêutico e entra na vida cotidiana é sua recomendação de agir quando as coisas estão boas.[6]

Yalom oferece esse conselho quando fala de dar feedback a clientes quanto aos seus comportamentos negativos quando eles não os estão apresentando. Por exemplo, o melhor momento para mencionar a tendência de um cliente a assumir a posição de vítima é quando ele está envolvido numa narrativa mais empoderadora.

O conceito de agir quando as coisas estão boas se aplica a múltiplos contextos. No trabalho, na criação dos filhos, nos relacionamentos e, o mais importante, consigo mesma — não tente resolver uma questão negativa quando ela está no auge.

Lembra-se de Ava, que me jogou uma bomba no último minuto no capítulo 5? Se não a enchi de frases de efeito, teorias comportamentais, links para TED Talks e recomendações de livros foi porque, no momento em que ela começou a chorar, estava no fundo do poço. Ava não estava numa posição de onde era possível considerar e absorver uma intervenção intensa.

Agir quando as coisas estão boas tem a ver com escolher conscientemente o momento em que a intervenção, o feedback ou o apelo por conexão têm maior chance de ser bem recebidos.

Aplicar esse princípio a perfeccionistas é como reconhecer que os momentos em que você estiver no espaço mais adaptativo são os melhores momentos para gerenciar ativamente seu perfeccionismo desadaptativo.

Parece contraintuitivo: "Por que preciso abordar os aspectos desadaptativos do meu perfeccionismo se não estou com uma mentalidade desadaptativa?". Porque a saúde mental é fluida e depende de contexto. Você apresentará uma mentalidade desadaptativa mais cedo ou mais tarde, garanto.

Quando está chateada, é significativamente menos provável que intervenções que faça em relação a si mesma sejam bem recebidas, pois sua resposta ao estresse está ativada. Seu sistema nervoso inunda seu corpo de hormônios do estresse, como adrenalina e cortisol. Esses hormônios fazem seu cérebro interpretar informações de uma forma marcadamente diferente do que seria o caso se você se sentisse calma e centrada.

Quando você estiver bem, ajude seu futuro eu em dificuldades. Cerque-se de valores protetores e os reforce. Crie rotinas que restaurem sua energia — encontre companhia para se exercitar, leia livros que te inspirem, faça terapia, sustente hábitos saudáveis, "amplie e construa" sua vida.

Se a religião é uma fonte de conexão para você, encontre uma igreja para frequentar, comece a comparecer a jantares no sabá, entregue-se de todo o coração ao puja, se esforce para priorizar sua oração da sexta-feira. Honre os princípios do que quer que seja em que acredita quando se sentir forte, e não só depois de passar nove horas chorando.

Se você sabe que seu humor é impactado negativamente pelo inverno, programe com antecedência uma viagem para algum lugar ensolarado em vez de ficar comparando os preços dos voos quando está deprimida e desconcentrada numa noite gelada no meio da estação.

É preciso agir quando as coisas estão boas porque é aí que você tem mais energia, paciência e otimismo, e que sua mentalidade está mais voltada para a solução de problemas.

A prevenção é a menina de ouro de todas as estratégias de bem-estar. Explore os momentos em que estiver funcionando melhor para ampliar seu repertório de mecanismos de enfrentamento positivos e se alinhe com todas as caras do apoio. Ter apoio à mão, mesmo que não precise usá-lo, pode ser curativo em e por si só.

5. PEÇA AJUDA

Por muito tempo, acreditei sinceramente que o que quer que eu realizasse não contava se eu precisasse pedir ajuda ao longo do caminho. Eu nunca pedia ajuda, de ninguém, para nada.

Aos 24 anos, passei por um término abrupto com o namorado com quem morava, e em vez de pedir para morar com minhas amigas, respondi ao anúncio — na *Craigslist* — do primeiro quarto disponível que encontrei para que meu cachorro e eu nos mudássemos aquela noite mesmo. Era um quarto num apartamento de três quartos, e devo dizer que os outros dois eram ocupados pelos dois homens mais sinistros de Los Angeles.

O dono do apartamento era um sujeito chamado Dax. Ele tinha um conversível detonado cuja placa dizia "Daxtasy". Chamar isso de sinal de alerta é como dizer que o núcleo da Terra às vezes fica meio quente. No que não chega a ser chocante, ele roubou o dinheiro que depositei como garantia.

No mês em que morei com ele, Dax levou mulheres para casa quase todas as noites e transava fazendo um barulho alto e tão terrível que parecia que eu estava ouvindo um acidente de carro que demorava dez minutos para terminar. Pela manhã, o cheiro de uísque e cigarro me atingia assim que eu abria a porta do quarto. Eu ia à cozinha fazer café e encontrava resquícios de cocaína pela bancada. Odiava ficar naquele apartamento; e odiava ainda mais tomar banho e dormir ali. Não consigo explicar minhas escolhas a não ser dizendo que eu achava que estava sendo "forte".

Muito embora tivesse consciência de que estava me pondo em perigo, lembro que sentia orgulho de mim mesma por fazer tudo sozinha. Na época, fazer as coisas sem ajuda de ninguém era minha maior fonte de orgulho. É triste, mas o risco envolvido e o fato de que a maior parte das pessoas teria pedido ajuda me deixavam ainda mais orgulhosa de mim mesma. O orgulho pode nos desorientar de maneiras perigosas.

É fácil confundir isolamento com independência e teimosia com força. Nunca pedir ajuda era como pôr um peso de chumbo sobre meu potencial. A situação com Dax é um exemplo particularmente notável do meu senso de independência equivocado, mas me meti em muitas outras situações do tipo e apanhei bastante até aprender:

Não apenas não há problema em pedir ajuda como as pessoas mais fortes são aquelas que buscam apoio.

A esta altura da minha vida, tudo que faço é pedir ajuda. Não há uma única pessoa na minha vida para quem eu não tenha pedido ajuda mais de uma vez, de uma forma ou de outra.

Pedir ajuda é assim:

"Pode me ajudar a [coisa com que você precisa de ajuda + maneira como a pessoa pode ajudar]?"

Pedir ajuda é ao mesmo tempo uma coisa muito simples e muito difícil de fazer, sobretudo para perfeccionistas altamente funcionais. Operar bem não quer dizer que você não sofra. Nunca deixo de me surpreender como algumas pessoas podem parecer compostas e relaxadas por fora enquanto por dentro só são capazes de andar e respirar, como disse a dra. Harriet Lerner. A dra. Karen Horney ecoou esse sentimento: "Para o analista, é uma fonte de espanto sem fim como uma pessoa pode funcionar comparativamente bem sem a participação do seu próprio interior".[7]

A parte boa da crise é que consiste num chamado à ação; tem algo de visivelmente errado, e uma ação reparadora deve ser tomada de imediato. As pessoas agem depressa em crises. Na ausência de uma, no entanto, a busca de apoio muitas vezes é adiada ou simplesmente sufocada.

Para perfeccionistas altamente funcionais, a sirene nunca soará, as luzes de alerta nunca piscarão. Quando seu sofrimento é invisível para os outros (e quando há um desejo de mantê-lo assim), é você que precisa disparar o sinalizador.

Em algum momento, enfiamos na cabeça que ser saudável e forte significa que finalmente aprendemos a não precisar de nada de ninguém. Ou seja, *entendemos tudo errado*. Ser saudável e forte significa que finalmente aprendemos que toda ajuda é útil.

A vida envolve perda e confusão para todos os seres humanos; não se espera que passemos por isso sozinhos. Os seres humanos não foram feitos para viver isolados, assim como não fomos feitos para nos locomover engatinhando na vida adulta.

Estamos todos interconectados e precisamos uns dos outros. Não precisamos uns dos outros apenas de vez em quando; *precisamos uns dos outros o tempo todo*. É hilário o quanto precisamos uns dos outros e o quanto operamos como se não fosse o caso, e com hilário quero dizer trágico.

Você não precisa estar na pior para pedir ajuda; pode só querer que as coisas fiquem um pouco mais fáceis. E, se não quiser que as coisas fiquem um pouco mais fáceis, preciso perguntar: o que exatamente você está tentando provar?

6. ESTABELEÇA LIMITES

Operar sem limites é um convite à disfunção. É impossível atingir seu potencial máximo sem saber quais são seus limites, como comunicá-los e o que fazer se eles forem violados.

Um limite é uma delimitação imposta com o propósito de proteger. Para proteger seu tempo, sua energia, sua segurança e seus recursos, você decide o que pode e o que não pode com você — essas decisões são seus limites. Por exemplo, para proteger seu tempo e sua energia, você decide que não responde a e-mails depois das seis da tarde.

Limites também já foram descritos como o ponto em que sua responsabilidade termina e a de outra pessoa começa. Prentis Hemphill, escritore, ativista e fundador do Embodiment Institute, define limites como "a distância de que é possível amar a mim e a você ao mesmo tempo".

Estabelecer limites os ativa automaticamente. Se você não estabelece limites, então não tem limites; só tem ideias quanto a quais *poderiam* ser seus limites.

Alguns limites são inegociáveis e fixos, como "Não entro no carro de ninguém que tenha bebido". Outros exigem calibração constante, porque se baseiam em necessidades que se alteram.

Por exemplo, pode haver dias ou épocas em que você precisa se incubar, ficar mais sozinha, fazer menos, dizer não. Nesses momentos, você enrijece seus limites. Em outros dias ou épocas, você talvez precise vagar livremente, ficar mais com as pessoas, aceitar mais projetos, dizer sim. Nesses momentos, você afrouxa seus limites.

Tenho muito a dizer sobre limites, mas preciso estabelecer limites a esta seção sobre limites ou este livro seria engolido pelo tema. A psicoterapeuta Nedra Glover Tawwab aprofunda esse ponto em *Aprenda a dizer não: Estabeleça limites e liberte o seu verdadeiro eu*, uma obra prática e elucidativa.

7. DURMA

Priorizar o sono é uma intervenção bastante negligenciada quando se trata da saúde mental. Investimos uma quantidade impressionante de dinheiro, energia e tempo no gerenciamento da nossa saúde mental, mas negligenciamos esse fator primordial ao nosso bem-estar.

O dr. David F. Dinges comanda o Departamento de Sono e Cronobiologia da Escola Perelman de Medicina da Universidade da Pensilvânia e aponta: "Valorizamos tanto o tempo que o sono muitas vezes é considerando uma interferência irritante, um estado de desperdício no qual entramos quando não temos força de vontade o bastante para trabalhar mais e por mais tempo".[8]

Parece familiar?

Não pensamos no sono como uma atividade, e certamente não pensamos no sono como algo produtivo. No entanto, o sono é uma das atividades mais produtivas que somos capazes de realizar. Os aspectos neuroprotetores do sono, por exemplo, são extensos.

O sono é para o cérebro o que a hidratação é para a pele — ou seja, o sono faz seu cérebro brilhar. Há uma rede de vasos no seu cérebro chamada sistema glinfático.[9] A função dele é limpar seu cérebro, e esse sistema começa a trabalhar assim que você vai para a cama.[10]

Como os pesquisadores dra. Jolanta Masiak e dr. Andy R. Eugene explicam: "O sistema glinfático age eliminando o lixo celular do corpo tal qual um sistema de encanamento faria".[11] Quando você não dorme o suficiente, é como se não desse a descarga. Tomar litros de café no dia seguinte funciona tanto quanto passar desodorizador de ambiente num banheiro com a privada entupida; ou seja, não funciona. Você vai ficar se sentindo cafeinado *e* cansado, assim como o banheiro vai ficar cheirando a desodorizador *e* privada.

Quanto mais você considera a quantidade impressionante de regeneração emocional e física que ocorre durante o sono, mais difícil se torna pensar nele como algo improdutivo. Enquanto você dorme, suas lembranças se consolidam e se abre um espaço sináptico para as coisas que vai aprender no dia seguinte.[12] Seu corpo emprega o equivalente celular a milhares de mãozinhas para reparar todos os seus músculos, incluindo o coração.[13] Seu metabolismo e a função endócrina se estabilizam, sendo que a última ajuda a regular as emoções (ou seja, você tem menos alterações de humor).[14]

Num estudo notável que examinou os efeitos do sono na melhora da imunidade, dois grupos receberam vacina contra hepatite A às nove da manhã. Um grupo dormiu na noite depois de receber a vacina, enquanto o outro foi mantido acordado e só dormiu às 21h do dia seguinte. Um mês depois, ambos os grupos foram testados. O grupo que havia tido a noite toda de descanso depois da vacina apresentou quase *o dobro* de anticorpos que o grupo que não havia dormido.[15]

Você já se perguntou por que às vezes fica morrendo de fome mesmo tendo acabado de comer? Talvez seja porque não está dormindo o bastante. A leptina, hormônio que suprime o apetite, aumenta dramaticamente durante o sono (supõe-se que para impedir que você acorde por sentir fome). Estudos demonstraram que o nível de leptina depende da duração do sono e que a privação de sono reduz o nível de leptina em cerca de 19%. Os sujeitos dos estudos que foram privados de sono relataram sentir cerca de 24% mais fome depois de acordar em relação àqueles que haviam tido um sono adequado.[16]

Esse aumento de 24% na fome assumiu a forma de, como os pesquisadores descreveram, uma "preferência por alimentos ricos em carboidratos (doces, comidas com excesso de sal e amido) [...] e o desejo por comida com excesso de sal aumentou em 45%. Isso sugere que a falta de sono pode afetar o comportamento alimentar, favorecendo a ingestão não homeostática de alimentos (ingestão impulsionada por emoções/necessidade psicológica em vez de por necessidade calórica do corpo)".[17]

Os estudos acerca da leptina ajudam a explicar por que o CDC há muito faz campanha para que as pessoas vão para a cama cedo, citando a forte ligação entre privação de sono e obesidade e diabetes tipo 2.[18]

Tragédias como a que envolveu o ônibus espacial *Challenger*, o derramamento de óleo do *Exxon Valdez* e a queda do voo 1420 da American Airlines estiveram todas direta e oficialmente ligadas à privação de sono.[19] A privação de sono prolongada faz coisas horríveis com a mente e o corpo, motivo pelo qual é usada como método de tortura.

Sua depressão faz com que você durma pouco ou seu sono de má qualidade faz com que você entre em depressão? Embora a dificuldade de dormir tenha sido historicamente compreendida como um sintoma comum de um sofrimento psicológico subjacente (o que definitivamente é), investigações mais atuais da sua ligação íntima com a saúde mental também identificam um papel causal e direto do sono no desenvolvimento e na perpetuação dos transtornos mentais.[20]

Uma das melhores intervenções de saúde mental com que me presenteei custou 4,29 dólares. Tenho certeza de que a melhora dramática no meu sono que se seguiu à compra de tampões de ouvido na farmácia preveniu múltiplos episódios depressivos ao longo das últimas duas décadas.

Não há regra que diga que avanços significativos no crescimento pessoal precisam envolver escavações profundas nos alicerces da psique em meio à noite sinuosa, suada e escura da alma. A melhor forma de honrar nossa saúde mental é por meio da ação prática. Respirar fundo, caminhar, dormir — essas são intervenções *altamente eficazes* na saúde mental.

Em seu livro *Por que nós dormimos: A nova ciência do sono e do sonho*, o dr. Matthew Walker identifica alterações de ruído, luz e temperatura como excelentes pontos de partida para otimizar o ambiente em que você dorme. Dormir com um ventilador no quarto, tampões de ouvido, máquinas de ruído branco — qualquer intervenção no sono é também uma intervenção na saúde mental.

Noites difíceis, meses complicados, épocas duras — todas temos momentos "ruins" para a saúde mental. Se tudo que fizermos nesses momentos for trabalhar para estabilizar o sono, já será muito.* Otimizar o sono é uma medida de proteção da saúde mental. Seu corpo é capaz de fazer grande parte do trabalho de cura por você se lhe der a chance.

Não sei o que aconteceu ou não aconteceu com você hoje, ou como é ser você ultimamente. Não sei se está num momento ruim, bom ou mais ou menos. O que sei é: não importa o que esteja acontecendo na sua vida desperta, parte de você vai se curar durante o sono.

* Não estou dizendo que estabilizar o sono resolve todos os problemas, mas é uma maneira imediata e eficaz de promover o bem-estar mental e permitir que outras intervenções eficazes de saúde mental se tornem mais acessíveis e sejam mais bem recebidas.

8. FAÇA MENOS, DEPOIS MAIS

Às vezes, a primeira coisa que você precisa fazer é fazer menos. Faça menos, dê um passo atrás, diga não, pare. Quanto mais você aprende a ouvir seu instinto e definir suas intenções, mais clareza terá quanto àquilo com que se importa ou não se importa. Não dedicar energia ou tempo àquilo com que não se importa é a estratégia de restauração mais brilhante que há.

Você sabe com o que se importa e com o que não se importa? A maior parte das pessoas não tem seus valores claros. Lembra-se de Lena, do capítulo 4, que queria aprender a ser mais mediana sem se sentir um fracasso? Em nosso trabalho juntas, descobrimos que Lena estava buscando valores sancionados culturalmente, mas que não refletiam sua versão mais autêntica. Depois que examinamos as escolhas que ela andava fazendo na vida, verificando com o que gastava seu tempo e sua energia, ficou claro que Lena estava buscando estes valores acima de tudo: dinheiro, status e velocidade.

"Mas não é isso que eu valorizo, juro!", ela disse, como se tivesse sido pega no flagra.

Dedicar um tempo a deixar claro seu sistema de valores é um dos maiores presentes que você pode dar a si mesma. Lena não queria parar de tentar sobressair; queria parar de tentar sobressair em áreas que não faziam sentido para ela.

O que quer que você valorize, consciente ou inconscientemente, você vai buscar com força total; como perfeccionista, não há como evitar. Ainda assim, faça o melhor que puder para ser clara e intencional quanto a quais são seus valores mais profundos.

Depois que Lena identificou os seus, tomar decisões do

dia a dia ficou muito mais fácil para ela. Sobressair naquilo com que se importava e abandonar aquilo com que não se importava se tornou algo energizante e agradável.

Dê uma olhada na lista de valores abaixo. Algum lhe parece particularmente importante? Ou particularmente desimportante?

Lealdade	Asseio	Curiosidade
Mestria	Prazer	Diversão
Conexão	Pontualidade	Status
Saúde	Privacidade	Comunidade
Família	Alegria	Restauração
Dinheiro	Surpresa	Segurança
Integridade	Solidão	Beleza
Assistência	Liberdade	Gratidão
Velocidade	Cordialidade	Humor
Honestidade	Celebração	Aventura

A maior parte dos valores parece ótima no papel, mas com quais você se importa de verdade? O que está faltando nessa lista? Lembre-se de que você tem o direito de valorizar o que quiser.

Invista menos no que não valoriza; invista mais no que valoriza.

É você quem decide o que funciona e o que não funciona na sua vida. Aproprie-se firmemente das suas decisões. Quando você assume a responsabilidade pelas decisões que toma, acaba guardando menos ressentimento.

O ressentimento é um obstáculo à alegria. A energia do ressentimento é densa e pesada, como pedras nos bolsos, tijolos na bolsa. Ninguém consegue correr depressa e livre carregando ressentimento.

A mentalidade do controle se apega ao ressentimento. Quando você não entende que tem o poder de validar suas próprias experiências e escolhas, seus próprios valores, acaba usando o ressentimento como uma forma de controlar quanta validação recebe: "Não está vendo que minha dor é real? Olha só todo esse ressentimento!".

Usamos o ressentimento não só para conseguir validação mas para evitar a incrível tarefa de assumir a responsabilidade sobre nossa própria vida: "Quanto mais me ressinto de você, mais provo que foi culpa sua, o que significa que é você quem tem que consertar tudo, e não eu".

Uma mentalidade poderosa registra o ressentimento como um sinal para explorar quanta energia se está devotando a uma pessoa, uma narrativa ou uma tarefa. Seu poder então convida você a recalibrar seu gasto energético onde quer que considere apropriado.

Apropriar-se das suas escolhas reduz o ressentimento, porque, ao aceitar o papel de líder da sua própria vida, você se sente mais no direito de dizer sim àquilo de que quer mais e não àquilo de que quer menos.

Se você consegue *desfrutar* de uma vida com mais do que quer é outra questão, e o assunto do próximo capítulo.

9. Agora que você é livre
Dando a si mesma permissão para desfrutar da sua vida hoje

> *E chegou o dia em que o risco de se manter num botão fechado era mais doloroso do que o risco de florescer.*
>
> Anaïs Nin

Até aqui, você aprendeu que o perfeccionismo faz parte da sua identidade e que tornar quem você é seu inimigo na verdade é o oposto de se curar. Você aprendeu que seu perfeccionismo é uma dádiva — e que você é uma dádiva. Sabe que aqueles momentos em que choramos dentro do carro vão continuar existindo, que simplesmente não é fácil e que há poder na sua presença. Enxerga as diferentes caras do apoio e sabe que o julgamento é uma via de duas mãos. Também sabe que honra um processo através do reconhecimento e da celebração e que é você quem escolhe se fracassos são arquivados como um evento ou uma identidade. Você aprendeu sobre o poder retroativo da conexão e as brechas que usamos para negar compaixão a nós mesmas. Sabe tudo sobre pensamento contrafactual, espaço liminar, a fluidez da saúde mental, a fantasia do fechamento — e a lista continua. Basta dizer que percorremos um longo caminho nos oito capítulos anteriores.

Depois que terminar este livro, você vai continuar percorrendo longos caminhos, novos e velhos. A vida é sempre movimentada; mesmo quando parece que nada acontece lá fora, tumultos silenciosos ocorrem internamente. Você sabe que vai cometer erros conforme avança, mas também sabe como se livrar dos padrões punitivos que no passado encurralaram seu potencial. Você tem o que precisa para levar uma vida nos seus próprios termos. Este é seu momento Dorothy, quando percebe que sempre teve o poder — só precisava aprender por si própria.

O momento Dorothy, no entanto, não é o bastante para as perfeccionistas.

Perfeccionistas insistem. Pensamos: "Que bom que sempre tivemos o poder, mas o que isso significa? O que vem a seguir?".

Dar-se conta do seu poder significa que você está livre. O que vem a seguir é aprender a desfrutar da sua liberdade.

Desfrutar da sua liberdade não é algo automático. Podemos saber que somos livres e ainda nos sentir encurraladas. Quando nos sentimos encurraladas, a liberdade parece teórica demais: "Sei que na teoria sou livre para fazer o que quero, mas eu nunca conseguiria fazer o que quero".

O que ainda nos prende quando só vivenciamos a liberdade em lampejos ilusórios?

O martírio é sempre um bom lugar para começar a investigar. Abrir mão da sua vida para deixar outra pessoa feliz não torna essa outra pessoa feliz — disso já sabemos. O amor de um mártir é uma versão corrompida do amor; a sensação de recebê-lo não é boa. As únicas pessoas que ficam felizes em receber ofertas de mártires são narcisistas.

O sacrifício do prazer de uma pessoa estabelece a diferença entre entrega e martírio. O prazer é um ponto interessante a investigar. Examinar as áreas da sua vida em que o prazer é sacrificado leva a uma compreensão direta das condições que você impõe a se sentir feliz e livre.

Dar-se permissão para sentir alegria agora é o maior sinal de um gerenciamento de perfeccionismo bem-sucedido. Perfeccionistas perdidas em padrões desadaptativos se curam ao se comprometer com a autocompaixão como resposta-padrão à dor e permitindo que a alegria entre na sua vida.

A autocompaixão estimula a alegria porque é um convite ao prazer; você deixa de se punir restringindo o prazer até "merecer" se sentir bem. Sem autocompaixão e prazer, a alegria é difusa. É muito difícil se sentir alegre quando você se odeia, por exemplo.

Não que você precise se odiar para escolher restringir a alegria na sua vida: perfeccionistas fazem isso o tempo todo. Perfeccionistas desadaptativas estão sempre fazendo alguma versão de uma dieta de alegria.

- Versão baixa caloria: "Vou me divertir um pouco, claro, mas só um pouco mesmo, porque tenho de trabalhar duro no projeto X agora".
- Versão jejum intermitente: "Obrigada, mas só vou me permitir sentir um pouco de alegria meia hora antes de dormir".
- Versão paleo: "Só consumo alegria de uma fonte: meus filhos".

Alegria é saudável em qualquer quantidade. Como acontece com o ar, necessário à respiração, você nunca precisa se preocupar com a possibilidade de sentir alegria demais. Restringir a alegria é absolutamente desnecessário.

Não é verdade que perfeccionistas estejam sempre tentando restringir a alegria de forma consciente; o que tentamos restringir conscientemente é o prazer. Restringimos o prazer via expressões equivocadas de responsabilidade, e a ironia é que, quando se trata de saúde mental, restringir o prazer é uma decisão irresponsável. Do ponto de vista clínico, sacrificar o prazer não é uma virtude; é um fator de risco muito sério.

Desfrutar é mergulhar na alegria em vez de olhá-la de fora, em vez de intelectualizá-la. A alegria é um sentimento. Para sentir alegria, você precisa se dar acesso ao prazer.*

Pensamos no prazer como uma parte supérflua e hedônica da vida, mas o prazer é fundamental para nosso senso de vitalidade e personalidade. O prazer é uma questão de saúde mental muito séria.

Quando clientes me descrevem sua depressão, em geral é um comentário direto sobre sua habilidade de sentir prazer. O prazer está tão intrinsecamente ligado à depressão clínica que o DSM-5 identifica a perda do prazer como um dos dois critérios de diagnóstico *principais* de um episódio depressivo importante.

Se para você o prazer fica por último, você está em perigo.

Vamos esclarecer a diferença entre gratificação imediata e prazer. Ambos fazem você se sentir bem na hora, mas o prazer também faz você se sentir bem antes, por antecipação, e depois, quando relembra. Em contraste, a gratificação imediata pode produzir excesso de ansiedade antes ("Espe-

---

* A anedonia (a inabilidade de sentir prazer) é um sintoma comum da depressão. Não quero dizer com isso que uma pessoa que sofre de anedonia ou apresenta uma habilidade reduzida de sentir prazer está escolhendo isso para si mesma. Estou me referindo às pessoas que escolhem ativamente se negar prazer em nome da responsabilidade.

ro não fraquejar") e induzir culpa depois ("Queria não ter feito o que fiz").

O prazer não é um peso; é uma satisfação direta e leve — o prazer de segurar a porta aberta para alguém, o prazer de dar duro por um trabalho de que gosta, o prazer de rir, o prazer de ouvir alguém aprendendo a tocar piano, o prazer do cheiro de terra fresca enquanto cuida do jardim. Sim, a terra pode dar prazer. O prazer não exige nenhum tipo de justificativa.

Ensinam a nós, mulheres, que precisamos justificar nosso prazer, e que é melhor que a justificativa seja boa. Assim, a busca por prazer fica no fim das nossas longas listas de afazeres, se é que entra nelas. Já temos tanta dificuldade com o domínio da gratificação imediata que nem nos damos a chance de sentir prazer.

Comer, por exemplo, pode ser considerado um dos atos prazerosos mais básicos da vida. Só que a indústria da dieta contaminou a psique da mulher de tal maneira que um prazer simples como comer é visto como uma indulgência imprópria.* Para as mulheres, comida não é algo de que se desfruta, a menos que se esteja *muito* a fim de "se comportar mal" e "trapacear na dieta".

Espera-se que as mulheres usem a comida como um combustível que lhes permite ter o máximo de resistência, com o intuito de equilibrar mais tarefas e cuidar de mais pessoas, tudo isso sem descuidar do peso. É por isso que existe um vasto mercado de barrinhas que têm gosto de giz misturado com batom de vó.

* Me refiro aqui à indústria da dieta como um sistema subsidiário, no qual a "comida de dieta" fica num corredor específico do mercado, enquanto a "comida normal" fica em todos os outros. Nos Estados Unidos, a indústria da dieta é a indústria alimentar, de tão difundida que a cultura da dieta é no país.

O relacionamento das mulheres com a comida é um microcosmo do que acontece quando o prazer é patologizado. Quando comer é pensado como um ato funcional em vez de um ato prazeroso, não há sentido em se perguntar: "O que eu quero comer?". Em vez disso, a pergunta se torna: "O que devo comer?". Fora do contexto da comida, quando você relaciona prazer e pecado, não há sentido em se perguntar: "O que quero fazer?". A pergunta se torna: "O que devo fazer? Como se espera que eu me comporte?".

Sem prazer, nossa vida se torna uma performance. Nos comportamos da maneira que acreditamos que vai nos deixar felizes em vez de confiar em nós mesmas para explorar o que parece bom e certo. Essa fórmula na melhor das hipóteses genérica para a satisfação leva à depressão e faz com que as mulheres relacionem prazer com egoísmo: "Fez eu me sentir bem, foi um ato egoísta". Não, se fez você se sentir bem foi um ato prazeroso.

Quanto mais você se nega acesso ao prazer, menos consegue acessar seus instintos sobre o que precisa e quando precisa. Voltando ao exemplo da cultura da dieta: é por isso que tantas mulheres não sabem mais dizer se estão ou não com fome. O instinto básico de identificar fome e saciedade se perde, enterrado sobre pilhas de diretivas de outras pessoas sobre como fazer algo tão simples quanto comer.

Quando você silencia o desejo, também silencia a intuição. Isso te força a confiar exclusivamente nos seus pensamentos — você acha que está com fome o tempo todo e não consegue parar de comer. Ou passa o dia *achando* que não está com fome só para se pegar faminta na cozinha de casa depois do trabalho, engolindo bolinhos inteiros e rasgando pacotinhos de lanches de cem calorias com os dentes.

Prazer não é um valor que se encoraja. Gratificação imediata, sim. Prazer, não. Trabalho duro, eficiência, coragem e independência são valores que enfatizamos, e são valores maravilhosos. No entanto, precisamos nos perguntar: "Qual é o objetivo aqui? Para que toda essa eficiência?".

É sua vida, e ela não vai durar para sempre. Em algum momento, você vai morrer. Enquanto está viva, quer "não estar deprimida" ou quer estar feliz?

O prazer está em toda parte. Podemos desfrutar do prazer da companhia dos nossos filhos, do prazer de tomar um banho, do prazer de viajar de carona com amigos, do prazer de assistir a um longa-metragem, do prazer de chamar um filme de longa-metragem, do prazer de ver a lua no céu diurno. Nada disso está relacionado a eficiência.

Alegria e eficiência têm muito pouco em comum — um encontro às cegas consistiria em 35 minutos de papo furado totalmente esquecível e um aperto de mãos formal em despedida. Alegria e prazer, por outro lado, seriam os últimos a ir embora do restaurante.

"Dia do lixo", "agradinho", "recompensa" — a linguagem que relacionamos ao prazer da mulher é pavorosa, muitas vezes lembrando a linguagem usada no treinamento de cachorros. Durante o verão, tomo um sorvete com pedacinhos de Oreo todo dia enquanto ando pela rua por pelo menos vinte minutos. O sorvete é fresco e azedinho, Oreo tem gosto de adolescência e o sol brilha quente na minha pele à mostra. Todas as pessoas por quem passo me parecem tão interessantes que quase quero pará-las e pedir que me contem a história da sua vida — tudo é um grande prazer.

Meu sorvete não é um agradinho, não é uma recompensa, não sou eu "fazendo gordice" ou me comportando "mal", porque não o roubei. Tomar um sorvete sob o sol do verão é apenas uma parte do meu dia.

Quando você torna seu acesso ao prazer condicional (uma "recompensa" pelo seu bom comportamento), comunica a si mesma que merecer se sentir bem está diretamente relacionado ao seu desempenho, e não à sua existência. Uma mentalidade que condiciona o acesso ao prazer pode rapidamente levar quem quer que seja a experiências polarizadas de valor próprio, mas em especial perfeccionistas, que já são dadas ao pensamento dicotômico.

> EM VEZ DE: Vou me permitir um chocolatinho porque me comportei bem essa semana.
> TENTE: Quero comer chocolate, então vou comer.

Não seguimos a abordagem "Eu quero, então vou fazer" porque não confiamos em nós mesmas. Achamos que vamos querer demais. Que vamos comer o chocolate e depois comer outros alimentos "ruins". Que vamos ficar mal, sem conseguir sair da frente da TV, pedir demissão, ser ainda mais imprudentes e simplesmente parar de funcionar. No íntimo, temos medo de que, se formos deixadas por contra própria, perderemos o controle, machucaremos todos à nossa volta e ficaremos loucas. De onde foi que tiramos essa ideia?

A mulher "louca" é um tropo perigoso que a psicologia clínica tem o histórico de reforçar. Como a estudiosa Rachel P. Maines escreve, a histeria foi uma das "doenças diagnosticadas com mais frequência na história até que a Associação Americana de Psiquiatria removeu oficialmente os transtornos histero-neurastênicos do cânone dos paradigmas de doenças modernas em 1952".[1]

Transtornos histero-neurastênicos?

O motivo pelo qual as pessoas incorrem na gratificação imediata não é quererem demais. É porque estão simplesmente esgotadas.

O prazer é uma fonte de energia. Sentir prazer na vida é o que nos sustenta. Tirar o prazer da vida nos destrói.

A gratificação imediata não substitui o prazer. Nada substitui o prazer.

Perfeccionistas têm medo de perder sua vantagem competitiva caso se permitam prazeres demais e sejam "felizes demais". Mas repare nas pessoas mais bem-sucedidas que conhecem; a vantagem competitiva delas *é* ser alegres.

Não há vantagem competitiva maior do que amar o que se faz e ter prazer na vida. As pesquisas são claras quanto a isso, e a ironia de priorizar eficiência em relação a alegria é que pessoas alegres fazem mais no longo prazo porque não ficam esgotadas.[2]

Repleta da alegria energizante que vem de uma vida prazerosa *e* equipada com a motivação poderosa de sobressair que as perfeccionistas nem precisam tentar cultivar, sua motivação explode. Seu prazer não tem como enterrar sua motivação, mas sua depressão tem.

Se o prazer convida a alegria para nossa vida, como convidamos o prazer para nossa vida?

Quanto mais você confia em si mesma, mais prazer se permite experimentar.

QUANDO VOCÊ NÃO CONFIA EM SI MESMA

Quando você não confia em si mesma, passa a vida tentando decorar a coisa certa a fazer em vez de acreditar que você sabe qual é. Você interpreta contratempos como fracassos porque não se sente segura para agir a partir de uma perspectiva mais ampla.

Você *precisa* que aquilo com que está envolvida agora dê certo (um relacionamento, um emprego, um projeto criativo), porque, se não der, você não confia que vai descobrir uma maneira de reverter a situação e ser bem-sucedida mesmo assim. Você vive com um apego a um resultado futuro que gera um excesso de ansiedade crônico, ansiedade que chama de "esperança".

A sensação de não confiar em si mesma não é boa. E o que todo mundo diz para você fazer nesses momentos? Amar a si mesma, claro.

O amor-próprio é considerado uma cura para tudo. Então vamos deixar isto claro: o amor-próprio não é uma panaceia.

Achando que amar a si mesma é a resposta de cada uma das nossas aflições, praticamos o amor-próprio fielmente. Vamos à terapia, dormimos o bastante, passamos hidratante antes de dormir, estabelecemos limites, falamos gentilmente com nós mesmas, fazendo todo o necessário. *Então por que ainda nos sentimos alheias à alegria?*

Independente do amor-próprio que demonstre, se você não confia em si mesma seus gestos serão acompanhados de uma leve desconfiança e hesitação.

É como um relacionamento em que uma parte traiu a outra. A parte que não traiu pode receber todas as rosas e juras de amor que a parte que traiu oferecer, mas as rosas são recebidas com ressentimento e as juras de amor soam ocas e dignas de um revirar de olhos até que a confiança seja restaurada. Você pode amar uma pessoa de todo o coração e não confiar nem um pouco nela. Confiança e amor são vendidos separadamente; deveriam deixar isso claro na caixa.

Ninguém consegue desfrutar de um relacionamento em que a confiança acabou; seu relacionamento consigo mesma não é exceção.

QUANDO VOCÊ CONFIA EM SI MESMA

Pessoas que confiam em si mesmas se permitem assumir o papel de especialistas na própria vida. Como todo especialista, quem aprende a confiar em si mesmo age com confiança, em vez de certeza.

É importante saber que mesmo pessoas que se comprometem diligentemente com acessar sua intuição e se conectar com apoio ainda cometem erros e às vezes não sabem qual a melhor ação a tomar. Não é preciso ter todas as respostas para ser um especialista; não é assim que alguém se torna um.

Especialistas são pessoas que se mantêm comprometidas com abordagens informadas e empíricas em sua área de conhecimento. Sua área de conhecimento, no caso, é seu verdadeiro eu. Tudo bem não ter certeza a todo momento quanto a como ser você; você está sempre mudando, então como poderia sempre estar segura nesse sentido? Tudo bem se o que você achava que era a resposta certa se altera conforme você adquire informações e experiência a seu próprio respeito.

Se prestar atenção, você perceberá que os especialistas dizem coisas como: "Não há resposta certa", ou "Na verdade, varia". As situações podem ser complexas, e é raro que haja um único caminho certo e claro. As pessoas mais inteligentes do mundo são aquelas que mais dizem "Não sei", reconhecendo as camadas e os paradoxos da vida.

Existem três grandes mitos sobre a confiança em si mesma:

1. Se confiar em si mesma, você pode se permitir fazer o que quiser quando quiser

As pessoas que confiam em si mesmas fazem isso porque são sinceras consigo mesmas. Em particular, são sinceras quanto àquilo que precisam restringir ou simplesmente eliminar. Pensamos que, quanto mais nos conhecemos, de menos limites precisaremos, mas o oposto é verdade. As pessoas que confiam em si mesmas são as que mais respeitam seus limites.

2. Quando você confia em si mesma, não precisa de conselhos ou orientação externa
Pedir conselhos é uma tradição consagrada pelo tempo na liderança. Figuras de autoridade que se recusam a pedir conselhos demonstram tanto arrogância quanto insegurança. Quando você confia em si mesma para conduzir sua própria vida, não apenas está segura o bastante para ouvir a perspectiva de outras pessoas como está segura o bastante para procurar essas perspectivas de maneira ativa.

3. Confiar em si mesma implica cometer menos erros
Erros são uma parte de aprender e correr riscos. Quando você confia em si mesma, não está tentando provar nada. Pode correr mais riscos, o que talvez signifique cometer mais erros.

A confiança gera curiosidade e abertura. Quando confia em si mesma, você se concentra na sua curiosidade quanto àquilo de que precisa em vez de desconfiar de quem é.

Por exemplo, se notar que se entorpeceu a semana toda além do que lhe parece confortável (com um excesso de tv/drama/comida/compras/álcool/trabalho ou o que quer que seja) e *não* confia em si mesma, você pensa: "Aqui estou eu, estragando tudo de novo. Sabia que isso ia acontecer. Quando é que vou aprender? Será que não tenho conserto?".

Quando você não confia em si mesma, fica esperando para se pegar no pulo só para poder provar que estava certa quanto a quão indigna de confiança é. Você age de maneira mesquinha. Fica obcecada pelos seus erros e não deixa nenhum deles passar despercebido.

Por outro lado, quando nota que se entorpeceu a semana toda além do que lhe parece confortável mas *confia* em si mesma, você pensa: "Hum, ando me entorpecendo muito, deve haver algo que está me incomodando. O que será? Alguém deve poder me ajudar a descobrir". Quando você confia em si mesma, não fica contabilizando seus erros. Não é mesquinha. É generosa na sua autocompaixão e curiosidade e age para apoiar a si mesma.

A cura não é uma questão de saber o que fazer; não importa se você sabe o que fazer se não confia em si mesma. A cura tem a ver com aprender a confiar em si mesma.

A CONFIANÇA É UMA ESCOLHA, APOIADA PELA AÇÃO, QUE É CONSTRUÍDA COM O TEMPO

Confiar em si mesma não é simplesmente algo que acontece; é uma escolha que você faz e sustenta por meio de uma ação. Não importa o que conquiste ou quão bem se saia, você não vai confiar em si mesma até que escolha confiar em si mesma.

Louvores não transmitem autoconfiança. Você pode chegar ao topo da sua área, mas, sem confiança, continuará tão insegura quanto antes de começar sua escalada.

Fique atenta à necessidade de provar que confia em si

mesma através de um gesto grandioso para o qual não está preparada (pedindo demissão, por exemplo). Quando você age com ousadia para provar que é digna de confiança, o tiro sai pela culatra. A confiança não pode ser apressada.

Trabalhei com muitas clientes que lidavam com as consequências de uma traição que havia atirado a confiança na lama. Nunca é o gesto grandioso que restabelece a confiança. A pessoa que foi traída não está nem aí para um quarto com duzentas rosas vermelhas. O que ela quer que a outra pessoa faça são coisas simples e aparentemente pequenas de maneira consistente por um longo tempo, como ligar quando diz que vai ligar e estar onde diz que vai estar.

Você não precisa fazer nenhum gesto grandioso para si mesma. Qualquer ação alinhada com seus valores ajudará a reconstruir a autoconfiança. Pense da seguinte maneira: se você soubesse que alguém havia entrado na sua conta no banco e roubado 25 dólares, isso não a incomodaria tanto quanto se tivesse roubado 75 dólares? Sua confiança não é abalada pela quantia em si, e sim pelo roubo. E ponto final. Da mesma maneira, sua confiança não vai ser reconstruída por nenhuma quantia, e sim pelo gesto de honrar seus valores no grau que seja. E ponto final.

Mas você não entende, tenho muitos bons motivos para não confiar em mim mesma.

Todas temos muitos bons motivos para não confiar em nós mesmas. Todas já nos traímos feio, uma vez atrás da outra, vergonhosamente, em plena consciência. Mostre-me alguém que não tenha abandonado a si mesma e tenho certeza de que será uma criança. Conforme nos tornamos adultos, nosso mundo se abre e cometemos erros. Ignorar suas próprias necessidades e abandonar a si mesma é um erro universal.

Paradoxalmente, as pessoas que mais confiam em si mesmas em geral são aquelas que se traíram mais profundamente e tomaram a decisão de voltar ao seu eu mais autêntico.

Seus padrões autodestrutivos são o que há de menos interessante em você; por que permite que liderem sua identidade? Sua versão danificada é mesmo a história toda? Você não está cansada dessa narrativa?

A parte boa é a história muito maior que não está contando sobre quem de fato é. O valor acumulado dentro de você, esperando para ser encontrado como um tesouro numa caverna — seus dons latentes e os desejos que ambas sabemos que vivem aí dentro.

Sabe por que essa não é a primeira parte a se apresentar? A parte em que você reivindica o que realmente quer? Porque você não confia em si mesma para estar à altura dessa versão da sua história.

Como Marianne Williamson aponta de maneira eloquente:

> Nosso medo mais profundo não é sermos inadequados. Nosso medo mais profundo é sermos poderosos além de qualquer medida. É nossa luz, e não nossa escuridão, que mais nos assusta. Perguntamos a nós mesmos: "Quem sou eu para ser brilhante, maravilhoso, talentoso, fabuloso?". Na verdade, quem é você para *não* ser? Você é filho de Deus. Conter-se não servirá de nada ao mundo. Não há nada de iluminado em se encolher para que os outros não se sintam inseguros à sua volta. Todos fomos feitos para brilhar, como as crianças brilham. Nascemos para manifestar a glória de Deus que está dentro de nós. Ela não está só em alguns de nós, mas em todos. Conforme permitimos que nossa própria luz brilhe, damos permissão inconscientemente aos outros

para fazer o mesmo. Quando nos libertamos do nosso medo, nossa presença automaticamente liberta os outros.

Quando você está pronta para encarar seus medos, não pergunta a si mesma qual é a pior coisa que poderia acontecer; você pergunta o que realmente quer.

O PRIMEIRO PASSO PARA CONFIAR EM SI MESMA

Esta é a pergunta com que você deve começar quando o assunto é confiar em si mesma: *O que eu quero?*

"O que eu quero?" é uma pergunta extremamente básica, e no entanto pode paralisar alguém. *Como assim? Pode explicar melhor?* A pergunta é: O que você quer?

Compreendo que você seja grata por tudo que tem; você compreende que tudo bem querer mais? Você compreende que seus desejos não são patológicos?

Há uma voz dentro de você que não vai embora. Ela lhe diz o que parece certo e o que não parece. Ela lhe diz do que você precisa, o que deseja, onde o verdadeiro prazer está para você. Para se adaptar ao seu eu mais verdadeiro, você precisa ouvir sua voz intuitiva. Sempre que você se pergunta o que quer, convida sua intuição a falar no microfone.

Deixe que o som das palavras se choque com o ar quando você diz em voz alta: *Eu quero...*

Quando identifica o que quer, pensar e falar a respeito de si mesma de maneira que sustente a ideia de que você é uma pessoa que pode conseguir o que quer se revelam algo totalmente diferente. É possível que haja uma forte relutância a honrar o que você sabe intuitivamente, lá no fundo: que é capaz e digna.

Confronte isso com a facilidade com que nós, mulheres, listamos nossas inadequações. Quando se trata de identificar nossas falhas, desatamos a falar de maneira honesta e direta, e não paramos mais. Decoramos e transmitimos nossas falhas percebidas como garçonetes anunciando os pratos do dia.

Rebecca não ficou paralisada diante da pergunta "O que você quer?". Como uma perfeccionista intensa, ela me ofereceu uma resposta eficiente.

EU: Quero que você feche os olhos.
REBECCA: Não vou fechar os olhos, mas pode continuar.
EU: Vou te fazer uma pergunta. Antes de responder, quero que descreva as imagens que lhe vierem à mente, quaisquer que sejam.

Pedi a Rebecca que descrevesse imagens porque notei que é assim que muitas pessoas descobrem o que querem intuitivamente: de maneira visual. Uma representação do seu desejo aparece muito antes que as palavras o articulem, quase como num sonho acordado.

REBECCA: Tá. Vamos lá. Pode perguntar.

Ela parecia uma tenista pronta para sair correndo em direção a qualquer ponto da quadra aonde eu mandasse a bola.

EU: O que você quer?
REBECCA: Um cacto.

Ouvi a urgência com que Rebecca rebatera antes mesmo de ouvir a resposta em si. E já tinha começado a responder àquela urgência quando me parei e me obriguei a ouvir.

EU: Vamos desacelerar um pouco. O objetivo aqui é... espera aí, você disse um cacto?
REBECCA: Vi um cacto.
EU: E o que acha que isso significa?
REBECCA: Ah, eu sei o que significa. Penso em cactos o tempo todo. A caminho do trabalho, em reuniões, no banho. Gosto de calor. Preciso de sol. Quero morar num lugar iluminado, quente, onde cactos cresçam. O objetivo do exercício é esse? Porque, se for, acho que podemos passar para o próximo.

Estávamos no meio do inverno. Virei o rosto para a janela, que tinha uma bela vista do panorama de Manhattan tomado pela névoa.

EU: Não está muito quente aqui.
REBECCA: Eu sei, odeio isso. Eu adorava Nova York quando vim para cá, mas a cidade meio que perdeu seu apelo. Quero me mudar para Los Angeles. Lá me sinto eu mesma. Tudo é mais fácil lá.
EU: Você nunca mencionou isso.
REBECCA: É, porque não é como se fosse acontecer.
EU: O que a impede de se mudar para Los Angeles?
REBECCA: A empresa não tem escritório lá.
EU: Mas você nem gosta do seu trabalho.
REBECCA: Isso não importa.

Rebecca não estava envolvida romanticamente com ninguém na cidade, não tinha filhos ou animais de estimação e morava de aluguel. Uma parte da sua família e alguns dos seus amigos viviam em Nova York, mas a maior parte estava espalhada pelo país. Sua situação financeira era ótima: já havia pagado sua dívida estudantil e, depois de gastar muito menos do que ganhava durante anos, fizera um pé-de-meia considerável. Poderia simplesmente ir embora, mas não ia.

EU: Rebecca...
REBECCA: Eu sei. Já sei tudo que você vai falar. Mas não dá para reorganizar uma vida inteira só por causa de um pouco de sol.
EU: Quem te disse isso?
REBECCA: Como assim? Ninguém me disse isso. É assim. A gente não pode fazer o que quiser quando quiser.
EU: Claro que não, se assim você estiver machucando a si mesma ou outra pessoa. Mas, nesse caso, *não* fazer o que você quer é que te machuca. Você está deprimida, e acabou de me dizer que sabe intuitivamente que quer ir para um lugar com mais sol, onde vai ser mais fácil se sentir você mesma. Estou curiosa para saber o que aconteceria se você começasse a fazer algumas viagens para Los Angeles. Você também? Ou estou sozinha nisso?
REBECCA: Não, eu adoraria passar mais tempo lá. Quando o avião aterrissa em Los Angeles, parece que um peso é tirado de cima de mim. Converso com as pessoas, com desconhecidos, e gosto. Sou outra em Los Angeles. Me sinto mais livre.
EU: Como você se sente quando o avião aterrissa em Nova York?
REBECCA: Como se estivesse num funeral.

EU: Isso é pesado. Então você não gosta mesmo daqui.
REBECCA: Odeio.
EU: Você falou de obrigação agora há pouco. Que a gente não pode "fazer o que quiser quando quiser". Você se pergunta o que te faz sentir que é obrigada a fazer todas essas coisas que não quer fazer?

Uma longa pausa se seguiu (longa para Rebecca, pelo menos).

REBECCA: Não estou gostando desta conversa.
EU: Não estou pedindo para gostar.
REBECCA: Bom, então o que está me pedindo? O que quer que eu diga?
EU: Você se sente livre para fazer o que *não* quer o tempo todo. Só estou sugerindo que considere seriamente se é para isso que você quer ser livre.

Nas sessões seguintes, de maneira um tanto clandestina, Rebecca compartilhou comigo que havia começado a imaginar os detalhes da sua casa em Los Angeles, com um caminho de pedras sobre a grama por cortar conduzindo à porta da frente. Sua visão se alargava. Incentivando o prazer de imaginar aquela casa, contei a Rebecca sobre meu amor por portas da frente, comparando-o com a excentricidade das caixas de correio customizadas.

REBECCA: Como assim?
EU: Cada porta é diferente das outras.
REBECCA: Não, sobre as caixas de correio.
EU: Bom, você sabe, quem tem uma casa pode colocar a caixa de correio que quiser. Enquanto aqui as caixas de correio são compartilhadas.

REBECCA: Você pode escolher sua própria caixa de correio? As pessoas fazem isso?
EU: Algumas fazem.

Então Rebecca decidiu escolher a caixa de correio perfeita, encontrando um prazer inexplicável em pesquisá-las no Google. De tempos em tempos, me mandava capturas de tela das suas preferidas e eu respondia com emojis de cacto e sol. Discutimos como seu prazer indicava um desejo muito mais profundo. Como a caixa de correio estava vindo a representar algo intangível, mas crítico.

Numa das sessões, enquanto Rebecca tirava o casaco, antes mesmo de começarmos, me perguntou se eu achava que duzentos dólares era muito caro para uma caixa de correio que tinha amado. "Você encontrou a caixa de correio perfeita?", perguntei. "Encontrei a caixa de correio perfeita", ela garantiu.

Esse momento foi um divisor de águas por razões que nenhuma de nós seria capaz de articular, embora compreendêssemos claramente. "Me mostre agora", eu pedi.

Rebecca procurou por um segundo e me passou o celular. Sei que parece bizarro, mas ver a foto da caixa de correio que ela havia escolhido foi como ver a foto de um recém-nascido. Era perfeita. "Ah, Rebecca", eu disse. "Eu sei", foi a resposta.

Ela levou dois anos até se mudar para Los Angeles. Como acontece com todas nós, Rebecca não sentia que tinha o direito de "fazer o que queria". Ela gastou muita energia defendendo sua decisão diante de um conselho imaginário. Também lutava contra crises de depressão clínica, o que só tornava confiar em si mesma e ser corajosa e ousada mais difícil. Difícil, no entanto, não é impossível. Rebecca conseguiu.

Permitindo-se cultivar seu desejo dentro da estrutura de uma realidade iminente — algo que ia acontecer —, ao contrário de tratar seu desejo como uma fantasia que nunca poderia se concretizar, Rebecca chegou à Califórnia.

Como acontece com tantas perfeccionistas intensas, ela teve dificuldade com o perfeccionismo processual. Sentia como se cada passo demorasse tempo demais. O tempo que levava para Rebecca "simplesmente" se mudar estava relacionado ao seu medo de fracassar. Por exemplo, ela levou quatro meses para entrar em contato com uma imobiliária, o que parecia transmitir a seguinte mensagem em letras garrafais: "Percebeu o quanto você está demorando só para começar? Se quisesse mesmo isso, a essa altura já teria feito. Você nunca vai se mudar. Só está se distraindo com essa fantasia tola. Volte ao trabalho".

Em determinado momento, Rebecca precisou decidir se o fato de ter levado quatro meses para entrar em contato com uma imobiliária significava que ela não era digna de se mudar para a Califórnia. Punição ou autocompaixão — nunca vou esquecer. Tampouco vou esquecer a ligação que ela me fez quando começou a receber folhetos publicitários na casa nova. Eu estava em sessão, então ela deixou uma mensagem de voz: "Recebi correspondência! Está endereçada à 'moradora atual'. Sou a moradora atual! Esta é minha casa!".

A mudança sustentável se desenvolve num nível granular, microscópico, por muito tempo. Quando você se encontra em meio à mudança, não se dá conta do quanto está mudando. Inevitavelmente, há momentos de desânimo, em que você acha que não está mudando nem um pouco. Então um único momento visível, empilhado sobre milhares de momentos invisíveis, irrompe.

Esta é sem dúvida uma das minhas partes preferidas do

trabalho: quando as clientes anunciam que a mudança em que vinham trabalhando consistentemente por meses ou anos "de alguma forma" ocorreu. Como num passe de mágica. Como se eu fosse ficar surpresa. É o choque vertiginoso do momento "de repente".

"De repente" algo acontece e faz você perceber que o objetivo pelo qual vinha trabalhando se concretizou. Talvez esse momento chegue ao ouvir alguém que não conhece falando no ônibus sobre um aplicativo e você pense: "Ai, meu Deus, é o meu aplicativo. Desenvolvi mesmo um aplicativo!". Talvez esteja no restaurante com sua esposa e o garçom pergunte: "Você ou sua esposa têm alguma alergia?". Então você pensa: "Ai, meu Deus, tenho uma esposa. A gente se casou mesmo!".

A lista de momentos "de repente" é infinita. A questão é: você se descobre vivendo algo que antes parecia quase impossível imaginar que aconteceria. Essa experiência não pode existir sem que você se pergunte honestamente: "O que eu quero?".

Dito isso, há momentos na vida em que você está tão perdida que não tem mesmo ideia do que quer, pois não sabe bem quem é. Esses podem ser os momentos mais poderosos da sua vida.

A MAIOR FORMA DE PODER

Momentos de gravidade zero, brutais, em que você se vê perdida, acenam para a rendição. Rendição é a perda derradeira de controle e a maior forma de poder. Render-se não é reconhecer a derrota. É ceder a possibilidades além da sua imaginação.

Render-se é afirmar que você não está só. É reconhecer que há uma força para além de você operando e que, se essa força existe e você existe, a conexão entre ambas é possível. Render-se é um convite à conexão.

A força com que você se conecta não precisa ser Deus ou qualquer coisa que represente Deus; você nem precisa nomeá-la. Pode ser o que quer que faça o sol nascer ou as propriedades medicinais da risada. Em termos seculares, Deus é aquilo em que você encontra sentido, e rezar é entrar em comunhão com esse sentido. Se você encontra sentido no mar, então no seu caso estar num barco é como rezar.

A rendição é uma prece que diz: "Estou aberta". Não é incomum chegar à beira da rendição depois de sofrer algum tipo de abalo. Não importa como você chega a essa abertura. O que importa é compreender que se abrir é poderoso.

A rendição cria uma abertura através da qual você recebe aquilo que antes não lhe era possível compreender, sustentar ou ser.

Quando você se rende, não está pedindo nada, está afirmando sua conexão com aquilo que existe além do seu eu individual. Quando está desconectada de tudo além do seu eu individual, você trabalha contra o pânico.

Você acredita que tudo depende de você, e, sob essa pressão impossível, sente que deve controlar tudo. E como nem tudo depende de você e não dá para controlar tudo, você fracassa.

Quando você perde o controle e não se rende, o que resta é um fracasso imutável. Não há nada em que o fracasso possa se transformar, pois você não acredita em nada além do seu eu individual.

Quando você perde o controle e se rende, o que resta é possibilidade. A possibilidade surge porque, no processo de rendição, você abriu mão da noção narcisista de que é um ser onisciente que pode descobrir todas as respostas de todas as perguntas e assim controlar o universo.

Um estudo de 2017 explorou diferenças no bem-estar entre perfeccionistas adaptativas, perfeccionistas desadaptativas e não perfeccionistas. Embora perfeccionistas adaptativas tenham relatado maior nível de sentido na vida, as desadaptativas relataram maior nível de *busca* de sentido.[3]

Você não precisa acreditar na divina providência ou em rótulos metafísicos antropomórficos para que sua vida tenha sentido, mas precisa acreditar em alguma coisa. Sem acreditar em nada, não podemos criar sentido. E sem sentido ficamos perdidas.

ENCONTRANDO SENTIDO

O que nos imbui de sentido não precisa estar imerso em gravidade e retidão. Você pode acreditar no poder do contato visual, na importância das bibliotecas públicas ou ser a pessoa que sempre leva comida boa. O sentido se equipara; o mais leve toque vai fundo.

Você tem o poder de atribuir sentido ao que escolher. Também tem o poder de pegar o que é significativo para você e lhe dar vida através de uma política pessoal. Por exemplo, se você acredita que o contato visual tem o poder de validar os outros e encontra sentido nisso, então pode ter como política fazer contato visual com todo mundo que encontrar, em vez de existir de maneira transacional em meio aos outros, para que sua vida ganhe mais sentido. Se você não sabe o que é importante para você, faça a si mesma a seguinte pergunta: O que é maior que a soma das suas partes? A música, por exemplo, consiste numa sequência de notas tocadas numa cadência particular. Se você acredita que uma canção é mais do que uma sequência de notas tocada numa cadência particular, então a música tem sentido para você.

O sentido transforma algo literal em algo figurado.

Quando você se conecta com algo que tem sentido, ganha em perspectiva e propósito, mas não em controle. Quer fazer alguma coisa? Você não tem como controlar o que os outros acham disso. Quer amar alguém? Você não tem como garantir que a pessoa em questão vai estar em segurança o tempo todo.

Trazer mais sentido para a vida é assustador. Não há truque que faça o medo desaparecer. Lembre-se de que a maioria das coisas que você teme existe apenas na sua cabeça, então deixe os tigres de papel rugirem. Chame o sentido para a sua vida. Uma pessoa que compreende que pode usar a vida cotidiana para pôr em ação aquilo que faz sentido para ela é afinada com o seu poder.

UMA MUDANÇA IMPERCEPTÍVEL

Quando não se dá a chance de pôr em ação aquilo que faz sentido no seu caso, você se prepara para uma vida de dores constantes, na qual nunca consegue ser você mesma no mundo. Na qual nunca consegue ser livre.

A sensação é estar vivendo numa vitrine, como se só pudesse ser você mesma quando está sozinha. Nem todos os dias são terríveis, e essa é a parte mais perigosa. Ser apenas teoricamente livre parece familiar, rotineiro.

É possível levar uma vida inteira assim, sendo educadamente menos. Fingindo que não é poderosa e chamando isso de modéstia.

Restringir seu poder e sua presença não é reflexo de modéstia, humildade ou qualquer coisa do tipo. Modéstia é se concentrar nos seus pontos fortes e reconhecer que todo ser humano tem talento para algo. Humildade é compreender que, o que quer que você deseje conquistar ou quem quer que deseje se tornar, você vai precisar de ajuda e colaboração para chegar lá.

O sol toca sua pele de maneira diferente quando você sai de dentro da vitrine. A diferença é sutil, mas essa sutileza é tudo. Enquanto se adapta internamente, a mudança será imperceptível aos outros. Pelo menos a princípio, só você poderá senti-la, só você saberá. Deliciar-se com essa mudança privativa é um prazer e um presente para você mesma.

Caso continue se negando prazeres, o sinal que envia para si mesma é de que precisa ser controlada e que nenhum poder deve ser confiado a você.

Numa mentalidade controladora, o prazer é uma distração. Você não tem tempo de se sentir bem quando está operando segundo o modelo da escassez, que exige um suprimento contínuo de valor externamente validado. Começa a intelectualizar a alegria e a fazer excelentes planos para ser feliz mais para a frente.

Numa mentalidade poderosa, você se permite desfrutar do seu mundo agora, hoje. Não porque fez por merecer ou porque decidiu "se comportar mal", mas porque está viva.

Se o prazer é um convite à alegria e a confiança é um convite ao prazer, o que é um convite à confiança?

PERDOAR A SI MESMA

Se está tentando reconstruir a autoconfiança, é bom fazer um inventário das suas versões anteriores que possam precisar do seu perdão hoje. Reconstruir a confiança em si mesma e se perdoar parece um trabalho árduo, mas não precisa ser. Você pode começar renovando sua confiança e seu perdão nos próximos minutos, porque a confiança e o perdão não são coisas binárias.

Você pode confiar em si mesma só um pouco, muito ou qualquer coisa no meio, a maior parte dos dias, nem um pouco ou implicitamente. E o mesmo vale para o perdão. Você pode se perdoar só um pouco, muito, a maior parte dos dias, nem um pouco ou incondicionalmente. Como dizem, o perdão não é uma linha que se cruza, é um caminho que se trilha.

Tudo bem não confiar em si mesma implicitamente ou se perdoar incondicionalmente. A ideia de que você precisa se amar, se perdoar e confiar em si mesma cem por cento e em todas as categorias da vida para poder se considerar saudável ou curada é absurda.

Por exemplo, as mulheres sempre ouvem que precisam "amar o próprio corpo" por causa da noção equivocada de que ninguém se ama "de verdade" até amar sua aparência. Embora bem-intencionada, a insistência para amar o próprio corpo continua se concentrando no corpo das mulheres como a principal (ou a única) rota para a felicidade. Amar o próprio corpo é visto como o maior indicativo de confiança e anunciado como a maior prova de saúde mental de uma mulher. No mundo do bem-estar, amar o próprio corpo e amar a si mesma são sinônimos.

Amar a si mesma não depende de amar o próprio corpo.

Amar a si mesma e amar o próprio corpo não são a mesma coisa, porque você não é o seu corpo. Você pode amar seu corpo, ser grata a ele, não gostar dele ou nem pensar muito a respeito. Também pode amar seu corpo e odiar a si mesma.

Acreditamos que não temos como nos amar "de verdade" até amar nosso corpo. Acreditamos que não perdoamos uma pessoa "de verdade" se de vez em quando ainda temos algum ressentimento em relação a ela. Acreditamos que não confiamos em nós mesmas "de verdade" a menos que possam nos trancar num cômodo com o hábito ou a pessoa que mais nos perturba com a certeza de que nada ocorrerá. Nenhuma dessas coisas é verdade.

Você tem o poder de escolher analisar o perdão e a confiança através de lentes não binárias em vez de pela lógica do "tudo ou nada". No seu livro *Why Won't You Apologize?: Healing Big Betrayals and Everyday Hurts* [Por que você não pede desculpas?: Curando grandes traições e mágoas cotidianas], obra inovadora que foi responsável pela derrubada de muitos mitos e deveria ser leitura obrigatória no ensino médio, a dra. Harriet Lerner menciona um casal, Sam e Rosa, com quem estava trabalhando por conta de um caso extraconjugal.

O casal acabou decidindo ficar junto e entrou em contato com a dra. Lerner muitos anos depois por causa de um problema que estavam tendo com um dos filhos. Ao fim da sessão, Sam se virou inesperadamente para Rosa e perguntou se ela o perdoara pela sua traição. A resposta foi: "Noventa por cento. Perdoo você pelo caso, mas *nunca* vou perdoar por ter dormido com ela na nossa cama quando eu estava viajando".

Nas palavras da dra. Lerner: "Rosa perdoou Sam 90%, e isso foi o bastante para que eles continuassem casados [...].

Desconfio que Sam respeitava sua mulher por se reservar aqueles 10%. Talvez, com o passar do tempo, a porcentagem não perdoada diminuísse, talvez não. De qualquer maneira, Rosa sabia que podia não perdoar tudo".[4]

Assim como o perdão ao outro, o perdão a si mesma não precisa ser integral para que você siga em frente.

Perfeccionistas encontram uma resistência significativa quando se trata de perdoar a si mesmas. O autoperdão ameaça nosso senso aguçado de responsabilização pessoal, além do fato de que simplesmente não sabemos como perdoar a nós mesmas. O que é perdoar, afinal? Pelo que deveríamos nos perdoar?

Talvez você não precise se perdoar por nada, não sei. O que sei é que, se deixou sua integridade de lado, ignorou seu instinto, negligenciou seu desejo ou não honrou seu verdadeiro eu de alguma outra maneira *sem reconhecer que essas coisas aconteceram*, isso é um problema. É um problema porque o ressentimento surge onde há algo que não foi reconhecido.

O ressentimento pesa. Se você quer ser leve o bastante para que a alegria a levante, precisa abrir mão daquilo que pesa para você.

Mas como?

De acordo com a dra. Lerner: "A palavra 'perdão' é muito parecida com a palavra 'respeito'. Nem um nem outro pode ser ordenado, exigido, forçado ou oferecido sem motivo".[5] Ela aponta que, quando as pessoas dizem que querem perdão, na sua opinião, "só querem se livrar do fardo da raiva e do ressentimento. Palavras e expressões como 'resolução', 'desapego', 'seguir em frente' ou 'abrir mão' talvez descrevam melhor o que procuram".[6] Aplicar a mesma linguagem ao autoperdão parece problemático a princípio — como você se desapega de si mesma, como segue em frente em relação a si mesma? É impossível.

Do que você se desapega e abre mão para seguir em frente é da ideia de que seu valor como ser humano está ligado de qualquer maneira ao número de erros que cometeu no passado. Aceite a ideia de que quem você é hoje não se define pelas suas versões prévias.

Perdoar a si mesma envolve reservar espaço na sua identidade para que uma nova adaptação sua surja. Seja grande ou pequeno, dar-se um espaço em branco na tela é uma oferta generosa e um sinal de abertura real.

O perdão também envolve responder à versão de você que está se mostrando agora, em vez de à sua versão do passado (considerando-se que "uma hora atrás" conta como passado).

Todas nós já ouvimos dizer que a gratidão aumenta a alegria, mas isso só é verdade em termos. A gratidão *pode* aumentar a alegria, *mas apenas se você se perdoar o bastante para permitir*. Não pense na gratidão como a chave da alegria. Gratidão é o pedal do acelerador da alegria; perdoar a si mesma é a chave que dá a partida.

Para deixar claro: o perdão não ativa diretamente a confiança. Com certeza há pessoas na sua vida a quem você perdoaria sem guardar ressentimentos, mas de quem não se reaproximaria porque simplesmente não confia nem um pouco nelas. Amor, confiança, perdão — nenhuma dessas coisas oferece nenhuma garantia em relação às outras.

Para recapitular: perdoar a si mesma é renunciar ao ressentimento e receber em troca uma superfície livre sobre a qual reconstruir a autoconfiança. Confiar em si mesma é um convite ao prazer. Ter prazer na vida é um convite à alegria. Nada disso garante certeza.

CERTEZA

A certeza não é real. Terapeutas testemunham continuamente certezas sendo subvertidas. Às vezes, tudo que uma pessoa pensa que é verdade sobre sua vida é posto em xeque no decorrer de dez meses, dez horas ou até dez segundos.

Quando você está conectada a si mesma e presente, não precisa de certezas. Quando confia em si mesma, compreende que, não importa o que mude à sua volta, há mil caminhos que conduzem ao seu verdadeiro eu *dentro* de você.

Queremos que exista apenas uma maneira certa de sermos nós mesmas, porque achamos que isso nos dirá algo sobre quem somos. Se sabemos que o que estamos *fazendo* representa a escolha certa, então sabemos se *nós* estamos certas ou erradas. Num nível mais profundo, essa lógica emocionalmente carregada se traduz na nossa necessidade incessante de confirmar nosso valor — se o que fazemos é a coisa certa a fazer, então somos boas. Também queremos que o que fazemos seja quem somos, pois definir quem somos fora do que fazemos é um trabalho árduo.

Se perdemos peso, queremos que isso signifique que somos saudáveis. Se paramos de beber, queremos que isso signifique que somos responsáveis. Se fazemos uma doação a uma instituição de caridade, queremos que isso signifique que nos importamos. Se transamos, queremos que isso signifique que estamos confortáveis com nossa sexualidade. Se as pessoas gostam de nós, queremos que isso signifique que somos dignas de amor. Se entramos numa instituição de ensino de ponta, queremos que isso signifique que somos inteligentes. Se somos bonitas, queremos que isso signifique que somos confiantes...

Nos agarramos a uma variedade sem fim de apegos inconscientes quanto à maneira como nossos relacionamentos, nossa aparência e nossas conquistas definem quem somos e do que somos dignas.

Você é um ser humano. Você não é o que faz ou o que tem ou com quem está ou como parece. Você é uma força expansiva, poderosa, imensa e sempre em mutação no mundo, como o oceano, e não um quartinho esquecido numa casa velha e detonada. Quanto maior você se permite ser, mais fácil fica encontrar o caminho de volta.

Se pensar em si mesma como aquele quartinho, vai procurar pela única porta que leva a ele. Se pensar em si mesma como o oceano, vai saber que há mil lugares de onde pode mergulhar. O quartinho desperta a ansiedade: "E se eu não encontrar a porta?". O oceano é uma aventura empoderadora: "De onde vou pular hoje?".

Você está numa mentalidade controladora quando se concentra em encontrar a pessoa certa, o trabalho certo, a casa certa ou a vida certa. Não existe uma única maneira de ser quem você é. Não existe uma única porta certa pela qual adentrar seu verdadeiro eu, assim como não existe um ponto certo de onde mergulhar no oceano.

Mesmo sabendo com absoluta certeza que alguém ou alguma coisa é o certo, você muda. As pessoas mudam, os trabalhos mudam, as paixões mudam, as cidades mudam — tudo muda. Perfeccionistas adaptativas enfrentam mudanças com energia porque amamos nos forçar a crescer, e é impossível crescer sem mudança.

A mudança pode ser algo assustador, pois acreditamos que ela exige que nos rearranjemos tanto que precisaremos encontrar aquele único caminho certo outra vez. Quando você acredita que é grande, e não pequena, e portanto há mil caminhos que levam à sua direção, a mudança se torna muito menos assustadora.

COMO É CONFIAR EM SI MESMA NA VIDA REAL

Na versão comédia romântica da sua vida, a mudança é uma sequência rápida com uma música animada de fundo. Você surge no elevador, carregando uma caixa de papelão com uma cara triste, então a montagem musical mágica começa.

Primeiro vêm as cenas de você se jogando de bruços na cama depois de um longo e difícil dia. Depois vêm as cenas em que pisa num chiclete ou cocô de cachorro, talvez derrame café na roupa toda ou perca o ônibus. O recado é: você persevera.

Então, antes que a música termine, você está diante do espelho, fazendo ajustes desnecessários numa produção incrível, com um sorriso satisfeito no rosto. Ganha uma vida nova, com tudo que queria, em menos tempo do que preciso para limpar meu aparelho móvel. Não é assim que a mudança acontece.

Confiar em si mesma é levar um mês escolhendo em segredo uma caixa de correio para uma casa que você ainda não tem sem ser capaz de explicar por que isso é ao mesmo tempo prazeroso e importante (e se sentindo levemente envergonhada o tempo todo). Confiar em si mesma é reunir coragem para superar as tentações constantes de minimizar os passos pequenos mas significativos que você dá seguindo sua intuição. Confiar em si mesma é despersonalizar contratempos. Confiar em si mesma é se dar conta de que não é porque aquilo de que você tinha tanta certeza mudou que você está errada ou fez uma escolha ruim, ou que sua intuição falhou.

Quando você está num espaço adaptativo, permite que o que é perfeito para você mude porque sabe que a perfeição vem de dentro de você. O mais engraçado na mudança de Rebecca foi que no fim ela não comprou a tal caixa de correio. Quando encontrou a casa certa, já havia uma caixa, que ela achou "perfeita". A ideia de perfeição que Rebecca vinha projetando na caixa de correio refletia seu alinhamento interno com uma decisão que ela sabia que era a certa. Ao se mudar para Los Angeles, sentiu que adentrava sua versão mais plena e perfeita; seu estado interno passou a colorir a maneira como vivenciava o mundo externo.

Quando você se encontra num espaço desadaptativo, não está conectada com sua integridade, por isso tenta terceirizar a perfeição. Seu mundo se torna superficialmente perfeito enquanto você sofre por dentro.

Se você perdeu o costume de se perguntar o que quer, e todas o perdemos em algum momento, confiar em si mesma é ter coragem de se fazer essa pergunta antes de tudo *e acreditar na resposta*. Sua vida mais autêntica provavelmente não vai ter a cara que você esperava. Confiar em si mesma é se dar permissão de desfrutar e abraçar as surpresas que virão.

Por fim, confiar em si mesma é saber que, ainda que viver como deseja esteja demorando muito mais do que imaginava ou não está sendo como imaginou que seria, você consegue — na verdade, já está conseguindo.

Nas belas palavras da escritora Holly Whitaker: "Estamos sempre, eternamente, fazendo as coisas que imaginamos no nosso coração. Sempre começamos muito antes de perceber. Os períodos de gestação podem ser longos e discretos; os obstáculos são o caminho. Se você está sentindo que não está fazendo nada, ou que está esperando o trabalho de verdade começar, lembre-se, por favor, de que você está fazendo algo neste momento. Não há outra maneira de passar por isso além da maneira pela qual você passou, a maneira pela qual está passando... Você *já está* fazendo algo. É isso".[7]

VAI DEMORAR

O que você acha que vai levar no máximo seis meses de alguma forma vai levar cinco anos. A vida acontece. Tudo bem — a vida acontece para todo mundo. O desenvolvimento pessoal não acontece num vácuo, e as circunstâncias desafiadoras que enfrentamos são reais.

Você não pode pedir demissão naquela hora quando precisa de dinheiro e do plano de saúde. Seus filhos precisam de estabilidade e boas escolas. Dívidas com financiamento estudantil e médicos se acumulam. Entes queridos lidam com vício (ou nós mesmas lidamos). Há restrições de tempo, predisposições genéticas, às vezes temos o nome sujo na praça, o mercado imobiliário atravessa períodos ruins, as pessoas têm traumas, ansiedade, depressão, dores nas costas.

De novo: muita coisa acontece na vida de cada uma de nós.

O que você quer vai continuar parecendo intangível por um período significativo e provavelmente doloroso. Lembre-se de que o pior dia trabalhando ativamente pelo que quer nesta vida vai ser melhor do que o melhor dia em que você se nega seus desejos mais profundos.

O QUE VEM FÁCIL VAI FÁCIL

Sempre haverá pessoas à sua volta que parecem ser capazes de simplesmente "decidir e fazer" enquanto você precisa ir devagar. Pessoas com menos obrigações, questões de saúde mental menos intensas (no momento), mais dinheiro, mais privilégios, mais recursos, mais conexões etc. Querer se mudar para o outro lado do país quando está tomando conta de um parente doente ou idoso, por exemplo, é uma experiência muito diferente de querer se mudar sem ter que levar em consideração qualquer tipo de obrigação familiar.

As pessoas que "decidem e fazem" lidam com suas próprias dificuldades. Por mais atraente que o fato de conseguir gerar resultados imediatos possa parecer, há custos associados a atingir o que se quer depressa. Como o dr. Tal Ben-Shahar diz: "O talento e o sucesso, sem o efeito moderador do fracasso, podem ser prejudiciais e até perigosos".[8]

Quem consegue o que quer com um esforço mínimo ou nenhum esforço perde a oportunidade de cultivar as forças e habilidades necessárias para sustentar o sucesso. Embora toda regra tenha uma exceção, a ideia de que o que vem fácil vai fácil se aplica aqui.

NECESSIDADES NÃO SÃO DESEJOS

Sempre damos um grande salto nas conversas em que passamos das dificuldades que sofremos à resiliência que desenvolvemos em consequência delas. Nunca explicamos se lutamos para sobreviver ou prosperar. "O que você quer?" pode ser uma pergunta básica, mas não é tão básica quanto "Suas necessidades humanas fundamentais estão sendo atendidas?".

Quando pensamos em necessidades humanas básicas, pensamos em necessidades físicas: comida, água, abrigo. Só que humanos também têm necessidades psicológicas básicas. Dignidade, segurança emocional, liberdade — nada disso é um desejo.

Não podemos atingir nosso potencial máximo se nossas necessidades básicas não estão sendo atingidas. E sempre que as necessidades humanas fundamentais não são atendidas o trauma acontece.* É uma simplificação, mas posso resumir o trauma em uma palavra: bloqueio. Não é possível exterminar o bloqueio que o trauma cria retirando a si mesma da situação traumática; isso só impede o sangramento. Impedir o sangramento não equivale a curar a ferida.

No trauma sistêmico, é impossível se retirar da situação porque a situação é a cultura. O acesso precário a serviços de saúde de qualidade, a exposição a ciclos de violência, o isolamento geográfico do cuidado comunitário, a pobreza, a supremacia branca, o racismo — esses fatores crônicos de estresse psicossocial são exemplos de trauma sistêmico.

Resistimos a nos ver como traumatizadas porque parece que estamos assumindo um papel passivo de vítima. No entanto, é empoderador compreender o que está acontecendo, por que está acontecendo e o que podemos fazer a respeito.

O bloqueio criado pode ser desfeito quando reconhecemos o trauma ocorrido (ou em ocorrência), aprendemos a reconhecer seus efeitos e incorporamos estratégias de intervenção à sua cura.

---

* Para o bem e para o mal, a palavra "trauma" se tornou uma forma onipresente de descrever dificuldades. Como está ao seu encargo atribuir sentido ao seu mundo, só você pode dizer se uma experiência foi traumática ou não.

Adotar uma abordagem baseada no trauma quando nossas necessidades básicas não estão sendo atendidas ajuda a externalizar a fonte da disfunção que vivenciamos. Em outras palavras, não é você; você não tem problemas, você não é ruim, você não é incorrigível. Você só está enfrentando um trauma no escuro. E tem o poder de acender a luz.*

Ajudar a nós mesmas e aos outros a criar a vida que queremos exige cuidado comunitário.

CUIDADO COMUNITÁRIO

O cuidado comunitário está relacionado à promoção da interdependência; você se permite ajudar e ser ajudada pela comunidade de modo geral. No nível macro, o cuidado comunitário envolve operar sob a compreensão dos determinantes sociais da saúde e integrar modelos de cuidado social a âmbitos multidisciplinares (sistemas de atenção primária à saúde, planejamento urbano e regional, gerontologia, política educacional etc.).

Exemplos disso são os programas de carona e trânsito público que oferecem vales especiais para consultas médicas ou visitas a lares de idosos, plataformas de telessaúde que democratizam o acesso à terapia e instituições educacionais que incorporam a questão dos determinantes sociais da saúde ao seu currículo básico.

No nível micro, o cuidado comunitário está relaciona-

---

* O melhor livro que encontrei sobre o que é o trauma e o que fazer a respeito é *O que aconteceu com você? Uma visão sobre trauma, resiliência e cura*, de Oprah Winfrey e o dr. Bruce D. Perry. É escrito como uma conversa entre os dois autores e recheado de histórias, de modo que é mais fácil de digerir do que seria de imaginar.

do com a criação de vias de comunicação para o cuidado compartilhado das crianças ou o monitoramento dos idosos (podendo ser apenas um grupo de mensagens com três vizinhos), geladeiras comunitárias, trocas de brinquedos ou de livros, grupos que se reúnem mensalmente para revitalizar o bairro, eventos em que cada um leva um prato, festas no quarteirão etc. Ser uma boa vizinha é cuidado comunitário — e pode ser algo tão simples quanto trocar uma lâmpada difícil de alcançar para outra pessoa porque você tem uma escada mais alta, oferecer-se a uma mãe recente para ficar de babá ou levar comida para uma família que você sabe que está passando por uma crise.

Cuidado comunitário também envolve reconhecer seu privilégio e, como a autora e ativista Brittany Packnett Cunningham escreve, "ser solidário, em vez de caridoso".

Talvez a melhor definição de cuidado comunitário que ouvi tenha sido da dra. Maya Angelou: "Ao fazer isso, sua vida se engrandece. Você pertence a todos, e todos pertencem a você".

ESPERE RESISTÊNCIA

Não falta jargão psicanalítico para descrever a tendência humana a se afastar dos seus desejos mais profundos, mas prefiro usar o simples termo "resistência".

Expressões como "Você é seu pior inimigo" e "Não bloqueie seu próprio caminho" aludem ao aspecto de autossabotagem que a resistência envolve: lutamos internamente contra o que sabemos que é o certo para nós.

Todos os seres humanos encontram resistência; isso é tão natural quanto espirrar. Quer terminar aquele relacionamento que sabe que não é para você? Espere resistência. Quer ascender ao próximo nível na carreira e sabe lá no fundo que está pronta para isso? Espere resistência. Quer escrever um livro, abrir uma empresa, parar de fumar, conectar-se de maneira mais significativa com seus filhos, fazer arte, respirar fundo, ir para a cama mais cedo, mandar uma carta, comer uma salada ou fazer qualquer coisa que não seja explicitamente autodestrutiva? Espere resistência.

O artista Steven Pressfield descreve bem a resistência:

> A resistência é uma força imparcial da natureza, como a gravidade [...]. Seu aparecimento é por definição um bom sinal, porque a resistência só aparece se precedida de um sonho. O sonho surge na nossa psique (mesmo que o neguemos, mesmo que fracassemos em reconhecê-lo ou nos recusemos a fazê-lo) como árvores crescendo na direção do sol. Ao mesmo tempo, a sombra desse sonho surge — ou seja, a resistência — da mesma forma que uma árvore física lança uma sombra física. É a lei da natureza. Onde há um sonho, há resistência. Portanto, onde encontramos resistência, há um sonho por perto.[9]

Quanto maior o sonho, maior a sombra (mais resistência há). Resistência é uma coisa boa; significa que você está atrás de algo real. Não há necessidade de personalizar o fato de encontrar resistência. É uma parte inextricável do crescimento, que não deixa de existir depois que você se torna "saudável".

Não importa quão boa você seja, quão longe você vai ou o quanto evolui: a resistência se transforma junto com o seu crescimento. Embora haja exemplos infinitos de resistência, no fundo a resistência para perfeccionistas envolve resistir ao seu valor inerente.

A solução para a resistência não é a disciplina, e sim o prazer, que também é o antídoto para muitas outras coisas. Descubra o que lhe dá prazer real e encontrará o caminho de volta para si mesma.

MEUS MAIORES PRAZERES

Ouvir é um dos meus maiores prazeres. Ouço o tempo todo — na fila do mercado, no metrô, em museus. Não consigo evitar. E não quero evitar.

Na época do ensino médio (eu morava na Carolina do Norte), trabalhei como garçonete. Meu chefe, que era um sulista típico, sempre ameaçava me demitir porque eu tinha o costume de sentar à mesa dos clientes. Eles começavam a falar comigo, e antes mesmo que eu percebesse, já estava sentada. Levantava os olhos e via meu chefe de olhos esbugalhados do outro lado do salão, tentando se comunicar comigo por telepatia.

Ele acenava com a cabeça para que fôssemos até a cozinha, e assim que passávamos pela porta vaivém me dava uma bronca com seu sotaque doce: "Se fizer isso de novo, uma vez que seja, está demitida". Eu sempre fazia, sem perceber, e acabei mesmo sendo demitida.

Depois da faculdade, me mudei para Londres e trabalhei numa pequena joalheria na estação de metrô Fulham Broadway. Ouvindo, aprendi que usar joias está relacionado a querer sentir algo, enquanto dar joias está relacionado a querer expressar algo. Sempre que um cliente entrava, soubesse ou não, muito do que queria sentir ou expressar entrava junto. As pessoas simplesmente me contavam coisas, coisas íntimas, principalmente quando não havia mais ninguém na loja. Homens nervosos eram meus clientes preferidos; ou estavam muito encrencados ou muito apaixonados, ou as duas coisas — e britânicos nervosos não param de falar.

Como bartender também ouvi bastante coisa, claro, e eu adorava trabalhar na chapelaria de estabelecimentos porque assim podia ouvir as diferentes maneiras como as pessoas se despediam. Gostei de todos os trabalhos que tive porque sempre encontrava uma maneira de ouvir. Você deve imaginar minha alegria quando me tornei uma ouvinte profissional.

Além dos milhares de horas de atendimento em psicoterapia, passei a vida ouvindo. Embora minha rede seja grande, o que ela pega são coisas pequenas. Descobri que cada desejo pode ser destilado em uma única coisa: *conexão*.

Nos permitimos ser levados pelos nossos esforços de descobrir o sentido da vida, deixamo-nos inebriar pelo existencialismo. Mas é tão simples: *tudo que as pessoas querem é conexão*. É a conexão que traz alegria e sentido à nossa vida — sempre foi assim e sempre será.

Sabe o que nunca ouvi nos meus milhões de momentos ouvindo?

"Gosto de como ela manteve o peso durante todo o nosso casamento."

"Tive certeza de que viraríamos boas amigas assim que soube que ela havia conseguido comprar uma casa antes dos trinta."

"Algo na impressão diligente que tomou conta de mim quando olhei para seu currículo fez com que eu soubesse que precisava dela na minha equipe."

"Agora que saiu de casa e foi para a faculdade, fico pensando em como minha filha tirava boas notas e sempre se vestia de maneira adequada."

"O fato de que ele não atuou em nenhum fracasso em toda a sua carreira é uma inspiração para mim."

"Eu daria tudo por mais um dia juntos, desde que seu cabelo estivesse arrumado e ela fizesse graça."

"O que mais me atraiu nela foi o modo como seus braços sempre saíam definidos nas fotos no Instagram."

Digo isso de todo o coração: *ninguém se importa* com as conquistas externas em que você anda trabalhando porque acha que vão garantir seu pertencimento — mudanças na carreira, seu corpo, conseguir X antes de Y anos.

Tudo com que as pessoas se preocupam é com você, e você não é uma lista de realizações e fracassos. A energia que carrega consigo é muito mais valiosa do que qualquer coisa que poderia vir a fazer.

Adoramos começar conversas sobre energia com os seguintes avisos: "Sei que isso pode parecer maluco/esquisito/místico/hippie, mas...". Não há nada de maluco na precisão empática; é parte da nossa interconexão como espécie. Sentimos alguém nos olhando do outro lado do cômodo e nos viramos naquela direção. Detectamos a tensão no ar porque, embora tensão seja algo invisível, sentimos sua energia. Estamos todos conectados num grau tão elevado que nossa mente nem consegue compreender.

Reconhecer que sentimos a energia um do outro não significa que temos que começar a acender incenso, tocar pandeiro ou nos mudar para uma casa na árvore. Reconhecer que sentimos a energia um do outro nos ajuda a compreender quanto poder há na nossa própria energia.

Passe alguns anos acompanhando pessoas em processo de luto e perceberá quão pouco ligamos para o material. O que queremos é a presença do outro. Só mais uma piadinha no café, só mais um jantar demorado, só mais uma longa caminhada, só mais uma hora do banho, só mais um feriado de pijama. Se você de alguma maneira tivesse "só mais um" momento com alguém que amou e perdeu, viveria cada segundo à perfeição. O momento seria perfeito porque você estaria presente.

Tendo profunda consciência de que aquele momento era um presente, você iria saborear a doce mundanidade de tudo. Uma clara compreensão do enorme abismo entre assuntos de primeira importância e assuntos de importância secundária se cristalizaria instantaneamente. Você se sentiria plena. Compaixão e perdão não envolveriam esforço. A alegria inundaria cada parte sua.

Esse tipo de momento acontece todo dia, centenas de vezes por dia, com as pessoas que continuam fisicamente presentes na nossa vida e conosco mesmas; só que não estamos presentes neles. Você já tem tudo de que precisa para estar presente. Você já tem tudo de que precisa para ser poderosa. Você já tem tudo de que precisa para desfrutar da vida.

O trabalho da autoaceitação exige que você aceite suas falhas e limitações; também exige que você aceite sua plenitude. Há perfeição dentro de você, integridade, liberdade. Há um lugar onde seus erros não influenciam quem você é e onde o passado simplesmente não importa. Essa parte indestrutível sua é um recanto profundo, o que alguns chamariam de Deus, e não há nada que você possa fazer para atingi-la. Se você for capaz de se conectar com ela, estará se conectando com seu poder.

Conectar-se com seu poder não é uma tarefa estática; é o trabalho de uma vida inteira. Todas perdemos o controle repetidas vezes, e todas temos a mesma escolha a fazer. Ou lutamos para recuperar a ilusão de controle ou trabalhamos para nos alinhar com nosso poder.

As escolhas que fará daqui para a frente são suas. Você vai escolher a punição ou a autocompaixão? A ausência ou a presença? A performance ou a liberdade? O isolamento ou o apoio? O ressentimento ou o perdão? A suspeita ou a confiança? A gratificação imediata ou o prazer? Planejar ser feliz ou ser feliz agora?

Você vai escolher controle ou poder?

Lembre-se de que vai se esquecer disso. Vai se distrair. Vai ter que pagar aquela conta absurda pelo exame que te pediram para fazer no checkup do mês passado. Vai ter que ligar para a loja de artigos para festa porque, se não houver balões no aniversário, ninguém vai se divertir. Em estado de distração ou simples ausência, você faria escolhas erradas.

Haverá momentos em que você esquecerá tudo neste livro; e tudo bem. Haverá momentos em que eu esquecerei tudo neste livro, e olha que fui eu que o escrevi! Não construa sua história a partir de quando esquecer; construa a partir de quando lembrar.

Epílogo

Tive um sonho acordada. Você e Deus estavam nele.

Você se aproximou da porta de Deus, que estava entreaberta. Então bateu e entrou. Chegou com flores e bombons. Ao vê-la, Deus sorriu. "Entre, entre! Como é bom ver você aqui!" Ele estava dizendo a verdade.

Deus notou as belas flores e os deliciosos doces que você tinha nas mãos. Então falou: "Você trouxe presentes! Obrigado, não precisava ter feito isso". Outra vez, estava dizendo a verdade.

Você retribuiu o sorriso de Deus e falou: "Sei que não precisava, mas eu quis trazer". Estava dizendo a verdade também.

Então você encontrou um lugar onde se sentar, bem ao lado de Deus, e ficou à vontade.

Nota da autora

Os seres humanos são criaturas dinâmicas cuja identidade não é estática. Como Deepak Chopra diz: "Qualquer identidade é, na melhor das hipóteses, temporária". Apresento a identidade de cinco tipos de perfeccionistas (e do próprio "perfeccionismo") como um convite para você ficar alerta a padrões de comportamento, pensamento, sentimentos e maneiras de se relacionar consigo mesma e com os outros.

A ideia de que se possa simplesmente ser ou não ser uma coisa segue uma lógica binária. Embora essa lógica possa ser útil em algumas circunstâncias, de maneira geral é simplista demais para ser aplicada aos seres humanos com precisão e consistência.

Somos perfeccionistas ou não? Esse selo de identidade não importa. Escrevi este livro para servir como uma conexão com o seu verdadeiro eu, não importa quem você seja ou como escolhe se definir.

Rótulos não são quem você é. Rótulos representam nosso desejo de definir nossas experiências com algum grau de confiabilidade. A conceitualização fundamental de personalidades introvertidas e extrovertidas de Carl Jung, o conceito universal de Alfred Adler de "complexo de inferioridade", a noção de Elliott Jaques de "crise de meia-idade", os quatro estilos de apego de John Bowlby, as cinco linguagens do amor de Gary Chapman, os doadores, tomadores e compensadores de Adam Grant, as quatro tendências de Gretchen Rubin, as orientações sanguínea ou agridoce de Susan Cain — essas são apenas algumas das infinitas maneiras de categorizar a experiência extraordinária do ser humano.

Assim como acontece com os cinco tipos de perfeccionistas, todos esses rótulos são construtos intelectuais inerentemente limitados. São contribuições, e não a verdade. São ideias de outras pessoas, interpretações de padrões de outras pessoas, a tentativa de outra pessoa de nomear o que vê. Nenhuma dessas categorizações significa nada se não significar algo para você.

A cura consiste num processo altamente individualizado, que nunca é igual para duas pessoas — em ritmo, método, na linguagem que fica ressoando, cada um de nós se cura de forma única. Só você sabe do que mais precisa.

Caso ninguém tenha lhe dito recentemente (e caso nunca tenham lhe dito): você é a maior especialista na sua vida, nas suas motivações, nos seus desejos. Se você tem ou não um problema, quão capaz você é, o que te define, se é perfeccionista ou não, se isso é algo bom ou não, o que você precisa ou não precisa fazer a respeito — essas são decisões suas.

Esqueça a ideia de que qualquer outra pessoa pode lhe instruir quanto a como ser quem você é. Por mais bem-intencionadas que possam ser, por mais que estejam imbuídas de amor, credenciais, autoridade ou experiência, quem sabe é você.

Abrir mão do controle não se reflete automaticamente em poder. Às vezes, abrir mão do controle significa apenas que você o cedeu a outra pessoa. E ceder o controle a outra pessoa é outra maneira de negar seu próprio poder. Não permita que ninguém, incluindo eu, lhe diga quem você é. É você quem diz aos outros quem é — isso é poder.

Como trabalho individual, este livro representa minhas observações, minhas experiências, minha perspectiva e meu viés. Não apresento minhas ideias e teorias como a palavra final sobre o assunto. Não acredito que possa haver uma palavra final sobre o assunto.

Escrevi este livro para iniciar uma discussão. Espero que estas páginas despertem discussões mais profundas sobre o que é o perfeccionismo, como ele nos influencia e como *nós* podemos influenciá-lo — e, de maneira mais ampla, como podemos integrar aspectos do nosso bem-estar e dos nossos transtornos mentais para ter uma boa saúde mental.

Há várias partes cruciais dessa conversa que não foram abordadas neste livro, incluindo a relação entre perfeccionismo e transtornos alimentares, o perfeccionismo socialmente imposto a pessoas racializadas como resposta à supremacia branca, as origens do perfeccionismo na literatura da área da psicologia (que estabelece o perfeccionismo como uma das forças mais positivas operando na psique), as limitações da pesquisa sobre perfeccionismo e outras.

Publiquei uma nota da autora estendida no meu site com o propósito de abordar esses pontos e dar continuidade à conversa iniciada. Eu a convido a lê-la em katherinemorganschafler.com (em inglês). Lá, você também vai encontrar uma página dedicada a listar instituições americanas de referência na área da saúde mental.

Nas palavras de todos os terapeutas da história: vamos falar um pouco mais sobre isso.

Agradecimentos

É seguindo uma ordem muito particular que agradeço em primeiro lugar às minhas clientes. Entre muitas outras lições, foram vocês que me ensinaram que não existe uma separação entre a pessoa que ajuda e a pessoa que é ajudada, existe apenas uma conexão. Se estou trabalhando agora ou se já trabalhei com você, saiba que estou sempre a seu lado. Certamente sou uma pessoa melhor porque meu caminho se cruzou com o seu, e serei eternamente grata por você ter me escolhido entre todos os terapeutas com quem poderia ter trabalhado. Eu quis escrever este livro para honrar o trabalho que realizamos juntas e a maneira como você confiou em mim, me ajudou, me ensinou e me moldou. Eu sempre soube que falharia na minha empreitada, mas tinha que tentar. Espero ter falhado bem com você.

Rebecca Gradinger. Se Marianne Williamson pudesse nos ver agora! O método RG não é fácil, mas, ah, como me preparou para este momento. Suas edições no desenvolvimento foram importantíssimas, não apenas para fazer este projeto decolar, mas também para me ajudar a encontrar minha autoridade como escritora. Será que é possível que exista um presente melhor para uma escritora de primeira viagem? É um prazer me ver ao fim da longa fila de pessoas que te disseram: este livro simplesmente não existiria sem você. Um dia, concordaremos em relação à mesma coisa *ao mesmo tempo*, e nesse dia glorioso soltaremos pombas no céu da cidade de Nova York. Até lá, por favor, aceite meus agradecimentos sinceros por tornar meus sonhos realidade. Obrigada também a Kelly Karczewski, Elizabeth Resnick, Veronica Goldstein, Melissa Chinchillo, Yona Levin, Victoria Hobbs e Christy Fletcher por comandar tudo perfeitamente dos bastidores.

Niki Papadopoulos. Obrigada por ter dito sim para este projeto num momento na história em que era difícil dizer sim até para um cafezinho. Você é um bálsamo, a professora mais maravilhosa que existe e uma editora incrível. Não sei de onde vem toda essa sabedoria, mas desconfio que tenha lhe custado obtê-la, e agradeço por compartilhá-la comigo. Como é verdade para a maior parte das pessoas que torna a vida das outras melhor simplesmente sendo elas mesmas, você nunca compreenderá o quanto me ajudou.

À equipe da Portfolio! Entreguei um documento de Word e vocês me devolveram um livro! Escrever *Perca o controle* foi uma das maiores oportunidades que já tive, e todo mundo da Portfolio contribuiu para essa experiência. Kimberly Meilun, obrigada por me explicar tudo dez mil vezes, pelo seu olho editorial e por sempre me lembrar de que eu contava com apoio quando necessário. Sarah Brody, obrigada pela capa maravilhosa que sempre adorarei. Pode ser que você me odeie, mas, se for o caso, pelo menos nosso relacionamento só vai poder melhorar! Margot Stamas, Amanda Lang, Mary Kate Skehan e Esin Coskun, o entusiasmo coletivo e a estratégia brilhante de vocês me impressionaram desde o primeiro momento. Obrigada por trabalharem neste livro como se fosse o único da sua lista. Aos preparadores, revisores, editores executivos e à equipe de arte e produção: Plaegian Alexander, Nicole Wayland, Lisa Thornbloom, Megan Gerrity, Meighan Cavanaugh, Jessica Regione, Caitlin Noonan e Madeline Rohlin. Contar com uma atenção tão cuidadosa, perfeccionista e atenciosa num projeto que me é tão caro é a melhor sensação do mundo. Obrigada por fazerem este livro cantar. Adrian Zackheim. Obrigada por me dar sinal verde para tudo, por me permitir ter mais tempo quando eu precisava e por estar sempre tão disponível para mim. Considerando que seu trabalho é dizer "não", obrigada por um "sim" tão entusiasmado. Foi uma honra trabalhar com você e com sua excelente equipe.

E Seth Godin. Tive muitos motivos para escolher a Portfolio, mas você foi meu preferido. Obrigada por me salvar de uma vida sendo educadamente menos. E Leah Trouwborst. Obrigada por lutar tanto por este livro. Nossas versões no universo paralelo com certeza estão se divertindo muito agora.

Aos meus primeiros leitores e apoiadores:

Jean Kilbourne. Ler seu livro quando adolescente foi uma das melhores coisas que me aconteceram. Seu apoio e seu incentivo na época pareceram mágica. Seu apoio e seu incentivo agora fecham o círculo de uma forma que quase me leva às lágrimas. Lori Gottlieb. Você faz com que encorajar os outros pareça algo fácil e desprovido de esforço, mas sei que exige muito da sua energia. Obrigada por mandar uma parte da sua preciosa energia direto para mim. Penso na sua generosidade o tempo todo. Susan Cain. Não tenho palavras para você (mas tenho algumas músicas). Só vou dizer que, quando emergi da solidão de escrever este livro, seus vivas foram os primeiros sons que ouvi. Fiquei tão feliz em receber seu apoio que nunca esquecerei a sensação.

Deepak Chopra. Você é perfeito e sabe disso. Obrigada por estar aberto a mim e a tudo. Nada além de amor. Holly Whitaker. Você é um talento extraordinário e amo ver você voar. Obrigada pelo seu apoio instantâneo. Dr. Bruce Perry. Do fundo do coração, obrigada pelo seu trabalho. Sinceramente, não consigo chegar à parte em que agradeço por você ter sido uma das primeiras pessoas a ler e apoiar este livro. Dr. Tal Ben-Shahar. Você foi aberto a múltiplas perspectivas e incentivou um diálogo maior sobre o perfeccionismo, como se eu já não estivesse impressionada o bastante. É energizante ver líderes que praticam o que falam. Michael Schulman. Sua integridade artística, sua amizade e seu entusiasmo foram muito edificantes. Obrigada por sempre responder às minhas mensagens logo cedo e por fazer com que eu me sentisse uma escritora de verdade naquela caminhada em volta da represa. Ashley Wu. A pandemia tirou tanto de nós, mas sempre me lembrarei de que me aproximou de você. Obrigada por criar o espaço físico onde este livro veio à vida e pelo apoio tremendo e transformador que me ofereceu, ajudando a espalhar a mensagem.

Um agradecimento especial à dra. Brené Brown. Você é uma fortaleza bem guardada, e ninguém conseguiu chegar até aí e lhe entregar um bilhete meu com este livro, o que fez a terapeuta em mim abrir um enorme sorriso. Em resumo, seu trabalho me torna uma terapeuta e um ser humano melhores. Obrigada.

Tive a sorte extraordinária de estudar no momento que estas mentes brilhantes estavam lecionando: dra. Anika Warren, dra. Ruth T. Rosenbaum, dr. Dacher Keltner, dr. Derald Wing Sue, dra. Donna Hicks, dra. Pei-Han Cheng, Naaz Hosseini, dra. Elizabeth Fraga e à pessoa com quem estudei neurociência em Berkeley, cujo nome não lembro, mas que ensinava neuroquímica por meio de haicais. Cada um de vocês teve um impacto profundo na minha vida, no meu trabalho e neste livro. Estar na sua presença foi um aprendizado por si só.

Eu gostaria de agradecer às pessoas da minha área que abriram o caminho para este livro através da sua pesquisa, dos seus textos e dos seus ensinamentos: dra. Brené Brown, dr. Tal Ben-Shahar, dr. Gilad Hirschberger, dra. Clarissa Pinkola Estés, dr. Bruce Perry, dra. Harriet Lerner, dra. Barbara Fredrickson, dr. Randy O. Frost, dr. Simon Sherry, Iyanla Vanzant, dra. Serena Chen, dr. Samuel F. Mikail, dr. Gordon L. Flett, dr. Paul L. Hewitt, dr. Joachim Stoeber, dra. Kristin Neff, dr. Irvin D. Yalom, dra. Mary Pipher, dra. Maya Angelou, dr. Heinz e dra. Rowena Ansbacher, dra. Karen Horney, dr. Carl Rogers e, claro, dr. Alfred Adler.

Pippa Wright, obrigada por ser a primeira pessoa no mundo a comprar este livro. Lindsay Robertson e Kelsie Brunswick, obrigada por me ajudar a começar. Agradeço a Carla Levy, Courtney Maum, Emma Gray, dr. Robbie Alexander — e à minha assistente de pesquisa, checadora e anjo das referências das notas de fim Kassandra Brabaw.

Melba Remice, sempre que eu tiver a chance de fazer agradecimentos públicos citarei seu nome. Lily Randall e Monica Lozano, o mesmo vale para vocês.

Fazer uma ideia se transformar num livro publicado é, para dizer o mínimo, difícil. Agradeço a todos os amigos incríveis que se apressaram a me ajudar com o processo quando pedi, e às vezes até sem que eu pedisse. Reshma Chattaram Chamberlin, Ben Simoné, Carola Beeney, dra. Rabia de Latour, Alex de Latour, Natalie Gibralter, Anna Pitoniak, Maya Gorgoni, Thomas Lunsford, Ashley Crossman Lunsford, Shelby Lorman, Christine Gutierrez, Maya Enista Smith, Ty Laforest, Vanna Lee e Arielle Fierman Haspel. Mary J. e

Jeanne, amo vocês para sempre. Craig, você é meu preferido, mas não conte para ninguém.

Peter Guzzardi, o anjo da guarda deste livro! Obrigada por ter me encontrado direto do aeroporto e me dizer que o entendeu. Sua amizade durante este momento da minha vida parece coisa do destino. Mal posso esperar pelas nossas colaborações mais adiante.

Dra. Maureen Moomjy, dra. Carol Aghajanian e toda a equipe de enfermagem do hospital Memorial Sloan Kettering Cancer Center (principalmente uma pessoa vinda da Irlanda de cujo nome não me lembro, mas cuja gentileza num dia bastante difícil nunca esquecerei): obrigada pelos excelentes cuidados quando minha vida estava totalmente fora do meu controle. E um agradecimento profundo e infinito à pessoa linda e brilhante com quem faço terapia e a todos os meus supervisores.

Neste livro, escrevo sobre o poder das relações parassociais, algo a que recorro o tempo todo e de que precisei ainda mais durante a pandemia, quando escrevi grande parte deste livro. Agradeço aos artistas e às figuras públicas que me ajudaram a segurar as pontas naquele momento. Para citar apenas alguns: Jada Pinkett Smith, Dax Shepard, Monica Padman, Mandy Patinkin e Kathryn Grody (seu perfil aberto no Instagram é o lugar aonde vou para ser feliz), Glennon Doyle (dã), Abby Wambach (dã em dobro), Francesca Amber, Taraji P. Henson, Gayle King, Laura McKowen, Sarah Jakes Roberts, Malcolm Gladwell, Will Smith, Linda Sivertsen, Robin Roberts, Jonathan Van Ness, Bradley Cooper, Megan Stalter, Regina King e, claro, Oprah (dã ao infinito). A cada um de vocês: espero que nunca subestimem o poder da conexão que oferecem. Obrigada pela sua arte e sua ajuda. Seu impacto positivo perdura.

Liz Gilbert. Se você tivesse me visto malhando, comendo donuts e ouvindo *A grande magia* ao mesmo tempo, ficaria orgulhosa. Você tornou meus medos portáteis. Fico muito feliz que você tenha acontecido ao mundo. E à energia que me escolheu para escrever este livro: obrigada por ter me escolhido. Desculpe-me por, a princípio, ter ficado irritada com você.

Shannon, Lauryn e Lisa. Parece que estar sempre acompanhada de anjos é garantia de uma vida ótima! Obrigada por fazerem tudo parecer aconchegante, hilário e perfeito — principalmente nos momentos em que a vida foi o oposto disso. Não consigo nem imaginar onde estaria sem vocês. Que eterna bênção nunca ter precisado fazer isso.

Oleshia, Jayme e Marissa: vocês são amados, adorados e perfeitos de todas as maneiras. Devo ter feito algo de muito, *muito* bom em outra vida para ter conhecido cada um de vocês nesta.

Aos meus pais: obrigada por me dar o mundo, amor, coragem e liberdade. Sinto que recebi o melhor de cada um de vocês, e agradeço a Deus por ambos. Richard. Imagino você numa camisa branca bem passada, tomando um café logo cedo e se preparando para ter um bom dia. Te amo. Caroline. Minha melhor amiga e maior inspiração. Obrigada por sempre ir primeiro. Você brilha tão forte que ilumina o caminho para mim — aveia pra sempre. Alexander. A pessoa mais gentil que conheço. Você melhora tudo e todos na sua órbita. Tenho sorte de estar nela. *Je t'aime*.

Pam, Scott, Jono, Maia e Rhoda: obrigada por me amar ao longo das minhas muitas adaptações.

Michael. Você foi meu maior defensor durante esse processo de muitos anos, e é um verdadeiro companheiro em todos os aspectos da vida. Obrigada pelo amor e pelo apoio tremendos com que me cerca todos os dias. Ainda que nunca saiba o que quer jantar. Te amo para sempre. Você é perfeito.

Abigail. Bom. Não é coincidência eu ter ficado obcecada com a ideia de escrever um livro sobre perfeição no segundo em que você e suas covinhas surgiram em cena. Desde que te conheci, venho operando sob o viés da alegria. Os morangos parecem mais doces, a música soa melhor, o mundo é mais brilhante em todos os aspectos possíveis. Eu te amo mais do que todos os números e letras, mais do que todas as coisas que ainda nem têm nome. Foi você que me ensinou que podemos crescer tanto com a alegria quanto com o sofrimento — e ainda mais. E ainda mais. E ainda mais. Como você adora dizer: "De novo! De novo!".

Por último, e o mais importante, agradeço a quem quer que seja a pessoa que supervisione o thesaurus.com. Nos dias frios e sombrios em que estava sozinha à mesa procurando palavras complexas como "o" e "parecia", sempre pude contar com o thesaurus.com. Você é o herói esquecido do mundo literário, e só quem nunca escreveu um livro discordaria disso.

Notas

1. VALE NOTA [pp. 27-56]

1. Alfred Adler, *The Individual Psychology of Alfred Adler: A Systematic Presentation in Selections from His Writings*. Org. de Heinz Ludwig Ansbacher e Rowena R. Ansbacher. Nova York: Harper Perennial, 2006.

2. CELEBRE SEU PERFECCIONISMO [pp. 57-82]

1. Jeffrey S. Ashby e Kenneth G. Rice, "Perfectionism, Dysfunctional Attitudes, and Self-Esteem: A Structural Equations Analysis". *Journal of Counseling & Development*, v. 80, n. 2, pp. 197-203, abr. 2002. Disponível em: <https://doi.org/10.1002/j.1556-6678.2002.tb00183.x>.

2. Pelin Kanten e Murat Yesıltas, "The Effects of Positive and Negative Perfectionism on Work Engagement, Psychological Well-Being and Emotional Exhaustion". *Procedia Economics and Finance*, v. 23, pp. 1367-75, 2015. Disponível em: <https://doi.org/10.1016/s2212-5671(15)00522-5>.

3. Yuhsuan Chang, "Benefits of Being a Healthy Perfectionist: Examining Profiles in Relation to Nurses' Well-Being". *Journal of Psychosocial Nursing and Mental Health Services*, v. 55, n. 4, pp. 22-8, 1 abr. 2017. Disponível em: <https://doi.org/10.3928/02793695-20170330-04>.

4. Roja Larijani e Mohammad Ali Besharat, "Perfectionism and Coping Styles with Stress". *Procedia — Social and Behavioral Sciences*, v. 5, pp. 623-7, 2010. Disponível em: <https://doi.org/10.1016/j.sbspro.2010.07.154>; Lawrence R. Burns e Brandy A. Fedewa, "Cognitive Styles: Links with Perfec-

tionistic Thinking", *Personality and Individual Differences*, v. 38, n. 1, pp. 103--13, jan. 2005. Disponível em: <https://doi.org/10.1016/j.paid.2004.03.012>.

5. Tamar Kamushadze et al., "Does Perfectionism Lead to Well-Being? The Role of Flow and Personality Traits". *Europe's Journal of Psychology*, v. 17, n. 2, pp. 43-57, 31 maio 2021. Disponível em: <https://doi.org/10.5964/ejop.1987>.

6. Ibid.

7. Joachim Stoeber e Kathleen Otto, "Positive Conceptions of Perfectionism: Approaches, Evidence, Challenges". *Personality and Social Psychology Review*, v. 10, n. 4, pp. 295-319, nov. 2006. Disponível em: <https://doi.org/10.1207/s15327957pspr1004_2>.

8. Hanna Suh, Philip B. Gnilka e Kenneth G. Rice, "Perfectionism and Well-Being: A Positive Psychology Framework". *Personality and Individual Differences*, v. 111, pp. 25-30, jun. 2017. Disponível em: <https://doi.org/10.1016/j.paid.2017.01.041>.

9. Jennifer L. Grzegorek et al., "Self-Criticism, Dependency, Self-Esteem, and Grade Point Average Satisfaction among Clusters of Perfectionists and Nonperfectionists". *Journal of Counseling Psychology*, v. 51, n. 2, pp. 192-200, abr. 2004. Disponível em: <https://doi.org/10.1037/0022-0167.51.2.192>.

10. Kenneth A. LoCicero e Jeffrey S. Ashby, "Multidimensional Perfectionism in Middle School Age Gifted Students: A Comparison to Peers from the General Cohort". *Roeper Review*, v. 22, n. 3, pp. 182-5, abr. 2000. Disponível em: <https://doi.org/10.1080/02783190009554030>.

11. Kenneth G. Rice e Robert B. Slaney, "Clusters of Perfectionists: Two Studies of Emotional Adjustment and Academic Achievement". *Measurement and Evaluation in Counseling and Development*, v. 35, n. 1, pp. 35-48, 1 abr. 2002. Disponível em: <https://doi.org/10.1080/07481756.2002.12069046>.

12. H. Afshar et al., "Positive and Negative Perfectionism and Their Relationship with Anxiety and Depression in Iranian School Students". *Journal of Research in Medical Sciences*, v. 16, n. 1, pp. 79-86, 2011.

13. Paul L. Hewitt, Gordon L. Flett e Samuel F. Mikail, *Perfectionism: A Relational Approach to Conceptualization, Assessment, and Treatment*. Nova York: Guilford, 2017.

14. Eckhart Tolle, *A New Earth: Awakening to Your Life's Purpose*. Londres: Penguin, 2016.

15. Ibid.

16. Aristóteles, *The Metaphysics*. Org. de John H. McMahon. Mineola, NY: Dover, 2018. [Ed. bras.: *Metafísica*. Trad. de Edson Bini. São Paulo: Edipro, 2012.]

17. R. M. Ryan e E. L. Deci, "On Happiness and Human Potentials: A Review of Research on Hedonic and Eudaimonic Well-Being". *Annual Review of Psychology*, v. 52, n. 1, pp. 141-66, 2001. Disponível em: <https://doi.org/10.1146/annurev.psych.52.1.141>.

18. Ibid.

19. A. Paul, Arie W. Kruglanski e E. Tory Higgins, *Handbook of Theories of Social Psychology*. Los Angeles: Sage, 2012.

20. Heidi Grant e E. Tory Higgins, "Do You Play to Win — or to Not Lose?". *Harvard Business Review*, 1 mar. 2013. Disponível em: <https://hbr.org/2013/03/do-you-play-to-win-or-to-not-lose>.

21. Anthony J. Bergman, Jennifer E. Nyland e Lawrence R. Burns. "Correlates with Perfectionism and the Utility of a Dual Process Model". *Personality and Individual Differences*, v. 43, n. 2, pp. 389-99, jul. 2007. Disponível em: <https://doi.org/10.1016/j.paid.2006.12.007>.

22. David W. Chan, "Life Satisfaction, Happiness, and the Growth Mindset of Healthy and Unhealthy Perfectionists among Hong Kong Chinese Gifted Students". *Roeper Review*, v. 34, n. 4, pp. 224-33, out. 2012. Disponível em: <https://doi.org/10.1080/02783193.2012.715333>.

3. PERFECCIONISMO COMO DOENÇA, EQUILÍBRIO COMO CURA, MULHERES COMO PACIENTES [pp. 83-108]

1. Jessica L. Borelli et al., "Gender Differences in Work-Family Guilt in Parents of Young Children". *Sex Roles*, v. 76, n. 5-6, pp. 356-68, 30 jan. 2016. Disponível em: <https://doi.org/10.1007/s11199-016-0579-0>.

2. Don Van Natta Jr., "Serena, Naomi Osaka and the Most Controversial US Open Final in History". ESPN, 18 ago. 2019. Disponível em: <https://www.espn.com/tennis/story/_/id/27408140/backstory-serena-naomi-osaka-most-controversial-us-open-final-history>.

3. David Matley, "'Let's See How Many of You Mother Fuckers Unfollow Me for This': The Pragmatic Function of the Hashtag #Sorrynotsorry in Non-Apologetic Instagram Posts". *Journal of Pragmatics*, v. 133, pp. 66-78, ago. 2018. Disponível em: <https://doi.org/10.1016/j.pragma.2018.06.003>.

4. O PERFECCIONISMO DE PERTO [pp. 109-73]

1. Saundra K. Ciccarelli e J. Noland, *Psychology: DSM 5*. 5 ed. Boston: Pearson, 2014, p. 681.

2. Ibid., p. 241.
3. Ibid., p. 768.
4. Ibid., p. 768.
5. Ibid., p. 679.
6. Ibid., p. 679.
7. Ibid., p. 679.
8. Ibid., p. 682.

9. Brené Brown, *I Thought It Was Just Me (but It Isn't): Making the Journey from "What Will People Think?" to "I Am Enough"*. Nova York: Avery, 2008.

10. Karen Horney, *Neurosis and Human Growth: The Struggle toward Self-Realization*. Londres, 1951; Nova York: Routledge, Taylor & Francis, 2014.

11. Paul L. Hewitt, Gordon L. Flett e Samuel F. Mikail, *Perfectionism: A Relational Approach to Conceptualization, Assessment, and Treatment*. Nova York: Guilford, 2017.

12. Martin V. Covington e Kimberly J. Müeller, "Intrinsic Versus Extrinsic Motivation: An Approach/Avoidance Reformulation". *Educational Psychology Review*, v. 13, n. 2, pp. 157-76, 2001. Disponível em: <https://doi: 10.1023/A:1009009219144>.

13. Anthony J. Bergman, Jennifer E. Nyland e Lawrence R. Burns, "Correlates with Perfectionism and the Utility of a Dual Process Model". *Personality and Individual Differences*, v. 43, n. 2, pp. 389-99, jul. 2007. Disponível em: <https://doi.org/10.1016/j.paid.2006.12.007>.

14. Horney, op. cit.

15. Cláudia Carmo et al., "The Influence of Parental Perfectionism and Parenting Styles on Child Perfectionism". *Children*, v. 8, n. 9, p. 777, 4 set. 2021. Disponível em: <https://doi.org/10.3390/children8090777>.

16. Penelope Green, "Kissing Your Socks Goodbye". *The New York Times*, 22 out. 2014. Disponível em: <https:// www.nytimes.com/2014/10/23/garden/home-organization-advice-from-marie-kondo.html>.

17. Gordon L. Flett, Paul L. Hewitt e American Psychological Association, *Perfectionism: Theory, Research, and Treatment*. Washington, DC: American Psychological Association, 2002.

18. Deborah M. Stone, "Changes in Suicide Rates — United States, 2018-2019". *Morbidity and Mortality Weekly Report*, v. 70, n. 8, 2021. Disponível em: <https://doi.org/10.15585/mmwr.mm7008a1>.

19. Ellen Yard, "Emergency Department Visits for Suspected Suicide Attempts among Persons Aged 12-25 Years before and during the covid-19 Pandemic — United States, jan. 2019-May 2021". *Morbidity and Mortality Weekly Report*, v. 70, n. 24, pp. 888-94, 18 jun. 2021. Disponível em: <https://doi.org/10.15585/mmwr.mm7024e1>.

20. "Facts about Suicide", Centros de Controle e Prevenção de Doenças dos Estados Unidos, 21 jan. 2021. Disponível em: <https://www.cdc.gov/suicide/facts/index.html>.

21. "Parasuicide", *APA Dictionary of Psychology*, s.d. Disponível em: <https://dictionary.apa.org/parasuicide>.

22. Adele Ryan McDowell, "The 7 Points on The Spectrum of Suicide". Huffpost, 2022. Disponível em: <https://www.huffpost.com/archive/ca/entry/the-7-points-on-the-spectrum-of-suicide_b_16631596 >.

23. Nicole Heilbron et al., "The Problematic Label of Suicide Gesture: Alternatives for Clinical Research and Practice". *Professional Psychology: Research and Practice*, v. 41, n. 3, pp. 221-7, 2010. Disponível em: <https://doi.org/10.1037/a0018712>.

24. Kim Tingley, "Will the Pandemic Result in More Suicides?". *The New York Times Magazine*, 21 jan. 2021. Disponível em: <https://www.nytimes.com/2021/01/21/magazine/will-the-pandemic-result-in-more-suicides.html>.

25. "Firearm Violence Prevention", Centros de Controle e Prevenção de Doenças dos Estados Unidos, 2020. Disponível em: <https:// www.cdc.gov/violenceprevention/firearms/fastfact.html#:~:text=Six%20out%20of%20every%2010>.

26. Robert Preidt, "How U.S. Gun Deaths Compare to Other Countries". CBS News, 3 fev. 2016. Disponível em: <https://www.cbsnews.com/news/how-u-s-gun-deaths-compare-to-other-countries>.

27. T. Dazzi, R. Gribble, S. Wessely e N. T. Fear, "Does Asking about Suicide and Related Behaviours Induce Suicidal Ideation? What Is the Evidence?". *Psychological Medicine*, v. 44, n. 16, pp. 3361-3, 7 jul. 2014. Disponível em: <https://doi.org/10.1017/s0033291714001299>.

28. Stacey Freedenthal, "Does Talking about Suicide Plant the Idea in the Person's Mind?". *Speaking of Suicide*, 15 maio 2013. Disponível em: <https://www.speakingofsuicide.com/2013/05/15/asking-about-suicide>.

29. Martin M. Smith et al., "The Perniciousness of Perfectionism: A Meta-Analytic Review of the Perfectionism-Suicide Relationship". *Journal of Personality*, v. 86, n. 3, pp. 522-42, 4 set. 2017. Disponível em: <https://doi.org/10.1111/jopy.12333>.

30. Paul L. Hewitt e Gordon L. Flett, "Perfectionism in the Self and Social Contexts: Conceptualization, Assessment, and Association with Psychopathology". *Journal of Personality and Social Psychology*, v. 60, n. 3, pp. 456--70, 1991. Disponível em: <https://doi.org/10.1037/0022-3514.60.3.456>.

31. Jeffrey J. Klibert, Jennifer Langhinrichsen-Rohling e Motoko Saito, "Adaptive and Maladaptive Aspects of Self-Oriented versus Socially Prescri-

bed Perfectionism". *Journal of College Student Development*, v. 46, n. 2, pp. 141--56, 2005. Disponível em: <https://doi.org/10.1353/csd.2005.0017>.

5. VOCÊ ESTAVA TENTANDO RESOLVER O PROBLEMA ERRADO [pp. 174-207]

1. Paul L. Hewitt, Gordon L. Flett e Samuel F. Mikail, *Perfectionism: A Relational Approach to Conceptualization, Assessment, and Treatment*. Nova York: Guilford, 2017.

2. Amy Morin, "How to Manage Misbehavior with Discipline without Punishment". *Verywell Family*, 27 mar. 2021. Disponível em: <https://www.verywellfamily.com/the-difference-between-punishment-and-discipline-1095044>.

3. "Balanced and Restorative Justice Practice: Accountability", Secretaria de Justiça Juvenil e Prevenção de Delinquência dos Estados Unidos, s.d. Disponível em: <https://ojjdp.ojp.gov/sites/g/files/xyckuh176/files/pubs/implementing/accountability.html>.

4. Ibid.

5. Montessori Academy Sharon Springs, "Natural Consequences vs Punishment", 8 abr. 2019. Disponível em: <https://montessoriacademysharonsprings.com/natural-consequences- vs-punishment>.

6. Elizabeth T. Gershoff e Sarah A. Font, "Corporal Punishment in U.S. Public Schools: Prevalence, Disparities in Use, and Status in State and Federal Policy". *Social Policy Report*, v. 30, n. 1, pp. 1-26, set. 2016. Disponível em: <https://doi.org/10.1002/j.2379-3988.2016.tb00086.x>.

7. Diário Oficial do Governo dos Estados Unidos, "Manner of Federal Executions", 27 nov. 2020. Disponível em: <https://www.federalregister.gov/documents/2020/ 11/27/2020- 25867/manner-of-federal-executions>.

8. Barbara L. Fredrickson, "The Role of Positive Emotions in Positive Psychology: The Broaden-and-Build Theory of Positive Emotions". *American Psychologist*, v. 56, n. 3, pp. 218-26, 2001. Disponível em: <https://doi.org/10.1037/0003-066x.56.3.218>.

9. Juliana G. Breines e Serena Chen, "Self-Compassion Increases Self--Improvement Motivation". *Personality and Social Psychology Bulletin*, v. 38, n. 9, pp. 1133-43, 29 maio 2012. Disponível em: <https://doi.org/10.1177/0146167212445599>.

10. Kristin D. Neff, "The Role of Self-Compassion in Development: A Healthier Way to Relate to Oneself". *Human Development*, v. 52, n. 4, pp. 211--4, 2009. Disponível em: <https://doi.org/10.1159/000215071>.

11. Brené Brown, *Daring Greatly: How the Courage to Be Vulnerable Transforms the Way We Live, Love, Parent, and Lead*. Nova York: Gotham, 2012.

12. David W. Chan, "Life Satisfaction, Happiness, and the Growth Mindset of Healthy and Unhealthy Perfectionists among Hong Kong Chinese Gifted Students". *Roeper Review*, v. 34, n. 4, pp. 224-33, out. 2012. Disponível em: <https://doi.org/10.1080/02783193.2012.715333>.

6. VOCÊ VAI GOSTAR DA SOLUÇÃO TANTO QUANTO GOSTA DE TIRAR A NOTA MÁXIMA [pp. 208-46]

1. Kristin Neff, "Definition and Three Elements of Self-Compassion". Self-Compassion, 2019. Disponível em: <https://self-compassion.org/the-three-elements-of-self-compassion-2>.

2. Ibid.

3. Ibid.

4. Anne Lamott, "12 Truths I Learned from Life and Writing". Ted.com, abr. 2017. Disponível em: <https://www.ted.com/talks/anne_lamott_12_truths_i_learned_from_life_and_writing>.

5. Neff, op. cit.

6. Karen Horney, *Neurosis and Human Growth: The Struggle toward Self-Realization*. Londres, 1951; Nova York: Routledge, Taylor & Francis, 2014.

7. Jaye L. Derrick, Shira Gabriel e Kurt Hugenberg, "Social Surrogacy: How Favored Television Programs Provide the Experience of Belonging". *Journal of Experimental Social Psychology*, v. 45, n. 2, pp. 352-62, fev. 2009. Disponível em: <https://doi.org/10.1016/j.jesp.2008.12.003>.

8. Victor Turner, "Liminal to Limonoid in Play, Flow, and Ritual: An Essay in Comparative Symbology". *Rice University Studies*, v. 60, n. 3, 1974, pp. 53-92.

7. NOVOS PENSAMENTOS PARA AJUDAR A NÃO PENSAR DEMAIS [pp. 247-99]

1. N. J. Roese e M. Morrison, "The Psychology of Counterfactual Thinking". *Historical Social Research*, v. 34, n. 2, pp. 16-26, 2009. Disponível em: <https://doi.org/10.12759/hsr.34.2009.2>.

2. Ibid.

3. Ibid.

4. F. M. Sirois, J. Monforton e M. Simpson, "If Only I Had Done Better:

Perfectionism and the Functionality of Counterfactual Thinking". *Personality and Social Psychology Bulletin*, v. 36, n. 12, pp. 1675-92, 2010. Disponível em: <https://doi.org/10.1177/0146167210387614>.

5. Ibid.

6. Roese e Morrison, op. cit.

7. Sirois, Monforton e Simpson, op. cit.

8. Sirois, Monforton e Simpson, op. cit.

9. Victoria Husted Medvec, Scott F. Madey e Thomas Gilovich, "When Less Is More: Counterfactual Thinking and Satisfaction among Olympic Medalists". *Journal of Personality and Social Psychology*, v. 69, n. 4, pp. 603-10, 1995. Disponível em: <https://doi.org/10.1037/0022-3514.69.4.603>.

10. Ibid.

11. Roese e Morrison, op. cit.

12. Medvec, Madey e Gilovich, op. cit.

13. Sirois, Monforton e Simpson, op. cit.

14. Roese e Morrison, op. cit.

15. Roese e Morrison, op. cit.

16. "Physical Activity for People with Disability", Centros de Controle e Prevenção de Doenças dos Estados Unidos, 21 maio 2020. Disponível em: <https://www.cdc.gov/ncbddd/disabilityandhealth/features/physical-activity-for-all.html>.

17. Kristin Neff, "The Criticizer, the Criticized, and the Compassionate Observer". *Self-Compassion*, 23 fev. 2015. Disponível em: <https://self-compassion.org/exercise-4-supportive-touch/>.

18. Wayne LaMorte, "The Transtheoretical Model (Stages of Change)", Escola de Saúde Pública da Universidade de Boston, 9 set. 2019. Disponível em: <https://sphweb.bumc.bu.edu/otlt/MPH-Modules/SB/BehavioralChangeTheories/BehavioralChangeTheories6.html>.

19. Ibid.

20. Ibid.

21. Timothy D. Wilson e Daniel T. Gilbert, "Affective Forecasting". *Current Directions in Psychological Science*, v. 14, n. 3, pp. 131-4, jun. 2005. Disponível em: <https://doi.org/10.1111/j.0963-7214.2005.00355.x>.

22. Haijing Wu et al., "Anticipatory and Consummatory Pleasure and Displeasure in Major Depressive Disorder: An Experience Sampling Study". *Journal of Abnormal Psychology*, v. 126, n. 2, pp. 149-59, 2017. Disponível em: <https://doi.org/10.1037/abn0000244>.

23. Stephanie Boehme et al., "Brain Activation during Anticipatory Anxiety in Social Anxiety Disorder". *Social Cognitive and Affective Neuroscience*,

v. 9, n. 9, ago. 11, pp. 1413-8, 2013. Disponível em: <https://doi.org/10.1093/scan/nst129>.

24. Silvia Bellezza e Manel Baucells, "AER Model", e-mail à autora, 2021.

25. "Will Smith's Red Table Takeover: Resolving Conflict". *Red Table Talk*, 28 jan. 2021. Disponível em: <https://omny.fm/shows/red-table-talk/will-smith-s-red-table-takeover-resolving-conflict>.

26. Oprah Winfrey e Bruce Perry, *What Happened to You? Conversations on Trauma, Resilience, and Healing*. Nova York: Flatiron, 2021.

27. *Choiceology with Katy Milkman* (podcast). "Not Quite Enough: With Guests Howard Scott Warshaw, Sendhil Mullainathan, and Anuj Shah", temporada 4, episódio 2, Charles Schwab, 23 set. 2019. Disponível em: <https://www.schwab.com/resource-center/insights/content/choiceology-season-4-episode-2>.

28. *Choiceology with Katy Milkman*, op. cit.

8. COISAS NOVAS A FAZER PARA AJUDAR A PARAR DE FAZER DEMAIS [pp. 300-40]

1. *Masters of Scale with Reid Hoffman* (podcast). "BetterUp's Alexi Robichaux and Prince Harry: Scale Yourself First, and Then Your Business", episódio 107, Spotify, 26 abr. 2022. Disponível em: <https://open.spotify.com/episode/7zJs27PmhL8QFCeJuICfin?si=d1b5082d7ea84289&nd=1>.

2. Igor Grossmann e Ethan Kross, "Exploring Solomon's Paradox: Self-Distancing Eliminates the Self-Other Asymmetry in Wise Reasoning about Close Relationships in Younger and Older Adults". *Psychological Science*, v. 25, n. 8, pp. 1571-80, 10 jun. 2014. Disponível em: <https://doi.org/10.1177/0956797614535400>.

3. Ibid.

4. Charles A. O'Reilly e Nicholas Hall, "Grandiose Narcissists and Decision Making: Impulsive, Overconfident, and Skeptical of Experts — but Seldom in Doubt". *Personality and Individual Differences*, v. 168, pp. 110280, 1 jan. 2021. Disponível em: <https://doi.org/10.1016/j.paid.2020.110280>.

5. Kenneth G. Rice e Clarissa M. E. Richardson, "Classification Challenges in Perfectionism". *Journal of Counseling Psychology*, v. 61, n. 4, pp. 641-8, out. 2014. Disponível em: <https://doi.org/10.1037/cou0000040>.

6. Irvin D. Yalom, *The Gift of Therapy: An Open Letter to a New Generation of Therapists and Their Patients*. Londres: Piatkus, 2002.

7. Karen Horney, *Neurosis and Human Growth: The Struggle toward Self-Realization*. Londres, 1951; Nova York: Routledge, Taylor & Francis, 2014.

8. S. L. Worley, "The Extraordinary Importance of Sleep: The Detrimental Effects of Inadequate Sleep on Health and Public Safety Drive an Explosion of Sleep Research". *P&T: A Peer-Reviewed Journal for Formulary Management*, v. 43, n. 12, pp. 758-63, 2018.

9. "Understanding the Glymphatic System". Neuronline, 17 jul. 2018. Disponível em: <https://neuronline.sfn.org/scientific-research/understanding-the-glymphatic-system>.

10. H. Benveniste et al., "The Glymphatic System and Waste Clearance with Brain Aging: A Review". *Gerontology*, v. 65, pp. 106-19, 2019. Disponível em: <https://doi.org/10.1159/000490349>.

11. Nadia Aalling Jessen et al., "The Glymphatic System — A Beginner's Guide". *Neurochemical Research*, v. 40, n. 12, pp. 2583-99, 2015. Disponível em: <https://doi.org/10.1007/s11064-015-1581-6>.

12. Bahar Gholipour, "Sleep Shrinks the Brain's Synapses to Make Room for New Learning". *Scientific American*, 1 maio 2017. Disponível em: <https://www.scientificamerican.com/article/sleep-shrinks-the-brain-rsquo-s-synapses-to- make-room-for-new-learning>.

13. "How Does Sleep Affect Your Heart Health?", Centros de Controle e Prevenção de Doenças dos Estados Unidos, 4 jan. 2021. Disponível em: <https://www.cdc.gov/bloodpressure/sleep.htm>.

14. Sunil Sharma e Mani Kavuru, "Sleep and Metabolism: An Overview". *International Journal of Endocrinology*, pp. 1-12, 2 ago. 2010. Disponível em: <https://doi.org/10.1155/2010/270832>.

15. Tanja Lange et al., "Sleep Enhances the Human Antibody Response to Hepatitis A Vaccination". *Psychosomatic Medicine*, v. 65, n. 5, pp. 831-5, set. 2003. Disponível em: <https://doi.org/10.1097/01.psy.0000091382.61178.f1>.

16. Karine Spiegel et al., "Brief Communication: Sleep Curtailment in Healthy Young Men Is Associated with Decreased Leptin Levels, Elevated Ghrelin Levels, and Increased Hunger and Appetite". *Annals of Internal Medicine*, v. 141, n. 11, pp. 846, 7 dez. 2004. Disponível em: <https://doi.org/10.7326/0003-4819-141-11-200412070-00008>.

17. Ibid.

18. "How Does Sleep Affect Your Heart Health?", op. cit.

19. Denise Lineberry, "To Sleep or Not to Sleep?". Nasa, 14 abr. 2009. Disponível em: <https://www.nasa.gov/centers/langley/news/researcher-news/rn_sleep.html>.

20. Alexander J. Scott, Thomas L. Webb e Georgina Rowse, "Does Improving Sleep Lead to Better Mental Health? A Protocol for a Meta-Analytic Review of Randomised Controlled Trials". *BMJ Open*, v. 7, n. 9,

pp. e016873, set. 2017. Disponível em: <https://doi.org/10.1136/bmjopen-2017-016873>.

9. AGORA QUE VOCÊ É LIVRE [pp. 341-86]

1. Rachel P. Maines, *The Technology of Orgasm: Hysteria, the Vibrator, and Women's Sexual Satisfaction*. Baltimore, MD: Johns Hopkins University Press, 2001.

2. A. J. Oswald, E. Proto e D. Sgroi, "Happiness and Productivity". *Journal of Labor Economics*, v. 33, n. 4, pp. 789-822, 2015. Disponível em: <https://doi.org/10.1086/681096>.

3. Hanna Suh, Philip B. Gnilka e Kenneth G. Rice, "Perfectionism and Well-Being: A Positive Psychology Framework". *Personality and Individual Differences*, v. 111, pp. 25-30, jun. 2017. Disponível em: <https://doi.org/10.1016/j.paid.2017.01.041>.

4. Harriet Lerner, *Why Won't You Apologize?: Healing Big Betrayals and Everyday Hurts*. Londres: Duckworth Overlook, 2018.

5. Ibid.

6. Ibid.

7. Holly Whitaker (@holly), 2021, "You ARE doing it. This is it" (foto no Instagram), 23 abr. 2021. Disponível em: <https://www.instagram.com/p/COAYOh7H7XZ/?igshid=MDJmNzVkMjY%3D>.

8. Tal Ben-Shahar, *The Pursuit of Perfect: Stop Chasing Perfection and Find Your Path to Lasting Happiness!* Nova York; Londres: McGraw-Hill, 2009.

9. Steven Pressfield, "Writing Wednesdays: Resistance and Self-Loathing", 6 nov. 2013. Disponível em: <https://stevenpressfield.com/2013/11/resistance-and-self-loathing>.

Índice remissivo

abertura, 35, 54, 80-1, 170, 210, 296, 320, 352, 364, 371; *ver também* flexibilidade
"abrir mão", 48, 54, 210, 213, 215-6, 225, 244, 293, 296, 313, 370
abuso e negligência, 158
ação (estágio da mudança), 270
acumulação, 119
aditivos, pensamentos, 252
Adler, Alfred, 53, 389, 397, 401
adrenalina, 47, 329
AER, modelo (antecipação, evento e recordação), 277-8
agência pessoal (poder de fazer), 250-2, 257
agir quando as coisas estiverem boas, 327-30
agradar às pessoas, 24-5, 37, 89, 124, 132, 183, 238, 306-7
agrado emocional, 195, 232
ajuda, pedir, 260-3, 315, 320, 330-2
alegria, 125, 339, 347, 350, 367, 371; antecipatória, 276; gratidão e, 220-1; prazer e, 347, 349
alfabetização emocional, 194
ambição, 63, 83, 102, 105, 107-8, 110, 219, 230

amor: amar a si mesma, 350, 368; amar o próprio corpo, 368-9; amor-próprio, 125, 133, 207, 237-8, 280, 350; confiança e, 350; martírio e, 342
"ampliar e construir", teoria, 188-91
anedonia, 344
Angelou, Maya, 205, 380, 397
angústia, 139, 153, 224, 278
ansiedade, 46, 60, 88, 117, 133, 160, 169, 191, 276, 278, 317, 344, 350, 373, 376; antecipatória, 276, 278
antecipação, 43, 276-7, 344; no modelo AER (antecipação, evento e recordação), 276-8
aparência, preocupações com a, 123
apoio, 258-68; da comunidade, 265; emocional, 261-2, 266; financeiro, 263-4; físico, 262; informativo, 266; linhas de, 168, 240; tangível, 261; técnica do toque de apoio, 263
Aprenda a dizer não (Tawwab), 334
Aristóteles, 71, 402
armas de fogo, 165-6
arte, 63, 67, 114, 116, 129, 137, 292, 295, 297-8, 381

Associação Americana de Psicologia, 164
Associação Americana de Psiquiatria, 348
assumir a responsabilidade *ver* responsabilidade pessoal
atenção plena, 134, 232, 236; *ver também* presença
atomismo, 65
atribuição de culpa, 197, 233, 239
Auden, W. H., 226
ausência, 138, 173, 386
autocompaixão, 190-1, 193-5, 198-9, 201-5, 210, 232-4, 236-9, 241, 246, 252, 254, 269, 280, 285, 296, 319, 343, 353, 362, 386; agrado emocional × autocompaixão, 195, 232; amor-próprio × autocompaixão, 237-8; brechas e, 341; como não opcional, 194; compreensão e, 205; definição de Neff de, 232; dor e, 238; humanidade comum e, 235; pensamento contrafactual e, 252; regulação emocional e, 194; segundo lugar e, 195-6; tarefas simples e, 285; "Você já deveria saber", uso da expressão, 205; *ver também* perdoar a si mesma
autoestima, 41, 43, 59, 95, 122, 125, 194, 196, 243
autopunição, 177, 183, 185-6, 188, 195-6, 199-201, 203, 207, 210; *ver também* punição
autossabotagem, 132, 184, 268, 286, 380
avareza, 119

Baldwin, James, 125, 157
Baucells, Manel, 276-7, 409
Bellezza, Silvia, 276-7, 409
bem-estar, 13, 18, 51, 59-60, 62, 65-6, 68, 75, 143, 165, 193, 203, 265, 277, 280, 283, 288, 290, 304, 334, 337, 365, 368, 391; emocional, 193; estratégias de, 329; eudaimônico, 75, 78; hedônico, 75, 344; indústria do, 18, 57, 60
Ben-Shahar, Tal, 377, 396-7, 411
Beyoncé, 137
Beyond the Gender Binary (Vaid-Menon), 95
"bomba no último minuto", 186, 192, 240
Bowlby, John, 390
braço, mão no (técnica de toque de apoio), 263
brincadeira, 302
Brown, Brené, 30, 122, 197, 232, 300, 396-7, 404, 407

Cain, Susan, 390, 395
Cameron, James, 14
caminhar, 167, 185, 189, 197, 209, 223, 262-3, 291, 303-4, 337
caos, 46, 310; *ver também* perfeccionistas caóticas
caráter, pensamento contrafactual baseado em, 251-2
Carmo, Cláudia, 154, 404
catastrofização, 248
CDC (Centro de Controle e Prevenção de Doenças), 162, 166, 301, 336, 405, 408, 410
celebração, 105, 123, 217, 219-23, 341
Centro Nacional para a Saúde, a Atividade Física e a Deficiência (NCHPAD), 262

cérebro: pensamento contrafactual e, 249-50, 255-6; sistema glinfático, 334-5; sono e, 334-5
certeza, 223, 298, 351, 372-3
Chapman, Gary, 390
Chesler, Phyllis, 100
Chopra, Deepak, 389, 396
cognitivo, perfeccionismo, 129, 143-4, 293
colaboração, 35, 54-5, 178, 367
comida: "comfort food", 244-5; fome, 201, 225, 284, 286, 335-6, 346
comparações, 274
comportamental, perfeccionismo, 129, 142-3, 150, 277
compulsão: no perfeccionismo, 115, 121; perfeccionismo compulsivo, 113; transtorno de personalidade obsessivo-compulsiva (TPOC), 118-20; transtorno obsessivo-compulsivo (TOC), 117
comunidade, apoio da, 265
conexão, 281-4; bem-estar mental e, 265; interpessoal, 25, 38; parassocial, 242-3; validação e, 306
confiança em si mesma, 28, 78, 82, 161, 226, 349-56, 361, 368, 371-2, 374-5
Connors, Jimmy, 100
consequência × punição, 179
contemplação (estágio da mudança), 269-70
contratempos, 77, 216, 225, 349, 374; imprevistos, 225; pensamento contrafactual e, 256
controle: atribuição de culpa e, 197, 233, 239; dos pensamentos, 257; fechamento e, 293; limites autoimpostos e, 274; perder o, 364, 385; poder e, 18-9, 133; rendição e, 363; superficial, 18, 132-4
coração, mão no (técnica de toque de apoio), 263
corpo, amar o, 368-9
cortisol, 329
covid-19 ver pandemia de covid-19
crescimento, 77, 80, 141, 160, 177-8, 181, 199, 216, 245, 267, 270, 279, 300, 337, 381; incrementalismo no, 279-80; mentalidade de, 79, 81; ver também mudança
criminalidade, 182
crises, 91, 162-3, 259, 263, 319, 332, 361, 380, 390
críticas, 42, 70, 116, 136, 233, 306, 326
Csikszentmihalyi, Mihaly, 138
cuidado comunitário, 378-80
cuidadores, 93, 156, 158
culpa, atribuição de, 197, 233, 239
cultura e linguagem, 98-9, 239
Cunningham, Brittany Packnett, 380
cura e recuperação, 14, 68, 101, 186, 188, 203, 240, 279, 290, 319; abordagens radicais de, 280; definir a cura, 151; familiaridade e, 212-4; fechamento e, 293; incrementalismo na, 279-80; "perfeccionista em recuperação", uso da expressão, 14, 68, 101, 319; ver também mudança; restauração
curiosidade, 17, 19, 55, 94, 144, 205, 296, 313, 352-3

Daley-Ward, Yrsa, 208
"de repente", 363
decepção, 77, 156, 236-7, 254-5, 258

Departamento de Justiça (EUA), 182
depressão, 48, 60-1, 64, 160, 191, 278, 302, 336, 344, 346, 349, 361, 376; prazer e, 344
desapego, 141, 296, 370
descanso físico, 304; *ver também* sono
"descompensada", 98-9, 101
descompressão, 302-3; brincadeira e, 302
desculpas, pedir, 101-2, 108, 180, 206; "desculpa", uso da palavra, 101-2
desejos, 72, 90, 107, 142, 271, 291, 294-5, 309-10, 355-6, 376, 380, 390; necessidades x desejos, 377-9
desempenho, 37, 53, 59, 114, 118, 120, 131, 137, 139, 143, 159, 172, 185, 190, 192, 198, 238, 250, 254, 307, 348
desenvolvimento reprimido, 184
determinantes sociais da saúde, 379
DiClemente, Carlo, 268-9
dieta, indústria da, 345-6; *ver também* comida
"diferente" x "melhor ou pior", 272-5
Dinges, David F., 334
dinheiro, 39, 84, 86, 120, 222, 261, 263-4, 316, 330, 334, 338, 376-7; apoio financeiro, 263-4
disciplina, 42, 179-80, 196, 212, 382; punição x disciplina, 179
dissociação, 183
distúrbio interpessoal, 184
"Do You Play to Win — or to Not Lose?" (Grant), 76
"doadores de frequência", 63
doença, modelo da, 65
dor, 75, 110, 167, 179, 193-4, 196-7, 199, 223, 232-3, 256, 293-4, 296-7, 307; atribuição de culpa e, 197, 233, 239; autocompaixão e, 238; entorpecimento e, 197; fechamento e, 293; humanidade comum e, 235; reconhecimento da, 238
dormir *ver* sono
DSM-5 (Manual diagnóstico e estatístico de transtornos mentais), 116, 118-20, 344
Durvasula, Ramani, 278
Dweck, Carol, 79

eclipsar, 136, 171
efeito contraste, 253-4
eficiência, 50, 65, 96, 288, 311, 346-7, 349
emocional, perfeccionismo, 129, 148-51, 153
emoções: agrado emocional, 195, 232; alfabetização emocional, 194; apoio emocional, 261-2, 266; atenção plena e, 135-6; bem-estar emocional, 193; entorpecimento das, 197; explicar e expressar, 322; negativas, 320; pensamento contrafactual e, 253; positivas, 189-90; regulação emocional, 194; segurança emocional, 60, 68, 157, 378
"empacada", uso da palavra, 143, 145, 185-6, 218, 261
empatia, 25, 55, 116, 204, 238, 305, 310
entorpecimento, 197-9, 201, 211, 290; comportamentos entorpecentes, 197
equilíbrio, 13, 15, 83, 87, 89-92, 95, 97, 103-4, 106-7, 110, 319

erros, 112, 118, 170, 178, 186, 191, 196, 201-2, 205-7, 235, 312, 327, 342, 351-4, 371, 385; *ver também* autocompaixão; perdoar a si mesma
escolhas, 22, 34, 79, 102, 161, 168, 181, 186, 189, 201, 205, 233, 247, 272, 279, 307-8, 331, 338, 340, 386
esforço, 38, 77, 101, 113, 117, 196, 203, 214, 216, 287, 303, 383
espaço liminar, 243-5, 341
especificidades, pensamentos contrafactuais e, 250
espiritualidade e religião, 305, 329
estagnação, 194
"estar em fluxo", 138
estática, vida como, 90
Estés, Clarissa Pinkola, 9, 83, 397
estresse, 59, 148, 191, 214, 263, 265, 276-7, 283, 299, 303, 315, 329, 378; estágios do, 275-8; hormônios do, 329; transtorno do estresse pós-traumático (TEPT), 315-6
eu autêntico, 81, 143
eudaimônico, bem-estar, 75, 78
Eugene, Andy R., 334
evento (no modelo AER — antecipação, evento e recordação), 276-8
evitação, 290
execução, protocolos de, 182
explicar e expressar, 321

família e criação, 154, 159-60, 236; *ver também* infância
familiaridade, 212-4
"fazer menos, depois fazer mais", 338-40
fechamento, 48, 144, 292-9, 341
felicidade, 60, 75, 135-6, 217, 220, 276-7, 299, 368; e amar o próprio corpo, 368-9; estágios da, 275-8

festas de fim de ano, 15, 31, 97, 104, 129-31, 140
Flett, Gordon L., 140, 169, 397, 402, 404-6
flexibilidade, 35, 149, 170, 265, 268, 320
fome, 201, 225, 284, 286, 335-6, 346
Forleo, Marie, 48
fracasso: fracassar adiante, 217, 225; pensamento contrafactual e, 256-7
Fredrickson, Barbara L., 188-9, 397, 406
Freedenthal, Stacey, 166, 405

gentileza, 50, 141, 159, 205, 229, 233-4, 238
gerenciamento de energia × gerenciamento de tempo, 288-92
Gift of Therapy, The (Yalom), 327-8
Godin, Seth, 290, 395
Grant, Adam, 390
Grant, Heidi, 76, 403
gratidão, 220-2, 250, 255, 371; alegria e, 220-1; pensamento contrafactual e, 249-50
gratificação imediata, 214, 298, 344-5, 349, 386

hábitos cognitivos, 247; *ver também* perspectiva, mudanças de
Harry, príncipe, 315
Harvard Business Review, 288, 403
hedônico, bem-estar, 75, 344
Hemenway, David, 166
Hemphill, Prentis, 333
hepatite A, vacina contra, 335
Hewitt, Paul L., 140, 169, 397, 402, 404-6
Higgins, E. Tory, 76, 403

histeria, 348
holismo, 65
homens: como cuidadores, 93; perfeccionismo nos, 94
hormônios do estresse, 329
Horney, Karen, 140, 153, 332, 397, 404, 407, 409
humanidade comum, 235-6
humildade, 305, 320, 367
humilhação, 169-70

ideais, 36-7, 63, 74, 112-3, 115, 134-5, 149, 280, 310
idealistas, 115
identidade, 34, 42, 48, 61-2, 74, 112, 139, 145, 168, 199, 207, 216, 271, 341, 355, 371, 389
imaginação, 238, 286, 363
imprevistos *ver* contratempos
incerteza, 213
incrementalismo, 279-80
independência, 331, 347
individualidade, 61
infância, 154, 159-60, 236; abuso e negligência na, 158; antecedentes do perfeccionismo desadaptativo na, 158; antecedentes do perfeccionismo na, 158; trauma de, 152, 238
informações e apoio informativo, 266
insegurança, 37, 306, 352
instinto, 225-8, 230, 313, 320, 338, 346, 370
Instituto Nacional de Saúde Mental (NIMH), 162
inteligência, 67, 94, 194, 284
intencionalidade, 149
intenções, 225, 228-31, 234, 338; objetivos e, 228-9

intuição, 26, 346, 351, 356, 374
isolamento, 52, 173, 281-2, 331, 378, 386

Jaques, Elliott, 390
Jobs, Steve, 14
Journal of Experimental Social Psychology, 243, 407
julgamento × opinião, 325-7
Jung, Carl, 27, 389

Kahneman, Daniel, 277
Katz, Jackson, 95
Kilbane, Karen, 88
Kipling, Rudyard, 94
Kondo, Marie, 104, 155-6

Lamott, Anne, 235, 407
Lao-Tsé, 244
largura de banda, 289, 308, 315
leptina, 335-6
Lerner, Harriet, 109, 196, 332, 369-70, 397, 411
liberdade, 14, 72, 78, 114, 122-3, 125, 133, 136, 159, 204, 211, 245, 294, 342, 378, 385-6, 399
liderança, 54, 133-4, 170, 252, 340, 352, 396
limites: autoimpostos, 274; estabelecer limites, 39, 141, 333-4; ultrapassar os, 63
Lindgren, Astrid, 174
linguagem e cultura, 98-9, 239
linhas de apoio, 168, 240
"Lista do Coração", 222-4
luto, 91, 244, 293, 296-8, 313, 384

Macho Paradox, The (Katz), 95
mães, 94-5, 126, 265

Mágica da arrumação, A (Kondo), 104
Maines, Rachel P., 348, 411
manutenção (estágio da mudança), 268-73, 299
mão no coração e mão no braço, técnicas da, 263
Martha Stewart Living Omnimedia (empresa), 15, 103
martírio, 342
Masiak, Jolanta, 334
maternidade e trabalho, 93
Matley, David, 102, 403
McCarthy, Catherine, 288
McDowell, Adele Ryan, 164-5, 405
mecanismos transdiagnósticos, 157
medalhistas de prata e bronze, efeito contraste em, 254
medo, 19, 77; esforço e, 77; estilos de vida baseados no, 215
"meio", 173
"melhor ou pior" × "diferente", 272-5
mentalidade: adaptativa, 73, 138; de crescimento, 79, 81; desadaptativa, 73-4, 117, 124, 139, 329; fixa, 79, 81
Metafísica (Aristóteles), 71
Mikail, Samuel F., 140, 397, 402, 404, 406
Milkman, Katy, 289, 409
modéstia, 367
modelo AER (antecipação, evento e recordação), 277-8
momentos em que você se encontra perdida, 363
monólogo interno negativo, 176, 198, 199-201
Morin, Amy, 180, 406
Morning Show, The (série de TV), 93

motivação, 46, 59, 76, 78, 82, 115, 121, 183, 191, 250, 252, 255-6, 276, 305, 349; orientada à promoção × orientada à prevenção, 76-7
movimento, 134, 211, 262
mudança: ação (estágio da mudança), 270; como um processo de um único passo, 268; contemplação (estágio da mudança), 269-70; incrementalismo na, 279-80; manutenção (estágio da mudança), 268-73, 299; modelo de mudança em cinco estágios, 268-9, 272; período para, 271; pré-contemplação (estágio da mudança), 269; preparação (estágio da mudança), 269; *ver também* cura e recuperação; perspectiva, mudanças de
mulheres, 95-6; "descompensadas", 98-9, 101; indústria da dieta e, 345-6; "loucas", 348; mães, 94-5, 126, 265; maternidade e, 93; perfeccionismo nas, 15-6; prazer e, 99, 183, 185, 345
Mullainathan, Sendhil, 289, 315, 409

"não fazer nada", 304
não resistência, 82
"Não sei o que fazer", uso da expressão, 319-20
narcisismo, 19, 116, 119, 342
Natal e festas de fim de ano, 15, 31, 97, 104, 129-31, 140
necessidades, 90, 92, 143, 160, 214, 267, 291, 313, 318, 333, 354, 377-9; básicas, 378-9; desejos × necessidades, 377-9
Neff, Kristin, 232-3, 235-6, 263, 397, 406-8

negligência e abuso, 158
Nepo, Mark, 246
Nestadt, Paul, 165
New York Times, The (jornal), 104, 165, 404
Nin, Anaïs, 341

O que aconteceu com você? (Perry e Winfrey), 283, 379
objetal, perfeccionismo, 129, 131, 141-2, 150
objetivos: intenções e, 228-9; processo e, 229; valores e, 230; *ver também* esforços
Olímpiadas, 254
opinião × julgamento, 325-7
Ordem na casa com Marie Kondo (série da Netflix), 104
orgulho, 41, 52, 149, 258, 331
otimismo, 46, 47, 77, 124, 329
Otto, Kathleen, 59, 402
ousadia, 28, 78, 82, 354

paciência, 34, 204, 226, 285, 317, 322, 329; tarefas simples e, 285
pandemia de covid-19, 92, 162, 220, 396, 398
Pantene, 102
paradoxo da perfeição, 73
parassociais, relações, 242-3, 398
pare um momento, 243
passividade, 41, 226
pedir ajuda, 260-3, 315, 320, 330-2
Pegando fogo (filme), 54
pena de si mesma, 233-4, 236
pensamento-ação, repertório de, 189-91, 193, 285
pensamento contrafactual, 249-57, 285, 299, 341; aditivo, 252; baseado em caráter, 251-2; baseado em problemas, 251-2; subtrativo, 252
pensamento dicotômico ("tudo-ou--nada"), 170-3, 348
pensar demais, 247
"pensar fora da caixa", 68-71
perdas, 43, 47-8, 307-9
perdida, sentir-se, 363
perdoar a si mesma, 368-71; atribuição de culpa e, 197, 233, 239; comportamentos entorpecentes e, 197; pena de si mesma, 233-4, 236; tarefas simples e, 285; *ver também* autocompaixão
perfeccionismo: abordagem integrativa do, 68; adaptativo (perfeccionismo saudável), 18, 58-60, 67, 74-80, 113, 116, 119, 121, 123-4, 128, 131, 142, 144, 146, 149, 155, 192, 198, 203, 216, 221, 229-31, 238, 255, 320, 328, 365, 374; altamente individualizado, 58, 61, 112-3, 150; antecedentes do perfeccionismo na infância, 158; celebrar o, 105; cinco tipos de perfeccionistas, 17-8, 27, 30-1, 389-90; cognitivo, 129, 143-4, 293; como algo ruim, 14, 58, 104; como identidade, 48, 61-2, 74, 112, 145; como impulso natural, 63, 76, 114, 155, 312; como um contínuo, 30, 65, 256; como um fenômeno, não um transtorno, 67; comportamental, 129, 142-3, 150, 277; compulsão no, 115, 121; compulsivo, 113; contextos e, 129; desadaptativo (manifestação insalubre), 58-60, 67-8, 77-8, 113, 117-9, 121, 124, 128, 132, 140, 143, 148, 152, 155,

158, 160, 171, 179, 192, 198, 203, 216, 231, 274, 303, 328, 365, 375; descrição, 25-6, 62-5; em comparação com outros traços e condições, 58; emocional, 129, 148-51, 153; ênfase em manifestações disfuncionais do, 67; equilíbrio e, 13, 15, 83, 87, 89-92, 95, 97, 103-4, 106-7, 110, 319; manifestações puras do, 128-9, 142; "não fazer nada", 304; nas mulheres, 15-6; natureza individualizada do, 58, 61, 112-3, 150; nos homens, 94; poder do, 67-8; objetal, 129, 131, 141-2, 150; "perfeccionista"; uso da palavra, 62, 105-6; "perfeccionista em recuperação", uso da expressão, 14, 68, 101, 319; processual, 129, 144-7, 362; resposta consciente ao, 28; retrato coletivo do, 14; rígido, 118-9, 157; socialmente prescrito, 169; tensão e, 111-2; tentando se livrar do, 62; teste dos cinco tipos de perfeccionistas, 21-6; títulos de livros e artigos sobre, 57

perfeccionistas caóticas, 25, 27, 31, 44-8, 55, 132, 184, 214, 304, 307-8, 324; autopunição em, 184; "caóticas", uso do termo, 46; descrição, 25, 44-8; em comparação com perfeccionistas clássicas, 45; em comparação com perfeccionistas parisienses, 45; em comparação com perfeccionistas procrastinadoras, 44; explicar e expressar em, 323; expressão desadaptativa em, 132; no teste de tipos de perfeccionistas, 25; perda e, 47-8, 308; perfeccionismo processual em, 145; relaxamento ativo para, 304; responsabilização pessoal em, 198; restauração para, 304, 307

perfeccionistas clássicas, 25, 27, 31-8, 43, 45, 50-1, 55, 129, 132, 141, 183, 198, 214, 222, 304-5, 310, 322, 324; autopunição em, 183; descrição, 25, 31-6; em comparação com perfeccionistas caóticas, 45; em comparação com perfeccionistas intensas, 50; em comparação com perfeccionistas parisienses, 37; em comparação com perfeccionistas procrastinadoras, 43; explicar e expressar em, 322; expressão desadaptativa em, 132; no teste de tipos de perfeccionistas, 25; perfeccionismo processual em, 129-30, 145; relaxamento ativo para, 304; responsabilização pessoal em, 198; restauração para, 304-5

perfeccionistas intensas, 25, 27, 49-55, 113, 132, 198, 214, 303, 311, 322, 357, 362; autopunição em, 184; comparadas com perfeccionistas clássicas, 50; descrição, 25, 49-55; explicar e expressar em, 322; expressão desadaptativa em, 132; no teste de tipos de perfeccionistas, 25; perfeccionismo processual em, 145; relaxamento ativo para, 303; responsabilização pessoal em, 198; restauração para, 303, 311; romantização das, 54

perfeccionistas parisienses, 25-7, 35-9, 41, 43, 112-3, 132, 145, 150,

214, 304, 306, 323; autopunição em, 183; conexão e, 36-9; descrição, 25, 35-9; em comparação com perfeccionistas caóticas, 45; em comparação com perfeccionistas clássicas, 37; em comparação com perfeccionistas procrastinadoras, 43; explicar e expressar em, 323; expressão desadaptativa em, 132; no teste de tipos de perfeccionistas, 25; perfeccionismo processual em, 145; relaxamento ativo para, 304; responsabilização pessoal em, 198; restauração para, 304, 306

perfeccionistas procrastinadoras, 25, 27, 31, 39-44, 47-8, 55, 132, 144-5, 198, 214, 269, 304, 308-9, 324; autopunição em, 183; descrição, 25, 39-43; em comparação com perfeccionistas caóticas, 44; em comparação com perfeccionistas clássicas, 43; em comparação com perfeccionistas parisienses, 43; explicar e expressar em, 324; expressão desadaptativa em, 132; mudança e, 43; no teste de tipos de perfeccionistas, 25; perda e, 43, 47-8, 308-9; perfeccionismo processual em, 145; relaxamento ativo para, 304; responsabilização pessoal em, 198; restauração para, 304, 308-9

perfeição: definição aristotélica da, 71; paradoxo da, 73; "perfeito", origem e uso da palavra, 70; reconhecimento da, 71; superficial, 137

permissão, 74, 84, 131, 133, 204, 223, 233, 237, 254, 279, 296, 312, 317, 341, 343, 355, 375

Perry, Bruce D., 283, 379, 396-7, 409

perspectiva, mudanças de, 73, 262, 320; apoio e, 258-8; comparações e, 274; conexão e, 281-4; estágios da felicidade e do estresse, 275-8; fechamento e, 292-9; gerenciamento de energia x gerenciamento de tempo, 288-92; incrementalismo e, 279-80; manutenção e, 268-72; "melhor ou pior" x "diferente", 272-5; pensamento contrafactual e, 249-58; processo de mudança e, 268-72; simplicidade e, 284-8; sutileza e, 278-80

pertencimento, 158, 160, 243, 265, 307, 384

poder: abrir mão do controle, 390; autêntico, 133; controle e, 18-9, 133; do perfeccionismo, 67-8; espaço liminar e, 244-5; exercendo seu, 134, 138, 141, 167, 225, 228, 239, 245, 275, 294, 298-9, 340, 342, 366-7, 385; fechamento e, 293-4; poder de fazer (agência pessoal), 250-2, 257; rendição e, 363

pontos fortes, 191, 286-8, 323, 367

pontos fracos, 191, 286-7

Por que nós dormimos (Walker), 337

positividade, 189, 191, 218; "tóxica", 194

possibilidades, 23, 44, 46, 69, 80-1, 135-6, 138, 151, 171, 207, 219, 317, 363-4

potencial, 23, 30, 63-4, 69, 75, 112, 133, 142, 230, 244, 287-8, 291, 296, 308, 331, 333, 342, 378

prazer: alegria e, 347-9; anedonia, 344; antecipatório, 276; condicional, 347; depressão e, 344; gratificação imediata × prazer, 214, 298, 344-5, 349, 386; mulheres e, 345; negar-se acesso ao, 344-8; saúde mental e, 344
pré-contemplação (estágio da mudança), 269
prêmio de consolação, 124
preocupação, 64, 96, 118, 218, 246, 248
preparação (estágio da mudança), 269
presença, 134-8, 140; *ver também* atenção plena
presídios, 182
pressão, 14, 50, 53, 64, 69, 76, 144, 145, 159, 169-70, 217, 245, 301-2, 311, 364
Pressfield, Steven, 381, 411
prevenção, 76-7; como estratégia de bem-estar, 329; motivação orientada à prevenção, 76-7
previsão afetiva, 275-6
previsibilidade, 24, 34, 132, 212-3
Price, S. L., 100
problemas: pensamento contrafactual baseado em, 251-2; solução de, 189, 329
processo, envolver-se com e honrar o: através da celebração, 220-4; através do reconhecimento, 217-9
processual, perfeccionismo, 129, 144-7, 362
Prochaska, James, 268-9
procrastinação, 59, 169, 290; *ver também* perfeccionistas procrastinadoras
produtividade, 290-2, 314

Psychology of Perfectionism, The (Stoeber), 59
punição, 99-101, 173, 177-82, 184, 191, 199, 202, 206, 232, 325, 386; consequência natural × punição, 179; cultura e, 182; disciplina × punição, 179; julgamento e, 325; no sistema de justiça criminal, 182; reabilitação × punição, 179-82; responsabilidade pessoal × punição, 179, 194; *ver também* autopunição

qualidade de vida, 120, 167, 191, 277

raiva, 21, 28, 50-1, 61, 224, 306, 322, 370
Ramsay, Gordon, 14, 101
reabilitação, 16, 129, 145, 179, 181, 186, 202, 240, 245; reabilitação × punição, 179, 181-2
reconhecimento, honrar o processo pelo, 217-9
recordação (no modelo AER — antecipação, evento e recordação), 276-8
recuperação *ver* cura e recuperação
redes sociais, 37, 102, 127, 178, 197, 235
reenquadramentos, 314-6, 320, 321; "reavaliação cognitiva", 315
regulação emocional, 194
relacionamentos, 23-4, 35, 37, 39, 51-2, 67, 81, 118, 120, 158, 213, 224, 236, 242-3, 256, 272, 328, 373; saúde relacional, 283
relações parassociais, 242-3, 398
relaxamento ativo, 302-3
relaxamento passivo, 302-3

religião e espiritualidade, 305, 329
rendição, 363-5
repertório de pensamento-ação, 189-91, 193, 285
repetição, 204, 206
resiliência, 165, 167, 191, 238, 282-3, 377, 379
resistência, 49, 82, 370, 380-2; não resistência, 82
responsabilidade pessoal, 28, 179-80, 194-6, 198, 206, 333, 340; punição × responsabilidade, 179, 194
ressentimento, 41, 339-40, 350, 369–71, 386
restauração, 197, 301-6, 312-4, 338; brincadeira e, 302; como um processo de duas fases, 303; como um processo individualizado, 314; descanso físico e, 304; descompressão exigida para, 302-3; ferramentas para, 314-40; para perfeccionistas caóticas, 304, 307; para perfeccionistas clássicas, 304-5; para perfeccionistas intensas, 303, 311; para perfeccionistas parisienses, 304, 306; para perfeccionistas procrastinadoras, 304, 308-9; priorizar a, 301, 312-3; *ver também* cura e recuperação
restauração, ferramentas para: agir quando as coisas estão boas, 328-9; estabelecer limites, 39, 141, 333-4; explicar e expressar, 321-5; "fazer menos, depois fazer mais", 338-40; pedir ajuda, 260-3, 315, 320, 330-2; reenquadramento, 314-21; *ver também* cura e recuperação
Revolução Industrial, 289
rigidez, 118-20; perfeccionismo rígido, 118, 157

riscos, 133, 212, 352
rótulos, 365, 390
Rubin, Gretchen, 390
ruminação, 183, 248
RuPaul, 247

saúde, determinantes sociais da, 379
saúde e doença mental, 58, 65-6, 68, 127-8, 163, 165-6, 169, 182, 203, 259-69, 283, 287, 294, 296, 315-6, 318, 329, 334, 336-7, 344, 368, 377, 391; amar o próprio corpo e, 368-9; conexão e, 265; estágios da mudança e, 268-9, 272; fechamento e, 294; flexibilidade e, 268; fluidez da, 109, 128, 316, 341; mecanismos transdiagnósticos e, 157; modelo da doença × modelo do bem-estar, 65, 67; perfeccionismo em comparação com outros traços e condições de, 58; prazer e, 344; reenquadramento e, 314-21; sono e, 334-7
saúde relacional, 283
Schumer, Amy, 102
Schwartz, Tony, 288
"Se" (Kipling), 94
segundos lugares, 68, 195, 243, 302
segurança emocional, 60, 68, 157, 378
sentido, encontrando, 78, 82, 365-6
simplicidade, 284-8
sistema glinfático, 334-5
sobrevivência, 158, 190, 212, 264, 300
"socialmente prescrito", perfeccionismo, 169
solução de problemas, 189, 329
sono, 226, 334-7; cérebro e, 334-5; privação de, 335-6

Speaking of Suicide (site), 166, 405
Sports Illustrated (revista), 100
Stewart, Martha, 15, 103-4
Stoeber, Joachim, 59, 397, 402
subtrativos, pensamentos, 252
sucesso, 48, 51, 53, 55, 76-8, 80, 140, 231, 247, 312, 377
Sue, Derald Wing, 57
suicídio, 161-70; armas e, 165; como impulsivo, 165; como progressão linear, 165; espectro do, 163-4; perfeccionismo e, 168-9; Speaking of Suicide (site), 166, 405
Sutton-Smith, Brian, 302

talento, 15, 41, 43, 284, 367, 377, 396
tarefas simples, 285
Tawwab, Nedra Glover, 334
técnicas do toque de apoio, 263
tensão, 111-2, 135, 384
TEPT (transtorno do estresse pós--traumático), 315-6
teste dos cinco tipos de perfeccionistas, 21-6
Tingley, Kim, 165, 405
TOC (transtorno obsessivo-compulsivo), 117
Tolle, Eckhart, 63, 72, 402
toque de apoio, 263
TPOC (transtorno de personalidade obsessivo-compulsiva), 118-20
trabalhar duro, 311
trabalho e maternidade, 93
transdiagnósticos, mecanismos, 157
transtorno de personalidade obsessivo-compulsiva (TPOC), 118-20
transtorno obsessivo-compulsivo (TOC), 117

trauma: de infância, 152, 238; fechamento e, 293; sistêmico, 378; transtorno do estresse pós-traumático (TEPT), 315-6
"tudo-ou-nada" (pensamento dicotômico), 170-3, 348

vacinas, 67, 221; contra hepatite A, 335
Vaid-Menon, Alok, 95
validação, 38, 117, 229-30, 245, 262, 306-7, 311, 340
valor próprio, 121-7, 131-3, 140, 192-4, 306, 327, 348
valores, 37, 55, 111, 115, 229-30, 271, 275, 290, 308, 338, 354; lista de, 339
vazio, 40, 49, 91, 94, 127, 244-5
vergonha: apoio financeiro e, 263; evitar a, 78
vida: como estática, 90; definida nos seus próprios termos, 221, 223, 225; inspirada, 74
vulnerabilidade, 37, 54, 158, 161, 168, 232, 274, 279

Walker, Matthew, 337
Warren, Anika, 173, 396
Watson, Thomas J., 78
Whitaker, Holly, 375, 396, 411
Why Won't You Apologize? (Lerner), 369, 411
Williams, Serena, 100
Williamson, Marianne, 355, 393
Winfrey, Oprah, 379, 409
Witherspoon, Reese, 93

Yalom, Irvin D., 327-8, 397, 409

TIPOGRAFIA Adriane por Marconi Lima
DIAGRAMAÇÃO acomte
PAPEL Polén Natural, Suzano S.A.
IMPRESSÃO Lis Gráfica, novembro de 2023

A marca FSC® é a garantia de que a madeira utilizada na fabricação do papel deste livro provém de florestas que foram gerenciadas de maneira ambientalmente correta, socialmente justa e economicamente viável, além de outras fontes de origem controlada.